ALED WYN DAVIES

O'r gwlân i'r gân

Cyflwynaf y gyfrol i Karina,
Aria Wyn ac Aron Wyn.

ALED WYN DAVIES

O'r gwlân i'r gân

Gwefan – www.aledwyndavies.com
Facebook – Aled Wyn Davies
Twitter – @AledPentremawr

Argraffiad cyntaf: 2020
Ail argraffiad: 2020

Dymuna'r cyhoeddwyr gydnabod cymorth ariannol
Cyngor Llyfrau Cymru

Diolch i Tina Jones, Wyn Jones, Tim Jones, David Williams,
Robert Price, Aled y Plas a G. Hughes am eu caniatâd i
ddefnyddio'r lluniau sydd yn y gyfrol.

Llun y clawr: Tina Jones
Cynllun y clawr: Y Lolfa

Rhif Llyfr Rhyngwladol: 978 1 78461 928 2

Cyhoeddwyd, rhwymwyd ac argraffwyd yng Nghymru gan
Y Lolfa Cyf., Talybont, Ceredigion SY24 5HE
gwefan www.ylolfa.com
e-bost ylolfa@ylolfa.com
ffôn 01970 832 304
ffacs 832 782

Cynnwys

Cyflwyniad

WEL, HELÔ! Ac i ddechrau, ga' i ddiolch o galon i chi am brynu'r llyfr hwn, neu am agor y dudalen gynta, beth bynnag! Doeddwn i erioed wedi dychmygu y byddwn yn cael gwahoddiad i ysgrifennu llyfr fel hwn fy hun – mae rhywun mwy talentog na fi yn byw yn y tŷ 'ma fydde'n fwy tebygol o wneud gwell job ohoni. Ond mae'n braf cael rhyw her fach newydd weithiau yn dydi, ac yn syndod i mi, dwi wedi mwynhau'r profiad yn fawr. Y peth cynta ddoth i'r meddwl pan ofynnodd gwasg y Lolfa i mi oedd fy mod i lawer rhy ifanc i ysgrifennu hunangofiant! Wrth feddwl mwy am y peth, a dechrau edrych yn ôl ar yr holl brofiadau gwahanol dwi wedi'u cael dros y blynyddoedd, falle ei bod hi'n amser eu rhoi nhw ar gof a chadw cyn i mi eu hanghofio, a chyn i nifer o'r darllenwyr fydde'n debygol o'u darllen fod wedi mynd i wlad sydd well i fyw hefyd! Diolch i Lefi, Meinir, Robat Trefor a holl staff y Lolfa am eu cydweithrediad a'u cyngor. Diolch hefyd i Karina am gadw golwg arna i wrth i mi ysgrifennu hyd at oriau mân y bore.

Fel y byddwch yn sylwi wrth ddarllen ymlaen, dwi'n berson reit benderfynol a chystadleuol ar adegau – ond dydi hynny ddim yn beth drwg i gyd, cofiwch. Dwi hefyd wedi cael cyfle i weld tipyn o'r byd dros y blynyddoedd, gan ymweld ag ambell le hollol swreal i fachgen ffarm o Lanbryn-mair. Yn rhai o'r llefydd hynny mae'r storïau gore fel arfer, ac mae'n rhaid bod yn barod bob amser ar gyfer yr annisgwyl!

Mae 'niolch i'n fawr iawn i'r teulu i gyd am y gefnogaeth anhygoel dwi wedi'i chael i allu mynd i bellafion byd, a hynny weithiau ar amseroedd digon heriol o'r flwyddyn. Fydden i byth wedi gallu mynd heb y gefnogaeth honno. Mae nifer o benodau ym mywyd pawb – rhai yn heriol ac eraill yn hapus. Wrth edrych 'nôl dwi wedi cael cyfleoedd i fwynhau gwahanol brofiadau, yn amaethyddol ac yn gerddorol, a hefyd dwi wedi dychmygu tybed a fydde pethe wedi bod yn wahanol os bydde'r teulu heb gael eu gorfodi i symud o'r cartref dros hanner canrif yn ôl! A fydde fy nghwrs bywyd wedi bod yn wahanol os bydden i wedi ymgartrefu mewn ardal ac ysgol arall? Falle ddim, ond mae'n rhaid cymryd y cyfleoedd weithiau pan maen nhw'n dod i'ch rhan. Rhaid hefyd dychmygu cymaint yn wahanol fydde fy mywyd i os byddwn wedi derbyn cynnig i fynd i ganu'n llawn-amser yn hytrach na chadw at fy ngwreiddiau yng nghanolbarth Cymru. Roeddent yn benderfyniadau mawr ar y pryd. Ydw i'n difaru? Gewch chi weld yn nes ymlaen!

Hoffwn ddiolch ar y dechrau fel hyn i bawb sydd wedi fy nghynorthwyo dros y blynyddoedd mewn gwahanol feysydd. 'Na i ddim enwi neb fan hyn, ond hebddoch chi fydden i'n bendant ddim yma yn ysgrifennu llyfr heddiw. O'r gefnogaeth bersonol cyn cystadleuaeth neu gyngerdd mawr, i helpu i olchi fy nillad brwnt amaethyddol wedi diwrnod o gneifio, neu'r siwtiau a'r crysau gwyn disglair! Diolch hefyd i'm ffrindiau triw sydd wedi bod yno erioed. Maent yn unigolion arbennig sydd wedi fy annog a 'nghefnogi ers pan oeddwn yn ifanc iawn. Chi'n gwybod pwy ydech chi. Diolch o galon am bopeth.

I orffen, hoffwn ddiolch i dri arbennig iawn – Karina, Aria ac Aron, am y cariad a'r hwyl diddiwedd bob diwrnod o'r flwyddyn. Y chi sydd yno i godi calon rhywun bob nos wedi diwrnod hir, blinedig ac mae'r croeso mawr dwi'n ei dderbyn wrth gyrraedd adre bob amser yn eli i'r galon. x

1

Hanes y teulu

Teulu Aberbiga

Tarddu o blwy' Penffordd-las mae teulu fy nhad yn wreiddiol.
I chi sydd ddim yn gyfarwydd â'r ardal yma, mae Penffordd-
las ar y topie, ar y ffordd gefn fynyddig sy'n mynd o Lanbryn-
mair i Lanidloes, heibio i Lyn Clywedog. Ardal y Stae i'r
trigolion lleol, neu Staylittle fel sydd ar yr arwydd swyddogol.
Mae'n debyg bod y pentref wedi cael ei enwi oherwydd y
crefftwyr a'r gofaint hynod o sydyn oedd yn y plwy'. Y sôn
oedd bod eu gwaith mor dda a slic, doedd dim rhaid aros yn
hir iawn pan oedd angen pedoli'r ceffyl, a dyna lle daeth yr
enw Stay-a-little! Ac mae'r enw Cymraeg, Penffordd-las, yn
hanu o'r hen lwybr porthmyn oedd yn terfynu yn y pentref.

Roedd fy nain, Mary Elizabeth Pugh, yn enedigol o'r Pantle,
Trefeglwys, yr ail o naw o blant; a chafodd fy nhaid, David
Davies, neu Dei i'w ffrindiau, ei eni yn y Goetre, ger pentref
y Fan, nid nepell o Lanidloes ac roedd yntau yr ieuengaf o
ddeg o blant! Gadawodd Nain yr ysgol pan oedd yn bedair ar
ddeg ac fe fu'n forwyn mewn tŷ yn Cathays Park, Caerdydd am
ddwy flynedd, cyn dychwelyd i'r Stae i weithio i Evan a Jane
Owen, sef brawd a chwaer, ar ffarm Llwyn-y-gog. Dyna'r adeg
daeth fy nhaid i weithio yno fel gwas hefyd, a bu'r ddau yno'n
gweithio am dair blynedd ar ddeg cyn penderfynu priodi ym
mis Ebrill 1931. Symudodd y ddau yn ddiweddarach i fyw i
Hafod Cadwgan, ffarm Richard Breeze, Glanhannog, Carno,
lle bu Taid yn feili.

Cafodd Nain a Taid ddeg o blant i gyd. Ganed Ann, Mair, John, Gwen, Martha a Margaret yn Hafod Cadwgan, a chollwyd un plentyn arall yn farwanedig. Cychwynnodd y tri phlentyn hynaf yn ysgol y Stae ar yr un diwrnod, ond oherwydd bod y ffordd i'r ysgol yn rhy bell iddynt gerdded bob dydd o ffermdy Hafod Cadwgan, cawsant aros gyda Mr a Mrs Edwards, Frongoch yn ystod yr wythnos, a chael mynd adre dros y penwythnos! Mae hyn yn anhygoel, yn dydi, o feddwl sut mae pethe heddiw. Mae cymaint wedi newid dros y blynyddoedd.

Yn y flwyddyn 1941, bu raid i'r teulu symud o Hafod Cadwgan oherwydd roedd perchenogion y ffarm wedi penderfynu gwerthu'r tir i greu coedwig Hafren. Felly, symudodd y teulu i lawr y dyffryn i fyw i Aberbiga, yn denantiaid ar ffarm y Comisiwn Coedwigaeth, a hynny wedi i Emrys Bennett Owen a'i deulu benderfynu symud o Aberbiga i fyw i Lwynderw, Hen Neuadd. Merch i'r teulu Owen yw'r delynores, Elinor Bennett, ond fe'i ganwyd ddwy flynedd yn ddiweddarach.

Ganwyd Evan (fy nhad), Maldwyn ac Iona, y plentyn ieuengaf, yn Aberbiga yn y pedwardegau, ond fe fu farw Iona mewn damwain drasig ar y ffarm gan foddi yn yr afon gyfagos pan oedd hi ond yn flwydd a hanner. Bu hyn yn gyfnod trist iawn i'r teulu.

Bu raid i John, y brawd hynaf, fynd i Ysbyty Gobowen a chael llawdriniaeth ar ei goes pan oedd yn wyth oed, ac aros yno am flwyddyn a hanner! Deallwyd mai *osteomyelitis*, sef *inflammation* ar fêr yr asgwrn oedd arno, a bu raid iddo fynd ar frys i'r ysbyty a chael llawdriniaeth ar ddydd Nadolig gan ei fod yn bur wael. Nid oedd John yn gallu siarad Saesneg pan aeth i'r ysbyty, ond pan ddychwelodd adre ni alle siarad Cymraeg, a siaradai Saesneg gyda'i deulu am gyfnod! Teithiodd yn ôl i Gobowen sawl gwaith wedyn a chael pum llawdriniaeth i gyd. Gan nad oedd ffôn na char yn Aberbiga ar y pryd, roedd yn rhaid dibynnu ar John Owen, postfeistr swyddfa'r post yn Llawr-y-glyn, i fynd â'r teulu i'w weld pan oedd yn bosib. Mae pethe wedi newid, yn dyden nhw? Y dyddiau hyn gallaf sgwrsio â'r plant o ben draw'r byd a'u gweld yn glir ar yr cyfrifiadur neu'r ffôn symudol unrhyw adeg o'r dydd, ond roedd y dechnoleg honno yn bell iawn i ffwrdd yn y pedwardegau.

Roedd John yn Ysbyty Gobowen adeg yr eira mawr yn 1947, a bu raid iddo aros yno am wythnosau lawer oherwydd doedd dim gobaith iddo gyrraedd Aberbiga. Roedd hi hefyd yn anodd iawn cyrraedd y siop yn ystod y cyfnod hwn, a bu raid i fy nhaid fynd ar ei ferlen dros y mynydd i gwrdd â'r fan i brynu nwyddau a bara. Roedd cymaint o drwch o eira ar y ddaear fel yr oedd hi'n anodd iawn cerdded, ac roedd angen tipyn o fwyd ar deulu mawr!

Yn y cyfnod hwn hyd at y chwedegau, roedd Swper Mochyn yn draddodiad mawr. Roedd diwrnod lladd mochyn yn ddiwrnod pwysig iawn i deuluoedd yr ardal, i'r rhai oedd â digon o le i gadw mochyn. Roedd hyn yn sicrhau fod cig ar gael drwy'r flwyddyn ond roedd yn ddiwrnod o waith caled, yn enwedig i wraig y tŷ. Arferai Dei Lloyd o'r Gronwen fynd o gwmpas i ladd moch yr ardal, ac wedyn y noson ganlynol bydde'n dychwelyd i'w dorri'n ddarnau. Bydde'r cymdogion yn cael eu gwahodd i swper torri'r mochyn, ac yn cael darnau o'r cig ffres i fynd adre gyda nhw, sef y darnau na allech eu halltu. Bydde'r mochyn cyfan yn ormod i un teulu beth bynnag, gan gofio nad oedd rhewgell yn y cyfnod hwn chwaith. Bydde'r mochyn yn cael ei rannu rhwng y teuluoedd, ac yna bydde'r cymdogion yn cael swper mochyn eu hunain yn ddiweddarach yn y flwyddyn, a'r cig eto'n cael ei rannu.

Cafodd Ann a Martha, dwy chwaer hŷn fy nhad, gryn lwyddiant ar ganu pan oeddent yn eu harddegau ac, o ganlyniad, mae gennyn nhw lawer iawn o gwpanau arian. Meddai'r ddwy ar leisiau soprano hyfryd ac fe fuon nhw'n cystadlu mewn eisteddfodau lleol, a rhan helaeth o Sir Aberteifi, pan oeddent yn ifanc. Mae Anti Ann yn cofio'i heisteddfod gynta erioed, lle bu'n fuddugol yn Eisteddfod y Pennant, Llanbryn-mair am adrodd, a hithe wedi mynd yno gyda'i thad ar gefn beic bach. Roedd Anti Martha dipyn yn iau yn dechrau cystadlu, a dechreuodd drwy ddysgu canu emynau gyda'i modryb, Mary Lewis, yn y Stae. Cystadlodd y ddwy yng nghwrdd cystadleuol Llawr-y-glyn un tro, gyda'r beirniad yn cynghori'r ddwy i fynd am hyfforddiant llais pellach. A dyna ddechrau arni. Penderfynodd y teulu fynd at Evan Maldwyn Jones ym Machynlleth, a oedd yn gerddor uchel iawn ei barch yn y Canolbarth a thu hwnt. Bu ambell i unawdydd enwog arall dan ei adain yr adeg honno, gan gynnwys y baswr Richard Rees, Pennal, a'r tenor Dai Jones, Llanilar. Trafaeliwyd tipyn i gystadlu mewn eisteddfodau ac fe fyddai fy nhaid yn gyrru ei Austin 10 gan fynd â nhw dros y wlad.

Cafodd Anti Ann lwyfan yn Eisteddfod Genedlaethol y Rhyl yn 1953 ar yr unawd soprano dan 25, pan gafodd yr ail wobr allan o 42 o gystadleuwyr. Mae'n deud ei hunan na fu ganddi fyth hiraeth am fynd ar lwyfan y Genedlaethol eto ar ôl y profiad nerfus hwnnw! Bu Martha ar lwyfan y brifwyl chwe gwaith pan oedd yn ei harddegau. Daeth yn ail y tro cynta, a hynny allan o 81 o gystadleuwyr ar yr unawd dan 12 yn Eisteddfod Genedlaethol Dolgellau, 1949; ac yng Nghaerffili yn 1950 daeth i'r llwyfan ar yr unawd dan 12 ac ar yr unawd dan 16, gan gipio'r drydedd a'r ail wobr, gyda'r beirniad a chyfansoddwr y gân ddewisedig 'Aderyn y To', E. T. Davies, yn holi am gael hoe am ginio yng nghanol y rhagbrawf ar yr unawd dan 12 gan fod 90 yn cystadlu! Y tro olaf i Martha fod ar lwyfan yr Eisteddfod Genedlaethol oedd yn 1958, a hynny yng Nglynebwy, gan ddod yn ail ar yr unawd dan 25.

Ar ôl i'r ddwy briodi a chael plant, ni fu'r ddwy'n cystadlu rhagor, sydd yn bechod mawr. Roedd Taid yn browd iawn ac yn falch o lwyddiannau'r ddwy. Dwi'n siŵr y bydde fy nhaid a fy nain hefyd, gobeithio, yn browd iawn bod y traddodiad canu yn dal i fynd yn y teulu hyd heddiw, a bydden i'n trysori'r cyfle o allu cael sgwrs efo nhw rŵan am y canu.

Yn y flwyddyn 1951, penderfynodd fy nhaid ehangu'r ffarm drwy rentu mwy o dir. Daeth Ann a John, dau o'r plant hynaf, i lawr i ffarmio i Nantcarfan, yng Nghwm Pandy, Llanbryn-mair. Un o ffermydd stad Syr Watkin Williams-Wynn ydoedd yr adeg honno, a symudodd eu chwiorydd, Martha a Margaret, yno i fyw ychydig yn ddiweddarach gan fynychu Ysgol Uwchradd Machynlleth. Symudodd fy nhad i Nantcarfan yn 1953 pan ddaeth i oedran mynychu'r ysgol uwchradd. Dwi ddim yn meddwl ei fod yn mynd i'r ysgol bob dydd chwaith. Ddeudodd o wrtha i ei fod lawer tro wedi mynd lawr i waelod yr wtra i gwrdd â'r bws ac wedi cuddio y tu ôl i'r goeden dderw tan i'r tacsi fynd heibio ac o'r golwg! Cerdded yn ôl at y tŷ wedyn gan ddeud bod y bws wedi mynd, ac allan â fo i ffarmio! Dim ond ar ddiwrnod chwaraeon roedd yn mynychu, medde fo, oherwydd roedd yn mwynhau hwnnw'n iawn. Doedd dim diddordeb na bwriad ganddo i fynd i'r chweched dosbarth na choleg. Amaeth oedd ei fywyd ers yn blentyn bach, ac mae'n dal yr un peth rŵan!

Roedd Dad a'i frawd, John, yn giamstars ar rasio ceffylau mewn sioeau lleol yn y chwedegau, oherwydd dyna oedd un o brif atyniadau'r sioeau bryd hynny. Roedd gennyn nhw amryw o geffylau, ond yr hen ferlen wen oedd y ffefryn, a bu honno gyda'r teulu am flynyddoedd, gan ennill llawer ras arni. Roedd Dad hefyd yn gneifiwr defaid arbennig. Er ei fod yn llaw chwith, ac yn defnyddio'r hen fainc i gneifio mewn steil hen ffasiwn, roedd yn gallu cneifio cannoedd mewn diwrnod. Dechreuodd fynd allan i gneifio ar y ffermydd cyfagos pan oedd yn dair ar ddeg! Mae cwpanau di-ri acw oherwydd roedd yn gystadleuwr brwd hefyd mewn sioeau. Roedd yn mynd i'r sioeau bach lleol i gyd ac yn dod â chwpan arian adre'n gyson.

Wedi iddo fynychu'r ysgol, daeth Maldwyn, y brawd ieuengaf, adre i weithio hefyd, a dyna lle buodd o drwy'i oes gyda fy nhad yn ffarmio. Roedd yn weithiwr caled, tawel a diwyd, ac roedd wrth ei fodd gyda'r gwartheg a'r defaid. Ni chafodd iechyd da iawn dros y blynyddoedd gan ddiodde o gryd y cymalau, cyn diodde'n ddiweddarach o'r hen afiechyd Parkinson's. Oherwydd hynny bu raid iddo roi'r gorau i ffarmio yn ei chwedegau hwyr. Symudodd Maldwyn i fyw i gartref gofal Bodlondeb yn Llanidloes yn 2017 cyn i ni ei golli ym mis Ebrill eleni pan gafodd drawiad ar ei galon. Gan ei fod yn byw efo ni ar y ffarm am flynyddoedd dwi'n cofio ambell dro trwstan amdano, ac mae un clasur yn sefyll yn y cof. Flynyddoedd yn ôl, aeth Dad a Maldwyn i nôl defaid ac ŵyn o'r cae sydd gennon ni dros y rheilffordd ym Mhentremawr. Dwi'n credu fy mod i ffwrdd yn cneifio ar y pryd. Doedd dim ffôn wrth y gatiau yr adeg honno i gysylltu â'r *signal-box* ym Machynlleth, felly roedd rhaid gwrando allan am y trên, ac os oedd popeth yn dawel bydde'r defaid yn cael croesi. Aeth Dad i nôl y defaid, a Maldwyn yn sefyll ar y rheilffordd yn cadw golwg. Clywodd Dad y trên yn agosáu yn y pellter a dyma weiddi ar Maldwyn i ddod i'r ochr i stopio'r defaid groesi. Ond dyma Maldwyn yn gweiddi bod popeth yn iawn, ac i ddod â'r defaid ymlaen. Roedd Dad yn clywed y trên yn canu'i gorn, ond roedd Maldwyn yn dal i weiddi i ddod â'r defaid drosodd, a bod popeth yn iawn. Roedd y cr'adur wedi wafio'r trên i lawr i aros i'r defaid groesi, yn union fel yr oedd yn stopio traffig ar y ffordd fawr! A dyma fo'n codi'i law i ddiolch i'r gyrrwr am stopio wrth iddo basio! Roedd Dad yn gandryll efo fo druan, ond ddim mor gandryll ag yr oedd dreifar y trên, dwi'n siŵr!

Cafwyd eira mawr eto yn 1963, o'r Nadolig hyd at fis Mawrth. Bu'n amhosib trafaelio mewn cerbydau am wythnosau lawer, felly roedd rhaid cerdded i gwrdd â fan JR i brynu bwyd. Mae Dad yn cofio gyrru'r Land Rover o Aberbiga i Lanidloes i geisio prynu glo a nwyddau i'r ffarm, a doedd dim ond llwybr cul i'r Land Rover drafaelio drwyddo. Erbyn iddo ddod yn ôl roedd y gwynt wedi codi a'r eira wedi lluwchio, gan gau'r ffordd yn gyfan gwbl. Roedd yn methu mynd ymlaen nac yn ôl. Bu raid iddo ddringo allan o'r Land Rover drwy'r ffenest fach sydd tu cefn i'r seddau oherwydd doedd dim modd agor y drysau o ganlyniad i'r lluwchfeydd. Roedd y gwynt wedi achosi i'r eira gau'r llwybr yn llwyr, gan gladdu'r Land Rover! Roedd ganddo raw yn y cerbyd a thrwy golli llawer o chwys tyllodd hi allan er mwyn cael mynd adre, rai oriau yn ddiweddarach. Mae'n cofio'r profiad brawychus hyd heddiw.

Arhosodd yr eira ar y mynyddoedd am fisoedd wedyn, a phan oedd y teulu yn hela'r defaid ym mis Gorffennaf i lawr o ben mynydd Pumlumon, sef rhan ucha'r ffarm, roedd ychydig o'r eira yn dal yno wedi'r tywydd garw.

Daliodd y teulu i ffarmio yn Aberbiga, ac yn Llwybr Madin i lawr y dyffryn am flynyddoedd, nes daeth cadarnhad pendant fod y ffermdy yn un o'r ffermydd fydde'n cael ei foddi dan gynllun creu cronfa ddŵr Clywedog yn y chwedegau. Dwi'n sicr ei fod yn deimlad brawychus i'r teulu gael eu gorfodi i adael eu cartre, ar ôl byw yno ers bron chwarter canrif, ond doedd dim dewis. Er i'r trigolion lleol ymgyrchu'n chwyrn i rwystro'r datblygiad o greu'r argae a thrio gwarchod eu ffermydd, caewyd drws tŷ Aberbiga am y tro olaf yn 1964 cyn iddo gael ei ddymchwel gan yr awdurdodau. Boddwyd Aberbiga, ynghyd â ffermdai y Gronwen, Eblid, Ystradynod, Pen y Rhynau a Bwlch y Gle, ddiwedd 1967.

Er yr holl boendod, roedd y datblygiad hwn ychydig yn wahanol i gynlluniau a fu mewn ardaloedd eraill yng Nghymru, fel Cwm Tryweryn, Llanwddyn a Chwm Elan oherwydd roedd problemau llifogydd enfawr yn Nyffryn Hafren ers blynyddoedd lawer, a'r unig ffordd o allu osgoi'r broblem oedd i adeiladu'r argae gan reoli'r dŵr oedd yn llifo o'r gronfa i lawr y dyffryn adeg tywydd mawr. Roedd y difrod a achosid yn nhrefi'r dyffryn fel y Drenewydd yn llanast llwyr bron yn flynyddol. Mae'n amlwg erbyn heddiw fod adeiladu'r argae wedi bod yn llwyddiant i'r awdurdodau gan na fu llifogydd tebyg yn y trefi hyn wedyn. Ond i deuluoedd Clywedog roedd meddwl am golli eich cartre fel hyn yn siŵr o fod yn drychinebus, ac roedd gweld yr hen gartre'n diflannu o dan y dŵr yn ddiwrnod trist iawn i'r teulu cyfan. Teimlwyd mai'r golled fwya oedd colli eu cymdogion agosaf gan fod y teuluoedd wedi gwneud cymaint â'i gilydd erioed.

Ar hafau annaturiol o sych, mae'r hen adfeilion yn dod

i'r golwg a dwi wedi cael y fraint o gerdded i Aberbiga gyda Dad ddwywaith dros y blynyddoedd, gan ryfeddu wrth sefyll ar stepen drws y tŷ a gweld gweddillion yr adeiladau cyfagos. Dim ond sylfeini'r adeiladau sydd ar ôl bellach. Dwi'n siŵr ei fod yn brofiad rhyfeddach fyth i Dad, a dwi'n lwcus ei fod o efo fi'r diwrnod hwnnw! Wrth gerdded o amgylch yr hen adfeilion dyma fo'n gweiddi arna i i mi beidio â symud. Roeddwn ar fin cerdded mewn i'r hen dwb dipio defaid oedd yn llawn o bridd gwlyb, budr. Diolch byth, roedd yn dal i gofio ble roedd popeth!

Roedd yn rhaid i'r teulu chwilio am gartref arall ac, o ganlyniad, fe brynwyd ffarm Pentremawr, ddeng milltir i lawr y ffordd yn Llanbryn-mair. Symudodd Taid a Nain i fyw yno yn 1964, a'r meibion ychydig yn hwyrach wedi iddynt glirio popeth o'u heiddo o Aberbiga. Dwi ddim yn cofio fy nhaid o gwbl gan iddo farw pan oeddwn ond ychydig fisoedd oed, ond o'r storïau dwi wedi'u clywed amdano roedd o'n dipyn o gymeriad. Doedd o byth adre rhyw lawer ac yn dipyn o dderyn y nos! Doedd hi'n ddim byd i'w weld o'n cyrraedd rhyw ffermdy cyfagos wedi deg o'r gloch y nos, pan oedd llawer yn paratoi i fynd i'r gwely. Weithiau roedd rhaid i ambell un godi o'i wely a dod lawr i'w gyfarch, a dyna hi wedyn – sgwrsio am oriau.

Mae 'na stori amdano yn dod adre wedi cyfnod yn yr ysbyty ar ôl iddo ddiodde o strôc, a'r noson honno roedd yn cnocio ar ddrws ffarm Dolbachog eisiau sgwrs, ac am ddal i fyny gyda'r newyddion amaethyddol diweddaraf, a'r rheini'n rhyfeddu ei weld o yno. Dwi'n meddwl bod hyn yn dal i redeg yn y teulu, oherwydd dwi hefyd yn dipyn o dderyn y nos! Bu farw fy nhaid yn 1975 yn 71 oed, a bu farw Nain yn 1992 a hithe'n 90 oed.

Cymerodd fy nhad a Maldwyn ofal o'r ffermydd, a diwedd y saithdegau daeth cyfle i brynu Nantcarfan gan y stad. Yn 1980, cafodd y teulu eu hysbysu bod y Comisiwn Coedwigaeth am werthu mynyddoedd Hafod Cadwgan a Blaenhafren ar foelydd Pumlumon – y tir uchel yr oeddem yn ei rentu ar y pryd, felly prynwyd ffarm Blaentafolog oedd yn ffinio â Nantcarfan. Bu hyn yn benderfyniad doeth, dwi'n sicr, oherwydd roedd y siwrne o Bentremawr i fyny at y mynydd drwy ganol coedwig Hafren yn rhyw bymtheg milltir o daith. Roedd hwnnw'n fynydd agored heb ddim ffensys, a bu'n orfodol i Dad weithiau fynd rownd i ardal Nant-y-moch, heibio i Langurig a Phonterwyd, i gasglu defaid o ffermydd gan eu bod wedi gwasgaru o'u cynefin. Mae'n cofio mynd un noson yn y Land Rover i ffarm Nant-y-moch i nôl defaid, gan eu llwytho i'r trelar. Roedd yn llwyth reit lawn, ond llwyddodd i gael pob un i mewn cyn cychwyn ar y siwrne hir adre. Er bod Nant-y-moch ond rhyw dair milltir dros y mynydd, roedd hi'n dri deg milltir o daith rownd y ffordd fawr! Pan gyrhaeddodd adre, sylwodd fod y drws bach ar ochr y trelar wedi agor a bod nifer fawr o'r defaid a'r ŵyn wedi neidio allan! Panig llwyr. Bu raid iddo fynd yn ôl i chwilio. Roedd y rhan fwya wedi dianc o'r trelar ar ddechrau'r daith, cyn cyrraedd Ponterwyd, ac er iddo fod yn waith blinedig i'w casglu, llwyddodd i gael y defaid i gyd adre'n saff erbyn y bore.

Wedi i Dad brynu Blaentafolog, ffarweliodd y teulu fel ffermwyr gydag ardal y Stae yn 1981 gan ddechrau cyfnod newydd ym mhlwy' Llanbryn-mair. Er fy mod yn ifanc iawn yr adeg honno, mae genna i atgofion plentyn o gerdded y defaid yn ôl i Flaenhafren drwy lwybrau'r goedwig, a hefyd atgofion hapus o gael mynd gyda John yr Oerffrwd yn y lori wrth symud defaid yn ôl i fyny o Nantcarfan yn y gwanwyn. Mae'n gyfnod mewn hanes i'r teulu ac mae gwreiddiau fy nhad yn ddwfn yn ardal y Stae, ac mae'n dal hyd heddiw yn cefnogi a mynychu'r cyngherddau a'r digwyddiadau blynyddol sydd yn neuadd y pentref.

Teulu Nant-hir

Mae teulu fy mam yn hanu o Laspwll, ger Machynlleth, cyn iddynt symud i ffermdy Nant-hir, ffarm drws nesa i Nantcarfan, pan ddaeth fy nhaid yno yn feili i deulu Jones, Talyrnau, Cwmllinau. Cardi oedd fy nhaid, Evan Daniel, yn wreiddiol o

Ystumtuen, ger Ponterwyd, ac roedd fy nain, Eirwen Richards, o ardal Aberhosan, a ganwyd iddynt chwech o blant – tri mab a thair merch. Prin iawn dwi'n cofio Taid Nant-hir oherwydd iddo yntau farw ddiwedd y saithdegau, ond cawsom flynyddoedd o bleser gyda Nain tan iddi ein gadael rai blynyddoedd yn ôl, yn 92 oed. Roedd hi'n giamstar ar chware whist, ac yn gystadleuol tu hwnt, yn ôl y sôn. Doedd hi ddim yn gwmni da iawn wrth drafaelio adre yn y car os oedd hi wedi colli'r cyfle i ennill twrci! Siŵr bod tipyn o'i helfen gystadleuol yn dod allan yndda i hefyd.

Mae brodyr a chwiorydd Mam i gyd wedi aros yn agos i'w gwreiddiau, gyda dim ond Gwenda wedi symud o'r ardal pan briododd a mynd i fyw i Dywyn at ei gŵr, Des. Mae Des yn dipyn o gymeriad, ac yn ffeind iawn wrth bawb, ond ei wendid mawr yw ei fod yn gefnogwr Manchester United, ac mae 'na gryn dynnu coes bob tro mae o'n galw acw! Mae Alun yn ffarmio yn Abergwydol, ger Penegoes, gyda'i wraig Carri a'u mab Gareth – y cneifiwr bydda i'n sôn amdano yn nes ymlaen. Mae John, y plentyn hynaf o'r chwech, erbyn hyn yn ffarmio ym Mrynbach, nid nepell o Lanbryn-mair, un o ffermydd y teulu o ochr Nain, wedi iddo weithio am flynyddoedd lawer i'r Bwrdd Dŵr. Mae Gwyneth, yr ieuengaf, wedi priodi Trefor, sef mab i deulu Talyrnau oedd berchen Nant-hir, lle roedd fy nhaid yn feili iddynt flynyddoedd yn ôl. Yn drist iawn, yng ngwanwyn 2019 collom un o'r brodyr, sef Dei, wedi iddo ymladd brwydr fer yn erbyn cancr, ac yntau rai misoedd cyn hynny wedi bod yn fy helpu ar y ffarm yma ym Mhentremawr gyda'r wyna, y gwaith defaid, ac ar y *digger* bach yn clirio'r ffyrdd ac ati. Bu'n gweithio am flynyddoedd ar y peiriannau mawr yn agor ffyrdd newydd yn yr ardal, cyn gweithio am ddeunaw mlynedd i gwmni gwastraff Plynlimon, lle bu'n hapus iawn yn teithio'r wlad a chwrdd â chymeriadau, a bu'n gweithio am flynyddoedd i'r cwmni yn yr Eisteddfod Genedlaethol. Bues yn lwcus iawn ohono yng ngwanwyn 2018 pan es i Awstralia am wythnos i ganu mewn cyngherddau Gŵyl Ddewi, a Dei adre ym

Mhentremawr yn helpu Dad i ffidio'r defaid cyn wyna. Mae'n chwith iawn hebddo.

Priododd Dad â Mam, sef Margaret Daniel, yn y flwyddyn 1972 gan ymgartrefu ym Mhentremawr, a dyna lle maen nhw wedi bod ers hynny. Nyrs oedd Mam a bu'n gweithio ym maes iechyd am flynyddoedd yn ysbytai Aberystwyth a Machynlleth cyn i ni'r plant gyrraedd. Wedi i ni fynd i'r ysgol uwchradd, aeth yn ôl i weithio fel nyrs, i ddechrau, yn ysbyty'r dref cyn symud i'r Ganolfan Iechyd lle bu'n *practice nurse* tan iddi ymddeol yn ddiweddar.

2

Tyfu
a dechrau joio!

CES I FY ngeni ym mis Awst 1974 yn blentyn hyfryd – un o'r tlysaf erioed, yn ôl llawer! – a daeth Anwen, fy chwaer, i'r byd ddechrau mis Mawrth 1978. Cawsom fagwraeth arbennig yma ar y ffarm, yn cael rhyddid i chware a gwneud tipyn o ddrygioni. Roeddwn yn hoff o chware efo tractors bach Britains a smalio gwneud seilej a byrnau mawr ar y caeau ffug y tu allan i'r ffermdy ar y ffald. Doedden ni'n dau ddim yn cytuno drwy'r amser, cofiwch, a bu llawer gair croes dros y blynyddoedd am bethe digon tila. Mae'r ddau ohonom yn benderfynol ein natur, ac er bod Anwen yn ymddangos fel merch dawel i'r rhan fwya o bobl, wel, roedd hi'n gallu bod yn reit styfnig weithiau gyda'i brawd mawr! Dwi'n ei chofio hi'n methu cael ei ffordd ei hun un tro, ac yn dwyn papur ugain punt o'm heiddo ac yn ei dorri'n ddarnau o'm blaen gan 'mod i wedi deud rhywbeth cas amdani. Aeth hynny ddim i lawr yn dda iawn, alla i ddeud!

Mae Mam a Dad wedi'n hatgoffa ni lawer tro am y digwyddiad gyda'r pot blodau – ac mae genna i ryw frith gof am hyn hefyd. Mae'n debyg i mi fynd ag Anwen fyny'r staer i llofft Dad a Mam ac agor y ffenest i ni gael gweld allan. Rhyw flwydd neu ddwy oedd Anwen, a finne tua pump. Dwi ddim yn siŵr os rhoies i *nudge* fach iddi neu beidio, ond pan ddaeth Mam allan o'r tŷ roedd Anwen yn eistedd yn dwt ar ei thin yn y pot blodau yn hapus braf! Lwcus iawn mai fan'no glaniodd hi a ddim ar y concrit gerllaw neu bydde pethe wedi bod yn wahanol iawn!

Roedden ni'n cael lot o hwyl hefyd, cofiwch, ac os bydde'r gigls yn dechrau mewn rhyw fwyty bydde Dad, Anwen a fi'n chwerthin yn ddi-stop am bethe dibwys iawn weithiau, a Mam yn trio'n sobri ni.

Mae Anwen yn cefnogi'r hen dîm pêl-droed yna o Fanceinion hefyd, ac os bydde fy nhîm i, Lerpwl, yn eu curo nhw, fydden i ddim yn ei gweld hi am ddiwrnodau lawer! Mae Anwen wedi gweithio mewn sawl maes dros y blynyddoedd. Graddiodd yng Nghaerdydd fel nyrs plant, cyn troi at faes trefnu a gosod blodau am gyfnod. Bu wedyn yn gweithio mewn banc am rai blynyddoedd, cyn dychwelyd i faes iechyd, ac mae erbyn heddiw yn ymwelydd iechyd yma yn Sir Drefaldwyn. Mae Anwen wedi dyweddïo ag Aled arall, sef Aled Llwyd Dafydd o ardal Llanelwy yn wreiddiol – cefnogwr Man Iw arall. Maent wedi ymgartrefu yng Ngharno, rai milltiroedd o Lanbryn-mair, ac mae eu mab bach, Elis Ifan, wedi glanio ers gwanwyn 2019, ac maent yn hapus eu byd fel teulu bach.

Roedd ambell i ffrind yn dod acw o bryd i'w gilydd i chware gyda fi pan oeddwn yn yr ysgol gynradd ac roedd hyn yn gyfle i gael y tractors i gyd allan – yn ogystal â'r beic Yamaha 50cc a gefais gan Siôn Corn un tro. Roedd Pennant Ystrad Fawr a Berwyn y Garej yn dod draw yn aml – a finne'n mynd i'w cartrefi nhwythe – ac roedden ni'n gwneud pob math o ddrygioni. Roedd sièd wartheg fawr yn cael ei hadeiladu acw tua 1984–85 – roedd y teulu wedi tynnu'r hen feudai i lawr gan adeiladu sièd a phit seilej pwrpasol. Roedd Berwyn wedi dod acw ac roedd twmpathau pridd y tu mewn i'r sièd ym mhobman wrth i sylfeini'r waliau gael eu creu. Roedd o jyst y lle i fynd ar y beic modur, a dyna lle bu'r ddau ohonom yn creu trac yn y sièd gan fynd dros y twmpathau ac wedyn yn gyrru'r beic ar hyd ryw blanciau cul o dwmpath i dwmpath. Roedd Mam wedi sylwi be oedd yn mynd ymlaen ac wedi'n rhybuddio i gadw ffwrdd o'r sièd – ond cadw ymlaen wnaethon ni. Yn hwyrach yn y prynhawn, dyma ni'n dau yn creu stori ffug bod Berwyn wedi cwympo a chael dolur – a finne'n rhedeg i'r tŷ gan weiddi ar Mam bod Berwyn ar lawr yn methu symud ar ôl cael codwm ar y beic! Dyma Mam allan o'r tŷ mewn panig llwyr a rhedeg i'r sièd i weld a oedd o'n iawn. Doedd dim sôn amdano, ac wrth i fi ddechrau chwerthin daeth Berwyn i'r golwg o rywle a Mam o'i cho 'mod i wedi deud celwydd – er yn falch bod pawb yn iawn.

Daeth aelodau o'r teulu heibio i Bentremawr wedi i mi gael y moto-beic gan Siôn Corn ac, wrth gwrs, fel bachgen ifanc, gwyllt, roeddwn am wneud sioe o fy hun arno'n syth. Dyma fynd lawr ffald Pentremawr fel cath i gythrel ond be ddaeth rownd y cornel i'm cyfarfod ond y fan bost! "Fflash" oedd llysenw'r postman a chafodd hwnnw fwy o fraw na fi pan aeth y beic dan bympyr ei fan! Roedd pawb yn iawn, diolch byth, a bues yn dipyn mwy gofalus wrth adael y ffald wedi'r digwyddiad hwnnw.

Daeth Tegryd Jones, un o'm ffrindiau yn yr ysgol gynradd, ata i i chware un Sadwrn – ac roedd Dad wedi'n rhybuddio ni eto i fihafio. Yr un adeg, roedd adeiladwyr acw yn trwsio cornel y tŷ. Roedd y cornel wedi dechrau symud ers blynyddoedd ac yn y diwedd bu'n rhaid ailadeiladu'r cornel cyn iddo ddymchwel. Roedd yr adeiladwyr wedi tynnu'r llechi i lawr ac yn paratoi i'w rhoi nhw'n ôl. Penderfynodd Tegryd a fi y bydde fo'n hwyl i ni neud rhywbeth tebyg ar un o'r cutiau moch rownd y gornel, a dyma ni wrthi'n dawel am gwpl o oriau yn tynnu'r llechi o'r to – ambell un yn gyfan ac eraill wedi llithro ar lawr a thorri'n deilchion. Daeth Dad adre o rywle a gweld y sièd heb do – a chawson ni'n dau yffach o *row* ganddo am wneud y fath lanast. Ac wedi i Tegryd fynd adre'n syth, ces i *row* dipyn mwy eto wedyn.

Wrth fynd yn hŷn mi ddois ychydig yn gallach ond roeddwn yn ysu am gael gyrru'n gyfreithlon ar y ffordd fawr. Roeddwn wedi bod yn gyrru'r peiriannau ar y ffarm ers blynyddoedd ac yn gwybod cystal â neb sut i'w defnyddio. Roeddwn yn gyrru tractor pan oeddwn tua deuddeg, ac yn dair ar ddeg y fi oedd yn gyfrifol am gario'r seilej i mewn ar y trelars mawr y tu ôl i'r 135 bach ar ddiwrnod cynhaeaf gwair. Dim ond fi oedd yn gallu bacio'n ôl yn gywir i gysylltu'r trelar nesa ar y *pick-up-hitch* ac roeddwn yn teimlo'n rêl boi. Ces ddyrchafiad wedyn pan oeddwn tua un ar bymtheg i fynd ar y tractor ar y pit seilej – ac roedd hon yn swydd gyfrifol gan mai fi oedd yn gosod y seilej yn ei le yn y sièd ac yn sicrhau ei fod o'n wastad ac wedi'i rowlio a bod y tractor ddim yn cyffwrdd â'r ochrau na'r to. Roeddwn wrth fy modd.

Pasiais fy mhrawf gyrru tractor ym mhentref Llanbryn-mair ychydig wythnosau wedi imi droi'n un ar bymtheg, a chwe wythnos wedi fy mhen-blwydd yn ddwy ar bymtheg roeddwn wedi pasio fy mhrawf gyrru car yn y Drenewydd – ac roedd fy nhraed yn rhydd. Ches i ddim car fy hun am flynyddoedd chwaith – roeddwn yn mynd â char Mam neu'r Land Rover i bobman. Mi ddaeth rhyw *craze* wedyn o fynd am dro fin nos yn ein ceir ar hyd ffyrdd bach y wlad, a chael ras fach ambell dro. Ddaliodd hynny ddim yn hir, diolch byth – cafodd un o'r criw ddamwain fechan ar gornel a difrod i'r car, a challiodd pawb wedyn. Mochyn daear gafodd y bai y noson honno, yn ôl y sôn! Dwi'n cofio dod adre un noson arall o ddawns sgubor ger y Bala pan drawais lwynog ar y ffordd adre. Roedd y llwynog wedi gwneud ychydig o ddifrod i'r car, felly dyma roi'r llwynog yn y bŵt fel tystiolaeth i Dad erbyn y bore.

Roedd criw ohonom yn hoff o fynd allan am beint bob nos Wener ac roedd tafarndai Cefn Coch a Tanhouse ger Llanfair Caereinion yn cael ein cwmni'n aml iawn. Roedd 'na ddawns sgubor bron bob penwythnos yn rhywle hefyd ac roedd rhes o geir o Fro Ddyfi yn siŵr o fynychu. Os oedd hi'n Rali Ffermwyr Ifanc yng Ngheredigion, Meirionnydd neu Faldwyn bydde pawb o'r criw yn cysgu yn eu ceir – doedd dim sôn am gwmni tacsis yr adeg hynny ym Machynlleth, felly gwesty yn y car oedd hi cyn ymlwybro'n dawel am adre erbyn cinio dydd Sul, oni bai bod rhyw daith foto-beics i rywle i wneud penwythnos lawn ohoni.

Os oedd rhywun yn dreifio adre, bydde rhaid cael paned yn nhŷ un o'r cogie ar y ffordd. Roeddwn i wastad yn poeni pan oedd rhywun yn fy hebrwng i adre, oherwydd roeddwn wedi cael trafferth â'r seiren. Ers blynyddoedd lawer roedd Dad a Mam wedi gosod seiren y tu allan i'r tŷ. Dim cloch, ond seiren, fel sydd mewn gorsaf dân adeg argyfwng. Cloch amser cinio oedd ei swyddogaeth, i gael gafael ar rywun oedd yn gweithio ar y ffarm – a phan fydden ni allan efo'r defaid yn y locie bydde'r sŵn byddarol yn ddigon i'n cael ni i'r tŷ i nôl cinio. Os bydde dwy seiren yn syth ar ôl ei gilydd, bydde rhywun ar y ffôn yn disgwyl amdanon ni. Doedd dim sôn am ffonau symudol bryd hynny. Beth bynnag, roedd y criw ffrindiau yn gwybod am y seiren yma, a hefyd yn gwybod ble roedd y switsh yn y pantri. Un noson, gyda rhyw ddeg ohonom ym Mhentremawr yn cael paned tua dau y bore, dyma un o'r bois i mewn i'r pantri, blocio'r drws a throi'r seiren ymlaen. Roedd y sain yn ddigon i ddeffro pawb yn y pentref filltir i ffwrdd ar noson ddistaw, ac roedd y diawled yn stopio gadael fi i fynd i mewn i'w ddiffodd. Doedd dim i'w wneud ond troi'r trydan i gyd i ffwrdd oherwydd doedd dim stop ar eu hantics drwg nhw!

Dwi'n cofio noson arall pan aeth tua wyth ohonom i dŷ Pennant Ystrad Fawr am baned ar y ffordd adre, a Pennant druan yn llenwi'r tecell â dwr oer a'i roi ar yr Aga i ferwi. Fe fuon ni'n aros am bron i awr cyn i'r te gyrraedd, a phawb yn tynnu coes Pennant ei bod hi'n dechrau goleuo tu allan! Roedd lot o hwyl bryd hynny – hwyl diniwed rhwng ffrindiau.

Yn ddiweddarach, i Fachynlleth roedden ni'n mynd ar y penwythnos ac weithiau yn ei mentro hi i'r metropolis yn Aberystwyth – am drît! Un nos Wener ym Machynlleth roedd criw wedi penderfynu mynd allan yn hwyrach i ffarm lle roedd y mab yn priodi drannoeth – ac roedd hwnnw'n perthyn i rai o'r criw. Mae'n draddodiad mewn llawer ardal yng nghefn gwlad Cymru i wneud difrod mawr weithiau ar ambell i ffarm, gyda choed hynafol sy'n arwain i'r buarth wedi'u torri i lawr, yn ogystal â difrod i dir ar ôl chwistrellu *weedkiller* ar gaeau'r ffarm. Diolch i Dduw, ychydig iawn wnes i erioed ar y nosweithiau hyn – gan i mi wedyn gael llonydd ar noswyl ein priodas ni. Cafodd Karina a'i theulu fwy o ddifrod y noson honno na fi!

Ond un tro, ces fy mherswadio i fynd efo'r criw i ardal Dysynni. Y fi oedd yn dreifio un o'r ceir a gadewais y car yn y pentre cyfagos a cherddded efo pawb y ddwy filltir dros y caeau at y ffarm. Naethon ni ddim byd llawer, dim ond gwneud sŵn wrth y siediau a gadael ambell i fanger i ffwrdd. Ond roedd hynny'n ddigon i wylltio'r rhai oedd yn gwarchod y noson honno. Wrth gerdded yn hamddenol ar hyd y ffordd yn ôl am y car, dyma olau car yn dod yn syth amdanom ar frys. Roedd hi'n dywyll fel bol buwch, felly neidiais dros y *crash-barrier* a'r sietyn. Yn ddiarwybod i mi, roedd twll mawr yr ochr arall a syrthiais rhyw ddeg troedfedd i'r nant islaw. Roeddwn yn lwcus iawn i beidio â brifo'n ddrwg – a doedd dim tortsh na ffôn symudol na dim byd genna i. Chwerthin wnaeth y lleill i gyd – ar ôl iddyn nhw ddod o hyd i fi!

Dwi'n cofio fy mheint cynta o gwrw fel ddoe. Roeddwn wedi cael cwpl o hanner siandis bach gwan yn y Wynnstay ar nos Wener wrth fynd yno at Dad ar fy ffordd adre o'r clwb snwcer – a fynte yno'n chware darts. Ond yn Iwerddon ces fy mheint cynta erioed. Taith Ffermwyr Ifanc Bro Ddyfi i Ddulyn am y dydd, a finne'n rhyw bedair ar ddeg. Roedd Colin Harding, ffrind ysgol i mi, yn mynd, felly roeddwn i am fynd hefyd. Dal y bws yn gynnar yn y bore, i fyny i Gaergybi a drosodd ar y fferi. Am ddau o'r gloch roedd criw yn mynd i'r dafarn, felly i mewn â fi y tu ôl i Colin. Roedd Colin wedi cael peint o'r blaen, ond doedd genna i ddim syniad be i'w gael. Perswadiodd rhywun fi i gael lager a leim ar ôl i mi holi am hanner siandi i ddechrau! Dwi'n credu i mi gael rhyw bum peint erbyn y diwedd ac roeddwn yn teimlo'n ddigon giami yn dod adre'r noson honno ar y fferi! Ddaliodd y leim ddim yn hir, ac mae'n gas genna i flas hwnnw erbyn hyn!

Pan oeddwn yn un ar bymtheg, ces wahoddiad gan fy ffrindiau i ymuno â chriw oedd yn mynd i sioe amaethyddol Smithfield yn Earl's Court, Llundain. Roedd hwn yn dipyn o drip – mynd ar y trên ac aros yng ngwesty'r Regent Palace ger Piccadilly Circus am dair noson. Wel, am le drud a phrysur! Doeddwn i erioed wedi bod i Lundain cyn hynny, ond ces fwynhad mawr yno ac roedd yn addysg i rywun ifanc fel fi ar y pryd! Ces fynd eto rhyw ddwy flynedd yn ddiweddarach, a mwynhau unwaith eto. Roedd nifer fawr o Gymry yno ac roedd pawb yno i fwynhau. Mae'n biti bod yr hen Regent Palace wedi diflannu erbyn hyn, ac mae'r sioe amaethyddol wedi dod i ben yn y brifddinas hefyd.

Mae un penwythnos rhyngwladol yng Nghaerdydd yn aros yn glir yn y cof. Chwefror 2000 oedd hi, ac roedd Cymru yn herio Ffrainc yn Stadiwm y Mileniwm. Roedd Llinos, chwaer Berwyn y Garej, yn y coleg yn y brifddinas a chawsom wahoddiad i aros gyda hi a'i ffrindiau yn eu tŷ yn Canton. Roedd pump ohonom yn y car yn trafaelio i lawr, pan stopiom yn y garej wledig rhwng Rhaeadr a Llanfair-ym-Muallt am ddanteithion. Es i mewn i brynu ychydig o bethe ac wedi dychwelyd i'r car roedd angen y tŷ bach arna i. Felly yn ôl â mi i'r garej i neud pi-pi cyn i ni ailddechrau ar ein taith. Berwyn oedd yn gyrru, a finne wrth ei ochr yn nafigetio. Ychydig filltiroedd yn ddiweddarach roeddwn yn bwyta fy nghreision yn braf pan ges sioc aruthrol – roedd catrisen gwn yng nghanol fy nghreision i! Ro'n i'n methu coelio'r peth o gwbl. Dyma'r pedwar arall yn y car yn fy nghyhuddo o ddeud celwydd, ond roeddwn yn benderfynol fy marn bod y gatrisen y tu mewn i'r paced. Roeddwn yn trio cyhuddo Berwyn o'i rhoi hi i mewn yno, ond roedd y paced wedi'i selio! Roeddwn yn syfrdan, a dyna fu'r sgwrs yng Nghaerdydd efo pawb, gydag ambell un yn deud y dylwn ffonio'r heddlu, a riportio'r digwyddiad i'r cwmni creision rhag ofn i ryw blentyn gael rhywbeth tebyg eto.

Yn rhyfedd iawn, wrth ddychwelyd i'r tŷ yn Canton yn hwyr y noson honno ces sioc arall! Wrth i mi agor y drws ffrynt, daeth lleidr i lawr y grisiau o'm blaen ac i ffwrdd ag o am gefn y tŷ. Es ar ei ôl o ac allan drwy'r ardd gefn, ac wrth i mi geisio gafael yn ei goes wrth iddo'i heglu hi dros y wal, collais afael arno – ond roedd yntau wedi colli'i afael ar y bagiau oedd yn ei law o hefyd, ac o'r herwydd dwi ddim yn credu i neb golli dim byd gwerthfawr gan ein bod wedi ei ddistyrbio.

Wrth drafaelio adre drannoeth roedd y gatrisen yn y creision yn dal ar fy meddwl, a soniais wrth Berwyn am fynd heibio'r garej eto i mi gael deud wrth berchennog y siop. Es i mewn gan ddeud y stori'n llawn wrth y ddynes wrth y til, ac roedd honno wedi cymryd fy manylion i gyd ac am riportio'r peth i'r heddlu. Wrth i mi orffen siarad â hi, sylwais drwy'r ffenest bod Berwyn a'r tri arall yn chwerthin mawr yn y car. Wrth ddychwelyd i'r car, sylweddolais yn syth mai y nhw oedd wedi rhoi'r gatrisen yn y paced, a'u bod wedi gallu selio'r twll bach yn ôl ar waelod y paced pan es i'r tŷ bach! Roeddwn yn gynddeiriog efo nhw. Pan gyrhaeddes adre, dyma Mam yn cyhoeddi bod yr heddlu wedi ffonio ac eisiau siarad â fi. Bu raid esbonio'r helynt eto i Mam, cyn ffonio'r heddlu i esbonio cymaint o ffrindiau ffyddlon oedd genna i. Roedd yr heddwas yn chwerthin, diolch byth – ond o gywilydd bues yn osgoi'r garej yna am flynyddoedd cyn gallu cerdded i mewn yno eto!

Roedd yn gyfnod cofiadwy a bu lot fawr o chwerthin a drygioni – yn enwedig os oedd Iestyn Meddins a Dafydd Post yn rhan o'r peth. Wrth i bethe brysuro efo fi a'r canu, dechreuais golli cysylltiad wythnosol â phawb gan 'mod i ffwrdd ar y penwythnosau – ond yn 2014 daeth y criw yn ôl at ei gilydd pan sefydlwyd Côr Meibion Machynlleth. Mwy am hynny yn nes ymlaen.

Mae'n anodd dychmygu sut mae pethe yn y byd wedi newid dros y degawdau diwetha, a hynny dim ond yn y ganrif hon, heb feddwl sut oedd hi i'r teulu yn ôl yn y pedwardegau pan nad oedd gennyn nhw'r adnoddau sydd gennon ni heddiw.

Mi fydde fy nheidiau yn cael sioc farwol pe bydden nhw'n dychwelyd a gweld y gwahaniaeth, dwi'n gwybod hynny. Mae llawer o bethe wedi newid er gwell ond roedd y teuluoedd hyn yn hapus iawn eu byd hefyd, oherwydd dyna'r unig fywyd yr oedden nhw'n gyfarwydd ag o ac roedd yn rhaid bodloni ar hynny, yn doedd, heb unrhyw ffws na ffwdan.

3

Amaethu yn Llanbryn-mair

DOEDD DIM LLAWER o amheuaeth mai dod adre i ffarmio y bydden i ar ôl gadael yr ysgol. Eto i gyd, ar ddechrau fy nghyfnod yn yr ysgol uwchradd, mae'n rhaid deud nad oedd genna i ormod o ddiddordeb mewn ffarmio. Ond wrth i'r blynyddoedd fynd yn eu blaen, tyfodd y diddordeb a dilyn gyrfa fel ffarmwr oedd yr unig ddewis i mi bellach. Es i ddim i goleg ffarmio fel Llysfasi, Glynllifon, Coleg Amaethyddol Cymru (WAC) yn Aberystwyth na'r colegau amaethyddol eraill yn Lloegr, fel y gwnaeth llawer o fy ffrindiau, a dwi'n difaru ychydig am hynny erbyn heddiw, ond mi fynychais Goleg Powys yn y Drenewydd ddeuddydd yr wythnos, gan weithio adre weddill yr amser. Dwi ddim yn siŵr faint ddysgais i yn y Drenewydd chwaith, er i mi fod ymysg cwmni da o ffrindiau ar draws y sir i gyd – o Lanidloes a Llanfair Caereinion, i lawr i Landrindod. Dwi'n cofio'r diwrnodau dysgu cneifio'n dda iawn oherwydd y fi oedd yn dysgu'r athro sut i gneifio, a dim ond un ar bymtheg oed oeddwn i! Ces ychydig o waith cneifio ar ffermydd cogie eraill ar y cwrs wedi hyn. Wrth i amser fynd yn ei flaen, ro'n i'n absennol o'r coleg yn fwy aml am fy mod i'n canolbwyntio mwy ar y gwaith adre ym Mhentremawr.

'Aled Pentremawr' mae pawb yn fy ngalw erbyn hyn, ond mi allai f'enw fod yn dipyn mwy o lond ceg, oherwydd mi allwn fod yn 'Aled Pentre Cynddelw Brydydd Mawr'! Yn ystod y ddeuddegfed ganrif roedd castell mewn rhan o'r pentref o'r enw Tafolwern, sef Castell Walwern – cartref Owain Cyfeiliog. Yn y flwyddyn 1165, ymunodd Owain Cyfeiliog ag Owain Gwynedd mewn brwydr yn erbyn Harri II, a gwnaeth enw iddo'i hun ym mrwydr Crogen. Yr oedd Owain Cyfeiliog yn fardd godidog a'i gerdd enwocaf yw 'Hirlas Owain'. Un o'r beirdd a noddwyd gan Owain Cyfeiliog oedd Cynddelw Brydydd Mawr – yr enwocaf a'r galluocaf o feirdd Cymru yn y ddeuddegfed ganrif, yn ôl y sôn. Ganwyd ef yn 1140 ac, ar anogaeth y tywysog, aeth i fyw i Bentremawr, neu 'Pentre' fel y'i gelwid ar y pryd. Enw'r ffermdy ar ôl hynny oedd Pentre Cynddelw Brydydd Mawr ac yna, ganrifoedd yn ddiweddarach, newidiodd yr enw i Bentre Mawr. Roedd Cynddelw yn fardd teulu i Owain Cyfeiliog, Owain Gwynedd a Madog ap Maredudd, a chanai glodydd y tri thywysog mor aml nes ennyn cenfigen yr Arglwydd Rhys o Ddinefwr. Mae'n braf iawn cael ffermdy yn y teulu sy'n llawn hanes diddorol, ac mae'n fraint cael cysylltiad â bardd a oedd mor arwyddocaol 850 o flynyddoedd yn ôl.

Mae cysylltiadau hefyd â Phentremawr yn y bedwaredd ganrif ar bymtheg, pan ymfudodd nifer fawr o Lanbryn-mair i'r Unol Daleithiau am fywyd gwell. Yn 1856 ymfudodd ffarmwr o Bentremawr o'r enw Mr Gwillim Williams i ddwyrain Tennessee, gan brynu dros gan mil o aceri o dir yno ar y cyd â rhai o bwysigion yr ardal o'r cyfnod hwnnw, sef Samuel a Richard Roberts, Y Diosg, a William Bebb – dyn uchel ei barch yn yr Unol Daleithiau, a ddaeth yn ddiweddarach yn llywodraethwr ar dalaith Ohio. Roedd yntau'n fab i Edward a Margaret Bebb, rhai o'r ymfudwyr cynta a symudodd o Lanbryn-mair i Paddy's Run, yn Ohio, 'nôl yn 1801. Mae 'na gysylltiad yn dal i fod rhwng disgynyddion y Cymry cynta, ac mae ambell i ymwelydd wedi bod yma i Bentremawr dros y blynyddoedd, gan ddatgelu bod eu cyndeidiau yn hanu o'r ffarm.

Mae yna stori dda hefyd yn gysylltiedig â'r ffarm arall sy gennon ni i fyny Cwm Pandy, sef Nantcarfan. Mae yna hyd yn oed lyfr Cymraeg sy'n cynnwys y stori ryfeddol hon, ac mae'r stori hefyd wedi'i chynnwys mewn llyfr Saesneg diddorol o'r Unol Daleithiau sy'n sôn am dylwyth teg Cymreig. Teitl y stori yw 'Sili Go Dwt'. Hanes gwraig weddw oedd yn byw yn ffermdy Nantcarfan gyda'i phlentyn bach sydd yn y stori, cyn i dylwythen deg ddod i lawr y corn simnai gan fynnu arian gan y wraig er mwyn iddi allu cadw'i phlentyn. Ddeudodd y dylwythen deg y bydde hi'n dychwelyd y diwrnod wedyn i nôl yr arian. Os na fydde hi'n cael yr arian, bydde hi'n cipio'r plentyn – oni bai bod y wraig weddw'n gallu dyfalu'n gywir beth oedd ei henw hi. Pe bai'n llwyddo i ddyfalu'n gywir, fe fydde'r dylwythen yn diflannu, gan adael llonydd iddi am byth.

Ychydig wedi hyn, wrth i'r wraig weddw gerdded yn ôl o Lanbryn-mair ar ôl iddi fethu yn ei hymdrechion i fenthyg arian, dyma hi'n clywed sŵn canu yn dod drwy'r coed, o gyfeiriad Cae Crwn – un o gaeau'r ffarm – ac wrth iddi agosáu, dyma hi'n sylwi ar y dylwythen deg yn dawnsio mewn cylch dan ganu, "Dyma fy enw i, y fi 'di Sili Go Dwt!" Aeth adre'n dawel hyderus, a phan ddaeth y dylwythen i'r golwg y diwrnod wedyn, dyma hi'n holi'r wraig am ei henw. Wedi dyfalu ambell enw'n anghywir, dyma'r wraig yn mentro holi, "Ai Sili Go Dwt wyt ti?" ac yn sydyn, diflannodd y dylwythen i fyny'r simnai! Ni fu sôn amdani byth wedyn.

Mae 'na ryw wirionedd yn y stori hon oherwydd roedd Charlie, fy wncl, wedi deud wrthom lawer tro fod yna siâp cylch i'w weld ar dir yng nghanol Cae Crwn, ac roedd o'n arfer ei weld wrth dorri gwair ar y cae. Hefyd, roedd yna deulu a oedd yn arfer byw yn ffermdy Blaentafolog, sydd rhyw filltir i fyny'r cwm, wedi dod o hyd i rywbeth anarferol rai blynyddoedd yn ôl wrth adnewyddu'r tŷ, sef dau gleddyf mawr wedi'u croesi yn y corn simnai. Mae yna sôn fod yna gleddyfau croes yn Nantcarfan hefyd, a'u bod wedi'u gosod yn y corn simnai i gadw ysbrydion drwg o'r tŷ, yn ogystal â Gwylliaid Cochion Mawddwy! Mae hanesion fel y rhain yn gofnodion hanesyddol pwysig i ni fel teulu, a dwi'n gobeithio'n wir y byddant yn cael eu trosglwyddo o un genhedlaeth i'r llall am flynyddoedd eto.

Bu ffermdy Nantcarfan yn lwcus iawn i oroesi eira mawr 1947. Doedd fy nheulu ddim wedi symud i'r ffarm yr adeg honno; fe ddigwyddodd hynny ryw bum mlynedd wedyn, a Miss Dora Morgan oedd yn ffarmio yno yn y pedwardegau, gyda dau was yn gweithio iddi, sef Berwyn a Haydn Evans. Yn ôl yr hanes, am saith o'r gloch y bore ar 6 Mawrth 1947, cafwyd cwymp eira anferth o'r mynydd llechweddog y tu cefn i'r tŷ, gan ddod i lawr a chladdu'r ffermdy dan eira. Roedd y siediau bob ochr i'r tŷ wedi diflannu i ebargofiant – y cutiau moch a'r tŷ ffwrn cyfagos, fel y'u gelwid, wedi diflannu'n llwyr! Wrth lwc, roedd y tŷ â'i dalcen tuag at y mynydd ac felly rowliodd yr eira drosto a symud yn ei flaen, gan ddifa tair coeden fawr! Roedd y sŵn yn ddychrynllyd, a lwcus bod y tri yn dal yn eu gwlâu pan ddaeth yr eira i lawr. Llwyddodd y ddau was i fynd allan drwy ffenest y llofft a synnu o weld y difrod a thalpiau mawr o eira oedd yr un faint â byngalo o gwmpas y ffald. Doedd neb o'r ffermydd cyfagos wedi sylwi beth oedd yn digwydd, a thrannoeth, cafodd Miss Dora Morgan a'r ddau was loches gyda theulu Dolfawr ymhellach i lawr y dyffryn cyn ei bod hi'n bosib iddynt symud yr eira a chael ffenestri newydd! Collodd y ffarm 800 o ddefaid y flwyddyn honno, a llawer o'r rheini dros y misoedd a ddilynodd y cwymp, pan feiriolodd yr eira gan greu llifogydd anferth a sgubo'r defaid byw a marw gyda'r lli. Roedd y defaid byw yn anelu am y dŵr am fod syched arnynt ond, ar yr un pryd, roeddent yn rhy wan i ddianc o afael y llifogydd.

Prynodd fy nhaid ffarm Pentremawr yn 1964, wythnos ar ôl derbyn cadarnhad y byddai'r teulu'n gorfod symud allan o ffarm Aberbiga oherwydd bod argae'n cael ei adeiladu yno, yng nghwm Clywedog. Mae'n anodd coelio erbyn heddiw ei fod wedi gallu prynu ffarm 300 erw am lai na phris car newydd y dyddiau hyn. Bu tipyn o waith cynnal a chadw ar y ffarm i ddechrau, fel adnewyddu'r ffermdy ac ailhadu nifer o'r caeau.

Den ni erbyn hyn yn ffodus iawn o'r holl waith caled wnaeth y teulu yn y dyddiau cynnar hynny, o weld y ffarm fel y mae hi heddiw. Den ni'n dal i drio gwella'r tir yn flynyddol, ac wedi gwario tipyn o arian ar galch yn ddiweddar er mwyn gwella cyflwr y pridd sy'n gwneud y borfa'n gynhaliol, gan ostwng costau porthiant yr anifeiliaid yn y pen draw.

Roedd y teulu'n rhentu Nantcarfan ers pumdegau cynnar y ganrif ddiwetha oddi wrth stad Syr Watkin Williams-Wynn ond erbyn diwedd y saithdegau daeth cyfle i brynu'r ffarm ac roedd gwneud hynny, yn sicr, yn gaffaeliad mawr i'r busnes. Mae Nantcarfan yn ffarm fynyddig, dros 720 erw – er bod hanner hwnnw'n dir mynyddig agored sydd erioed wedi'i drin. Mae'r tir hwn dan gynllun cadwraeth Glastir erbyn hyn, a den ni'n cael ein talu gan y llywodraeth i gadw lefelau'r carbon i lawr, i reoli'r borfa ac i reoli faint o ddefaid sy'n cael pori yno dros y gaeaf.

Daeth ffarm Blaentafolog ar werth yn 1980, a buom yn lwcus iawn i'w phrynu mor sydyn. Roedd gorchymyn wedi dod ein bod am golli'r tir pori roeddem yn ei rentu ar ben moelydd Pumlumon, felly roedd rhaid dod o hyd i rywle arall ar frys. Gofynnodd Charlie i Dad, tybed beth oedd hanes Blaentafolog? Roedd yntau wedi clywed sôn bod y lle ar werth. Ymhen dau ddiwrnod, roeddem wedi cytuno i brynu'r tir. Roedd rhan o'r tir eisoes wedi'i werthu i'r Comisiwn Coedwigaeth gyda'r bwriad i blannu coed, ac roedd y tŷ, ychydig o dir a rhai o'r adeiladau cyfagos hefyd wedi'u gwerthu, ond nid oedd y perchenogion wedi meddwl eto beth roeddent am ei wneud gyda gweddill tir y ffarm. Buom yn lwcus iawn o gael y cyfle i brynu'r tir ac roedd o'n benderfyniad naturiol i fynd amdani oherwydd dim ond milltir sydd rhwng Blaentafolog a Nantcarfan. Mantais bwysig arall i ni hefyd oedd bod y tir mynydd yn agored rhwng y ddau le, heb ffensys. Mae llawer wedi holi sut nad yw defaid y ddau le'n mynd yn gymysg â'i gilydd? Wel, mae diadell ddefaid Cymreig Nantcarfan a diadell Blaentafolog yn cael eu cadw ar wahân drwy ddefnyddio nod clust gwahanol, felly maent yn arfer cadw i'w cynefin. Anaml iawn y cawn ni nifer fawr o ddefaid y ddiadell arall ar ddiwrnod hela. Mae'n anodd coelio sut maen nhw'n cadw i'w cynefin. Mae diadell Blaentafolog yn cael ei rhedeg ar y cyd â Phentremawr, a bydd y defaid hŷn o ddiadell Blaentafolog yn dod i lawr i Bentremawr i'w croesi â'r hyrddod Suffolk, tra bod diadell Nantcarfan yn aros gyda'i gilydd yn eu cynefin trwy gydol eu hoes.

Den ni'n cadw yr un un brid o ddefaid mynydd Cymreig ers blynyddoedd maith, a'r brid hwnnw'n tarddu o ardal y Stae, a Phumlumon. Dechreuodd fy nhaid gadw'r defaid penwyn Cymreig hyn o'r dechrau, ac mae llinellau gwaed y brid yn dal i fynd hyd heddiw. Mae'n ddafad gref, yn dipyn mwy o ran maint na'r teip fynyddig Gymreig sydd yn ardal Dolgellau, ond mae hefyd yn ddigon caled i fyw ar ucheldir canolbarth Cymru. Mae gwaelodion Pentremawr yn ddim ond rhyw 300 o droedfeddi uwchlaw'r môr ond, mewn cwta dair milltir, mae darnau uchaf mynyddoedd agored Nantcarfan a Blaentafolog dros 1,600 o droedfeddi, sydd yn newid mawr ac mae'r tywydd yno'n gallu bod yn reit arw ar brydiau. Mae'n ddafad â hyd da iddi ac mae'n llwyddo i fagu ŵyn safonol i'w gwerthu ar y bachyn. Erbyn heddiw, mae nifer fawr ohonynt yn magu dau oen yn y gwanwyn, ac ambell un yn dod â thri – sy'n niwsans i ni. Felly, fel rheol, rhaid tynnu un o'r ŵyn a'i fagu ar beiriant llaeth powdr, ond does dim llawer o elw drwy wneud hynny!

Den ni wedi bod yn gwerthu defaid yn ffair ddefaid Llanidloes ers pumdegau hwyr y ganrif ddiwethaf, a hynny'n ddi-dor tan y flwyddyn olaf un yn 2018, pan benderfynom gadw'r defaid ifanc gorau i gyd a gwerthu mwy o'r defaid hŷn yn lle hynny. Erbyn heddiw, mae'r ffair ddefaid yn Llanidloes wedi dod i ben, ac mae'r arwerthwyr yno wedi penderfynu ei bod yn hwylusach i'r ffermwyr fynd â'u defaid i'r farchnad yn y Trallwng. Dwi'n gallu cofio'r adeg pan oeddwn yn fachgen bach, yn cael mynd efo Dad i'r sêl yn Llanidloes bob blwyddyn. Yn ystod y chwedegau a'r saithdegau, pan oedd ein diadell gyfan yn ddefaid Cymreig pur, roedd y teulu'n gwerthu rhwng

500 a 600 o ddefaid yno bob blwyddyn. Aeth y niferoedd i lawr yn sylweddol yn yr wythdegau wrth i ni ddechrau croesi'r ddiadell hŷn â hyrddod Suffolk gan gynhyrchu ŵyn trymach, safonol, a thorri ar niferoedd yr ŵyn Cymreig.

Flynyddoedd yn ôl, roedd y teulu yn arfer cerdded y defaid i lawr i Lanidloes y diwrnod cynt, yr holl ffordd o Aberbiga, a'u cadw ar ffarm gyfagos dros nos cyn eu tywys i'r cae sêl ben bore. Mae Dad yn cofio un diwrnod yn arbennig, pan es i gyda fo i helpu – y noson cyn yr arwerthiant. Dim ond rhyw dair oed oeddwn i ar y pryd, ac wedi mynd efo fo i baratoi'r corlannau, gan roi gwellt i lawr yn barod. Yr unig beth oedd o'n gallu clywed oedd llais y bachgen bach yn cyfri – un, dau, tri, pedwar, pump... Pan oeddwn wedi cyrraedd rhif deugain, trodd Dad o gwmpas a gweld fy mod i wedi rhwygo'r tocynnau papur oedd yn nodi rhifau'r corlannau i ffwrdd i gyd, a'u gosod yn bentwr mawr yn fy llaw. Ges i ddim mynd am rai blynyddoedd wedyn!

Roeddwn yn fachgen bach prysur tu hwnt, ac mae nifer o bobl wedi deud hynna wrtha i dros y blynyddoedd. Mae'r graith fach sydd genna i ar draws fy nhalcen yn brawf o hyn – ers i mi faglu y tu allan i ddrws tŷ Pentremawr a tharo 'mhen ar gornel bricsen, a chael sawl pwyth! Mae Dad a Mam hefyd yn dal i gofio, fel ddoe, y diwrnod pan alwodd Mr Cook, yr acowntant, yn 1977. Dim ond tua tair oed oeddwn i ar y pryd, ac yn brysur tu hwnt unwaith eto. Roedd yr acowntant wedi holi Dad am ryw ffurflenni ac aeth i dwrio amdanynt yn y ddesg. Wedi chwilio ym mhobman, daeth o hyd iddynt gan fynd yn ôl i'r gegin ffrynt at Mr Cook. Ychydig funudau'n ddiweddarach, cafodd Dad, Mam a'r acowntant fraw wrth fy ngweld i'n dod i mewn i'r ystafell gyda rhyw bowdr gwyn ar fy nwylo ac ychydig ohono ar fy wyneb hefyd! Roedd Dad, wrth dwrio am y gwaith papur, wedi gadael y botel wenwyn lladd tyrchod allan! Roeddwn wedi agor y botel a chafodd y tri fraw ofnadwy, a bu raid fy ngolchi i'n drylwyr a ffonio'r doctor, cyn mynd â fi ar frys i Ysbyty Bronglais, Aberystwyth, i gael archwiliad trylwyr.

Yn lwcus iawn, dwi'n dal yma i ddeud y stori heddiw, ond mi alle pethe fod wedi bod yn llawer gwaeth ac yn ddiwedd arna i. Mae'r gwenwyn hwn yn un o'r rhai gwaetha posib, ac i fod yn deg â Dad, roedd o'n cadw'r gwenwyn dan glo cyn y digwyddiad ond wedi'r diwrnod hwnnw ni welais y powdr am flynyddoedd lawer! Erbyn heddiw, mae o'n cael ei ystyried yn wenwyn mor beryg fel na allwch ei archebu o gwbl. Druan o'r acowntant hefyd, roedd y cr'adur wedi cael cymaint o fraw ac yn poeni'n fawr am yr hyn oedd wedi digwydd!

Ar y cyfan, den ni wedi cael arwerthiannau defaid da iawn dros y blynyddoedd a phrisiau da, gyda dim ond ambell un sâl o bryd i'w gilydd. Mae tipyn go lew o'n defaid wedi mynd i ogledd Cymru, i ardaloedd Llangernyw ac Abergele, ac mae'n deimlad braf i weld yr un bobl yn dod yn ôl i'w prynu dro ar ôl tro. Un ohonynt oedd Elfyn Owen, brawd i'r gantores Eleri Owen-Edwards, a brynodd nifer o ddefaid Pentremawr ddiwedd yr wythdegau gan sefydlu diadell newydd Gymreig. Daeth Dai Llanilar i un o'r arwerthiannau hefyd yn y nawdegau cynnar, gan brynu ein defaid gorau ni. A'r rheini oedd y defaid penwyn Cymreig cynta iddo'u prynu erioed, medde fo. Dwi ddim yn coelio eu bod nhw'n dal efo fo erbyn heddiw, chwaith! Dwi'n cofio hefyd y *showjumper* Harvey Smith yn dod i'r arwerthiant i brynu defaid yn Llanidloes o Swydd Efrog bell, ac yn mynd adre â'n defaid ni, felly roedd yn anodd gwybod i ble y byddai ein defaid yn mynd ar ddiwedd diwrnod y sêl.

Pan ddaeth Dai Llanilar acw i recordio *Cefn Gwlad* yn 2001, roedd hi'n flwyddyn clwy'r traed a'r genau, a doedd dim modd gwerthu'r defaid oherwydd y perygl o ledaenu'r afiechyd, felly roedd y defaid gorau adre yn y cae dan tŷ ym Mlaentafolog. Dyma ni'n hel y defaid i mewn i'r lloc iddo gael eu gweld, a dyma Dai yn deud, "Dow, drycha arnyn nhw, maen nhw i gyd yn edrych arnom fel côr o ferched hardd," cyn i mi ymateb drwy ddeud, "Wel, wrth feddwl am ambell i gôr merched, dwi'n credu bydde'n well genna i gadw'r defaid, Dai!" Roedd

Dai yn ei ddyblau'n chwerthin, ond ches i ddim gwahoddiad i ganu gan barti na chôr o ferched am flynyddoedd lawer wedi i'r geiriau hyn gael eu darlledu ar y teledu!

Erbyn heddiw, dim ond Dad a fi sy'n ffarmio yma, felly mae'n rhaid dibynnu ar gontractwyr i ddod i mewn i gynorthwyo ar adegau prysur, fel adeg cneifio a ffensio, yn ogystal â chymorth cymdogion i hel y defaid o'r mynydd. Den ni'n dau ar hyn o bryd yn gallu dod i ben â'r wyna ein hunain, er bod gennon ni'n agos i ddwy fil o ddefaid acw rhwng popeth ar hyn o bryd. Mae'n gallu bod yn gyfnod prysur tu hwnt ar adegau, yn enwedig os ydi'r tywydd yn anffafriol. Hwnnw ydi'r bwgan mwya, a phan mae defaid yn wyna yn eu hanterth, mae angen iddynt fynd allan o'r sièd gyda'u hŵyn cyn gynted â phosib i wneud lle i'r lleill, ond mae hynny'n amhosib os ydi hi'n wlyb ac yn oer. Dwi wedi cael y profiad sawl tro o weld pob cornel o bob corlan a sièd yn llawn, ac mae'n amser blinedig pan mae pob un ohonynt angen dŵr a phorthiant. Den ni ddim yn aros yn effro drwy'r nos er mwyn cadw golwg ar y defaid fel mae ambell i ffarmwr yn ei wneud. Mae'n rhaid cael cwsg i adfer lefelau egni, ac ychydig iawn o ddefaid sy'n wyna rhwng un a phump y bore yn ôl fy mhrofiad i, felly den ni'n manteisio ar ychydig oriau o orffwys yr adeg honno. Mae'r wythnosau ar ôl yr wyna yn brysur tu hwnt oherwydd mae angen marcio'r ŵyn i gyd, tagio clustiau'r ŵyn den ni'n bwriadu eu gwerthu, gosod nod clust ar yr ŵyn benyw i gyd, a rhoi brechiad i bob un rhag iddynt gael orff. Mewn dim o dro, mae'n amser cneifio ac amser gwerthu'r ŵyn tew, a dyna yw ein hanes wedyn drwy'r haf – didoli'r ŵyn gorau a mynd â nhw i'r lladd-dy cyfagos yn Llanidloes, neu i'r farchnad anifeiliaid yn y Trallwng.

Mae misoedd Medi a Hydref yn adeg brysur ar y ffarm hefyd wrth i ni ddidoli'r holl ddefaid yn barod i wahanol hyrddod, gyda'r defaid hŷn yn cael eu croesi â'r hwrdd Suffolk, a thipyn o'r defaid Cymreig erbyn hyn yn cael eu croesi â'r Aberfield, sef croesfrid o'r miwl penlas a'r Tecsel. Bydd y rheini'n cael hyrddodd Tecsel neu Charollais, gan eni ŵyn o safon ychydig yn uwch na rhai y defaid Cymreig. Mae Dad a finne'n mynd i'r arwerthiant hyrddod Cymreig yn Nhregaron bob blwyddyn, er mai hyrddod o'n hardal ein hunain – o Lanbryn-mair a Llanidloes – y byddwn yn eu prynu bron bob tro, a'r rheini'n hyrddod sy'n debycach i'n diadell ni ein hunain. Wedi i'r hyrddod fynd allan, ac i'r defaid ifanc gael eu cludo i Sir Benfro am y gaeaf, mae'n gyfnod tawel adre acw. Mae'n gyfle i ddal i fyny a thrwsio pethe, ac mae'n gyfle hefyd i ddysgu ychydig o ganeuon newydd erbyn y Nadolig a'r flwyddyn newydd, cyn bydd pethe'n dechrau prysuro unwaith eto.

Mae nifer o ddefaid o'r ddiadell yn mynd ar eu holidês dros y gaeaf, neu 'wintrin' fel den ni'n ei alw fo yn y Canolbarth. Den ni wedi 'wintro' defaid i ffwrdd dros y gaeaf ers blynyddoedd maith, ac wedi bod yn cadw defaid ar ddwy ffarm yn Sir Benfro ers pymtheng mlynedd ar hugain erbyn hyn, gan fynd â thua 950 o ddefaid ac ŵyn benyw i lawr yno bob blwyddyn, o fis Hydref tan ddiwedd mis Mawrth. Mae hyn yn angenrheidiol i ni fel ffarm fynydd oherwydd rhaid cadw'r caeau gorau yn wag erbyn y gwanwyn canlynol, ac o dan gynllun Glastir y llywodraeth, rhaid gostwng nifer y defaid ar y mynydd agored er mwyn ei adfer ac oherwydd rhesymau cadwraeth. Mae un ffarm yng Nghroes-goch, nid nepell o Dyddewi, sy'n eiddo i Wyn Evans a'i deulu, Treglemais Fawr, a'r llall yn eiddo i deulu Llewellin yn Rudbaxton, ger Hwlfordd. Bydd llawer ohonoch yn cofio'r ralïwr llwyddiannus, David Llewellin, 'nôl yn yr wythdegau, yn gwneud enw iddo'i hun ym myd rasio ceir – wel, Dai oedd mab y ffarm pan ddechreuom fynd â'n defaid yno 'nôl yn 1984 ac, erbyn hyn, wedi marwolaeth ei dad yn 2018, y fo sy'n rhedeg y ffarm gyda'i feibion ifanc. Mae'r meibion hefyd yn gwneud enw mawr i'w hunain ym myd chwaraeon. Mae Ben wedi cynrychioli Cymru fel saethwr colomennod clai yng Ngêmau'r Gymanwlad yn Awstralia yn ddiweddar, gan gipio'r fedal arian, ac mae'n teithio'r byd yn cystadlu. Mae o'n gobeithio sicrhau ei le yng Ngêmau Olympaidd Tokyo. Mae Tom, y mab ieuengaf, yn dilyn ôl troed ei dad ym myd rasio ceir, ac er ei fod yn dal yn ei arddegau, mae wedi ennill pencampwriaethau'n barod ar y trac rasio, yn ogystal â ralïo.

Mae Wyn Evans a'r teulu yn Nhreglemais, Croes-goch, wedi bod yn llwyddiannus hefyd fel ffermwyr llaeth ers blynyddoedd, ac wedi ennill cystadlaethau silwair byrnau mawr drwy Gymru. Erbyn hyn, maent yn cadw gwartheg stôr, ac mae Mark, y mab, yn cadw buches arbennig o wartheg Simmental ac wedi cipio'r wobr am y fuches orau yng Nghymru ddwywaith yn ddiweddar. Mae hefyd wedi cychwyn busnes llety gwyliau drwy ddefnyddio hen adeiladau'r ffarm, ac mae ar fin dechrau menter newydd drwy agor bragdy i werthu cwrw! Falle fydd yn rhaid i fi aros i lawr yno wedyn, yn y llety gwyliau, wrth ymweld â'r defaid! Den ni'n lwcus iawn o gael dwy ffarm dda i gadw'r defaid dros y gaeaf, lle maent yn barod i helpu fel teuluoedd pan mae angen symud defaid a llwytho i fynd adre. Dydi hi ddim yn hawdd i ddod o hyd i ffermydd a all gadw nifer fawr o ddefaid dros y gaeaf – felly, rhaid edrych ar eu hôl. Cyn wintro i lawr yn Sir Benfro, buom yn cadw defaid yn Swydd Amwythig am rai blynyddoedd, a chyn hynny bu Dad a Charlie yn teithio'r wlad i wahanol ffermydd – o Sir Gaerfyrddin i bob rhan o Sir Geredigion, ac i fyny i Ben Llŷn. Cewch glywed storïau am y ddau yn y man!

Er bod Dad a finne'n gweithio gyda'n gilydd bron bob dydd, den ni ddim yn dadlau ryw lawer. Mae 'na ambell i air croes weithiau ond dim byd mawr. Ond dwi'n cofio hyd heddiw y waedd ganddo y diwrnod y penderfynom fynd i lanhau'r septic tanc! Roedd tancer slyri efo ni i gario dŵr pan oeddem yn dipio defaid, a soniodd Dad y bydde'n syniad i'w ddefnyddio i sugno'r baw o'r tanc. Anelais y tractor am yn ôl at y tanc, nid nepell o'r tŷ, a daliodd Dad yn dynn yn y beipen yn barod i lanhau'r tanc carthffosiaeth. Es 'nôl i'r tractor gan droi'r pwmp ymlaen ond, heb yn wybod i mi, chwythu am allan oedd y pwmp ar y tancer yn ei wneud yn hytrach na sugno i mewn! Clywais waedd anferth gan Dad i droi'r peiriant i ffwrdd. Stopiais a mynd allan i weld beth oedd yn bod ond o weld yr olwg ar Dad, roedd hi'n rhy hwyr o lawer! Roedd o'n faw drosto, o'i gorun i'w sawdl, y cr'adur! Roedd o'n gynddeiriog, a finne'n methu stopio chwerthin! Bu raid iddo dynnu ei ddillad i ffwrdd i gyd wrth ddrws y tŷ ac aeth yn syth i'r bath. Er i mi grybwyll wrtho lawer tro wedyn am lanhau'r septic tanc, "Na!" reit bendant ges i ganddo bob tro!

Does dim gwartheg ar y ffarm ers rhyw bum mlynedd erbyn hyn, sydd yn gwneud pethe dipyn yn haws i ni yn y gaeaf, a does dim angen cymaint o borthiant yn yr haf, sy'n galluogi'r defaid i gael y caeau gorau ar adeg fwya cynhyrchiol y flwyddyn. Dwi ddim yn siŵr a oedd o'n beth call i werthu'r gwartheg i gyd, ond roedd y rhifau'n mynd i lawr ers blynyddoedd gan nad oeddem yn prynu gwartheg iau i mewn. Dwi'n eu colli ar brydiau ond mae nifer o bethe wedi newid ym myd ffarmio'n ddiweddar ac mae'r prisiau o fewn y diwydiant biff wedi bod mor gyfnewidiol dros y blynyddoedd diwetha a dydi'r sector ddim mor broffidiol.

Dwi'n ofni'n fawr am ddyfodol ffarmio ar hyn o bryd. Yn y sector biff, y diciâu ydi'r bwgan mawr, a dydi pethe ddim i'w gweld fel petaen nhw am wella yn y dyfodol agos chwaith, ac oherwydd y rheolau symud gwartheg a'r arbrofi di-ben-draw, mae ffermwyr wedi cael digon o'r holl beth.

Mae newidiadau mawr o'n blaenau hefyd o ran taliadau ar y tir, a does dim sicrhad y bydd taliadau i ffermwyr yn y dyfodol. Os bydd y taliadau gan y llywodraeth yn dod i ben, mae'n bosib y bydd canran uchel o ffermwyr yn mynd allan o fusnes, a dim ond y ffermydd mwya sefydlog gyda chostau isel yn eu systemau amaethu a ddaw drwyddi. Mae effaith y busnes Brecsit yma yn bendant yn mynd i'n heffeithio, yn enwedig ni, ffermwyr yr ucheldir, sy'n gwerthu'r ŵyn ysgafnach, oherwydd mae'r rhan fwya o'r ŵyn hynny yn cael eu hallforio i Ewrop. Den ni'n dibynnu'n llwyr ar y farchnad honno, ac yn gobeithio'r gorau y bydd cytundeb gydag Ewrop am flynyddoedd lawer er mwyn cadw pethe i fynd.

Un peth arall sy'n fy mhoeni'n fawr ym myd amaethyddiaeth heddiw ydi'r ymgyrchoedd diddiwedd ar y cyfryngau cenedlaethol a chymdeithasol i drio troi'r boblogaeth yn erbyn ein diwydiant, gan gyhuddo'r ffermwyr a'r anifeiliaid o ddinistro'r wlad a'r hinsawdd – a'r dadleuon hynny, yn fy marn i, heb unrhyw seiliau cadarn. Dwi'n credu bod y bobl hynny yn targedu'r ffermwyr pan ddylen nhw fod yn edrych ar broblemau llawer gwaeth yn agosach at adre. Darllenais yn ddiweddar y gall un awyren fawr sy'n hedfan i Awstralia o Brydain wneud mwy o niwed i'r hinsawdd mewn un diwrnod na'r hyn fyddai un ffarm fawr, 3,000 erw, yn ei wneud mewn un ar ddeg mlynedd – a honno yn ffarm sy'n cadw gwartheg, yn cynhyrchu 3,000 o dunelli o ŷd bob blwyddyn, yn ogystal â magu 1,500 o ŵyn. Ble mae'r synnwyr yn hynny? Gobeithio y bydd y cyfyngiadau ar hedfan awyrennau a thraffig yn y byd, yn sgil y clefyd Covid-19 hwn eleni, yn profi nad y ffermwyr sydd ar fai.

Den ni hefyd yn clywed am ymgyrchoedd di-ri i drio newid y boblogaeth i fod yn feganiaid, a chynnal arbrofion i gynhyrchu bwyd gwyddonol. Pa synnwyr sydd mewn trio creu cigoedd gwyddonol mewn labordy, a'r rheini'n llawn cemegion niweidiol? Does genna i ddim byd yn erbyn unrhyw un sy'n penderfynu newid i fod yn llysieuwr neu'n fegan, ond gwnewch hynny'n dawel eich hunain, a pheidiwch ag ymgyrchu a thrio dylanwadu ar bawb yn y byd. Os ewch i'r dinasoedd neu'r trefi mawrion rŵan, mae'r siopau a'r bwydlenni fegan hyn yn cael eu taflu i'ch wyneb ym mhobman, ond does dim angen iddo fod mor amlwg. Gadewch i bawb wneud eu penderfyniadau eu hunain ynglŷn â beth maent am ei fwyta, a chofiwch barchu ffermwyr cefn gwlad sy'n gweithio'n galed i roi bwydydd o'r safon orau bosib ar eich byrddau bob dydd. Mae'r dyfodol yn ansicr iawn i'r cenedlaethau sydd i ddod ac mae'n bwysig ein bod ni, y ffermwyr, yn cael deud ein barn hefyd er mwyn cadw'r ddysgl yn wastad. Mae safonau cynhyrchu bwyd gorau'r byd yn y wlad hon ac mae angen i ni ddangos hynny wrth farchnata, cyn i'r bygythiadau waethygu a phob math o fwydydd israddol a gwyddonol gael eu derbyn yma o bellafion byd.

Dwi'n gobeithio'n wir y bydd fy mhlant â diddordeb i gadw'r llinach amaethyddol i fynd yn y dyfodol, gan obeithio ar yr un pryd y bydd 'na ddyfodol mwy sicr iddynt pan ddaw eu hamser. Er yr holl fygythiadau i'r diwydiant ar hyn o bryd, fydden i byth wedi newid y llwybr mae fy ngyrfa wedi'i gymryd, a thrwy amaethu adre ar y ffarm deuluol a chael y cyfle i deithio dros y wlad a'r byd i ganu, dwi wedi cael y gorau o'r ddau beth. Allen i byth roi'r gorau i ffarmio yn gyfan gwbl, a mynd yn ganwr proffesiynol, llawn-amser. Mae'n rhaid i mi gael awyr iach a llecynnau tawel canolbarth Cymru yn hytrach na bywyd dyddiol llawn prysurdeb a sŵn cantorion proffesiynol, llawn-amser. "Does unman yn debyg i gartref" medde'r gân enwog, ac mae hynny, yn sicr, yn wir amdanaf i. Gallwch ymweld â holl atyniadau'r byd hwn a'u mwynhau ond ar ôl pythefnos i ffwrdd, dwi bob amser yn hiraethu am adre a'r teulu oherwydd, "Yma wyf inna' i fod".

4

Charlie a Bridfa Brynmair

I'R RHAI OHONOCH na chwrddodd â Charlie Price erioed, wel, roedd o'n dipyn o gymeriad. Cafodd ei eni ym Mhontypridd yn 1931 ond daeth i ardal Llanidloes pan oedd yn blentyn adeg y rhyfel, gan aros ym mwynder Maldwyn weddill ei fywyd. Daeth i weithio fel gwas yn Aberbiga yn 1946 pan oedd yn bymtheg oed, a gweithiodd ar y ffermydd i'r teulu am bron 59 o flynyddoedd.

Priododd Charlie ag Anti Mair, chwaer Dad, gan fyw yn Nantcarfan, un o ffermdai'r teulu. Ganwyd merch iddynt yn 1971, sef Menna Wyn, fy nghyfnither. Ganwyd Menna gyda thwll yn ei chalon, a bu'n dioddef yn dawel am flynyddoedd, heb gwyno erioed. Pan dyfodd yn hŷn roedd ei chyflwr yn dirywio bob blwyddyn, ac o'r herwydd penderfynodd Menna ei bod am gael llawdriniaeth enfawr pan oedd yn ei harddegau. Wedi nifer fawr o arbrofion, aeth y teulu i ysbyty Harefield yn Llundain ym mis Rhagfyr 1987 a chafodd Menna lawdriniaeth fawr ar ei chalon dan ofal y llawfeddyg enwog Syr Magdi Yacoub – y llawfeddyg a wnaeth y trawsblaniad chwyldroadol cynta erioed ar y galon a'r ysgyfaint. Yn anffodus y tro hwn, roedd tipyn mwy o gymhlethdodau yn achos Menna Wyn wedi iddynt ddechrau'r llawdriniaeth fawr, ac ni ddaeth drosti, gan golli ei bywyd ifanc yn ddwy ar bymtheg oed. Bu hyn yn gyfnod trist iawn i ni i gyd fel teulu, a'r ardal gyfan. Roeddwn yn mynd i fyny i Nantcarfan bob cyfle posib gyda Dad ac yn hoff iawn o chware gyda hi yn y tŷ, ac roedd tipyn o fwlch yn ein bywydau wedi iddi ein gadael.

Roedd Charlie yn smocio cetyn ers yn ifanc iawn, a weles i erioed mohono heb getyn yn ei geg! Dwi'n dal i fynd rownd y siediau yma yn Nantcarfan gan ddarganfod hyd yn oed heddiw bacedi gwag melyn o faco St Bruno roedd o'n eu smocio drwy'r amser. Roedd arogl mwg ei getyn yn rhan o 'mywyd am flynyddoedd, yn enwedig pan oeddwn yn mynd i symud y defaid wintrin yn Sir Benfro yn y pic-yp Mazda efo fo. Roedd yn daith hir – y fi'n dreifio a fynte'n smocio. Bydde ganddo rhyw ddau neu dri chasét yn y pic-yp bob tro – rhai Jac a Wil, Vernon a Gwynfor, a David Lloyd fel arfer, a bydden ni'n gwrando a gwrando ar y rheini am oriau ar y daith hir i Dyddewi ac yn ôl!

Mae Dad wedi adrodd llawer stori wrtha i amdano, ac mae yna ambell i glasur am y ddau yn aros yn y cof. Roedd Dad a Charlie yn clirio hen goediach yn Nantcarfan i wella'r caeau, ac roeddent wedi mynd â phecyn bwyd efo nhw i ginio. Flynyddoedd yn ôl roedd pobl yn defnyddio hen boteli seidr i gario te. Hen boteli duon oedd y rhain a doedd dim modd gweld trwyddynt. Pan ddaeth yn amser paned, dechreuodd Charlie dywallt y te i'r mygiau, un iddo fo gynta ac wedyn un i Dad. Dyma Dad yn deud wrtho bod rhyw flas ofnadwy ar y te ond roedd Charlie yn mynnu bod dim byd yn bod arno. Ysgydwodd y botel a thywallt paned arall iddo'i hun. Wedi'r dracht nesaf dyma Charlie yn cytuno bod rhywbeth mawr yn bod arno. Dyma wagu'r botel ac edrych i mewn iddi, a gwelodd beth oedd yn bod. Yn sownd ar waelod y botel dywyll roedd pedair pawen fach a chynffon! Roedd y poteli seidr wedi bod yn y selar ac roedd llygoden fach wedi mynd i mewn i un ohonynt rai wythnosau ynghynt, ac wedi ffaelu dod allan! Bu'r ddau yn swp sâl am ddyddiau, yn feddyliol yn fwy na dim, siŵr o fod, a bu raid mynd i'r dref i brynu fflasgiau newydd pwrpasol yn syth y diwrnod wedyn!

Mae Dad wedi deud wrtha i yn aml am y diwrnod aeth Charlie a fynte i ddosio a symud defaid ar ffarm ger Pwllheli, a phenderfynu stopio ym Mhorthmadog am fwyd ar y ffordd adre. Heb iddo sylwi roedd ychydig o fformalin wedi troi drosodd yn y pic-yp ar y ffordd adre gan fynd dros welingtons Dad. I chi sydd ddim yn gwbod, cemegyn i wella traed defaid ydi fformalin, ac ar ôl ei gymysgu â dŵr mae'r defaid yn cerdded drwyddo yn y *footbath*. Mae'n stwff cryf iawn a thocsic, sy'n drewi'n ofnadwy. Aeth y ddau i gaffi moethus ar stryd fawr Porthmadog heb feddwl dim byd. Wrth ddechrau bwyta, sylwodd y ddau bod pobl yn dechrau diodde yn y caffi. Roedd ambell un mewn dagrau, yn rwbio eu llygaid ac yn dechrau cwyno wrth y staff am yr arogl cryf! Roedd rhai eraill yn tisian, ac roedd y perchenogion wedi dechrau ymddiheuro i'r cwsmeriaid, gan ddatgan nad oedd syniad gennyn nhw ble roedd tarddiad yr arogl ofnadwy. Dechreuodd Dad chwerthin a bu raid iddo fynd allan heb ddeud dim gair, gan adael Charlie i dalu am y bwyd. Bu'r ddau'n chwerthin yn holl ffordd adre, ac ni throediodd yr un o'r ddau yn y caffi yna byth wedyn!

Un stori arall am y ddau ddrygionus oedd y diwrnod yr aethon nhw i angladd efo'i gilydd. Doedd y ddau erioed wedi bod yn saff i fynd i'r un capel efo'i gilydd achos roeddent yn tueddu i chwerthin ac fel arfer yn gorfod eistedd ar wahân. Roedd dau frawd o Sir Faesyfed yn dod acw yn achlysurol i brynu hyrddod Cymreig gennon ni, ac roedd un brawd dipyn talach na'r llall. Clywodd y teulu bod un o'r brodyr wedi marw'n sydyn a phenderfynodd Dad a Charlie y dylent fynd i'r angladd, er doedden nhw ddim yn siŵr pa un oedd wedi marw. Byddent yn gwybod yn syth pa un ydoedd yn y capel. Wrth eistedd yn y gynulleidfa, cerddodd y brawd talaf i mewn, a dyma Charlie yn plygu draw at Dad gan ddeud, "Yr hen un bach sy 'di mynd!" Ond funud yn ddiweddarach, cerddodd y brawd bach i mewn i'r capel. Roedd y ddau yn syfrdan. Heb yn wybod i'r ddau, roedd 'na drydydd brawd, a hwnnw oedd wedi marw! Bu tipyn o chwerthin ac aeth y ddau adre'n reit sydyn o angladd rhywun doedden nhw ddim yn gwybod ei fod yn bodoli.

Diléit mwya Charlie oedd y ceffylau. Roedd wedi bod yn gweithio gyda cheffylau drwy'i oes, ac roedd yn hoff iawn o gystadlu gyda'r cobiau yn y sioeau. Roedd yn berchen ar ambell ferlen ei hun, ac roedd hefyd yn cymryd gofal o geffylau'r ffarm, sef Bridfa Brynmair. Cobiau Adran C oedd gyda ni'n bennaf, ond roedd ceffylau llai o Adran B gyda ni flynyddoedd yn ôl hefyd, ac ambell un o'r cobiau mwya. Crwydrodd Charlie'r wlad i'r sioeau ac roedd wrth ei fodd yn arddangos. Daeth llwyddiant mawr i'r fridfa yn y sioe fawr yn Llanelwedd yn y saithdegau, gyda Brynmair Fury yn ennill y wobr gynta yno yn 1974, rhyw wythnos cyn fy ngeni i, a daeth Fury yn ail yno eto yn 1975. Cafodd y fridfa dipyn o wobrau yn Llanelwedd yr adeg honno, ond roedd o'n lot fawr o waith, a stopiodd Charlie fynd i Lanelwedd a chanolbwyntio ar y sioeau llai o hynny ymlaen.

Ychydig flynyddoedd wedi'r fuddugoliaeth fawr yn Llanelwedd, gwerthwyd Brynmair Fury mewn sêl geffylau i Alfred 'Biff' Riley o Scunthorpe, sef perchennog y cwmni creision Rileys Potato Crisps. Roedd yn gwmni creision enfawr yn yr wythdegau cynnar gyda dros ddwy fil o weithwyr dan ei adain. Cysylltodd Biff â Charlie ryw ddwy flynedd yn ddiweddarach i holi a oedd gynnon ni geffylau tebyg i Fury, oherwydd roedd ganddo gynlluniau i'w dangos yn y sioeau mewn harnes, efo fo'n eu gyrru mewn cerbyd y tu ôl. Yn ffodus, roedd march ifanc arall gennon ni ar y pryd a oedd yn debyg iawn iddo, a daeth Mr Riley acw i Lanbryn-mair i nôl Brynmair Cardi, a'i brynu yn syth! Flwyddyn yn ddiweddarach, tua diwedd 1983, cafodd Charlie garden Nadolig gan Biff a'i wraig gyda llun bendigedig o'r ddau geffyl mewn tandem yn cael eu harddangos mewn sioe fawr yn Llundain. Daeth llythyr gyda'r llun i ddeud ei fod wedi ennill y bencampwriaeth gyrru mewn harnes yn sioe Swydd Lincoln, a'i fod wedi cael gwahoddiad i'r Royal International Horse Show yn y brifddinas. Deudodd ei fod wedi paratoi'r ceffylau ar barc Wormwood Scrubs, cyn eu gyrru drwy strydoedd canol Llundain i'r sioe yn y White City, un o stadiymau mwya'r brifddinas ar y pryd! Mae'n llun bendigedig o'r ddau geffyl, ac mae'n anodd coelio erbyn heddiw bod y ddau wedi'u geni a'u magu yma yn Nantcarfan a'u bod wedi mynd mor bell.

Roedd Charlie wrth ei fodd yn y sioeau. Dyma oedd ei fywyd, ac roedd pawb yn ei adnabod ym mhobman. Roedd o'n dod adre gyda rhyw fath o wobr fwy neu lai bob tro, chware teg iddo, ac yn dod â phencampwr y cae adre ambell dro. Dwi ddim yn coelio ei fod yn hoff o golli chwaith, ac roedd rhyw stori fawr os oedd o wedi cael cam, neu fod y beirniad â rhyw gysylltiad â'r enillydd os nad oedd o wedi ennill – i drio lleddfu'r boen, dwi'n credu! Bues i efo fo sawl tro i'r sioeau i'w gynorthwyo, er dwi ddim yn siŵr faint o help oeddwn i chwaith. Roedd yn mynd i'r sioeau lleol i gyd, a hefyd i sioeau pellach fel Cerrigydrudion, Nefyn, Llangeitho, Llanbadarn Fynydd a Sioe Sir Feirionnydd.

Yn hwyrach yn ei fywyd, dechreuodd arddangos y ceffylau mewn harnes, a chan ei fod mor dda efo'i ddwylo roedd yn adeiladu'r trapiau, sef y cerbydau bach, ei hun. Roedd yn weldio'r haearn i gyd ac yn gwneud y gwaith coed hefyd. Roedd yn gwerthu ambell un weithiau ac roedd rhai'n dod o bell i'w prynu. Roedd o wrth ei fodd yn gwisgo'r ceffylau mewn harnes, ac roedd yntau wedyn yn gwisgo'n smart yn ei siwt i gystadlu. Bu'n dda iawn efo'i ddwylo erioed, ac os oedd angen trwsio rhywbeth, bydde Charlie yn siŵr o drio'n galed i'w adfer. Roedd Dad yn ei nabod fel cefn ei law, ac os bydde angen rhywbeth ar frys bydde'n deud wrth Charlie, "Dwi ddim yn meddwl dy fod yn ddigon o ddyn i drwsio hwn," ac yn ddi-ffael, erbyn y bore bydde Charlie wedi neud y gwaith. Roedd hefyd yn giamstar ar wneud ffyn, ac roedd yn mynnu bod rhaid gwneud rhai cryfach i Dad a fi oherwydd roeddem yn eu torri o hyd! Pan ddaeth Dai Llanilar acw yn 2001 i recordio *Cefn Gwlad* roedd Charlie wedi paratoi ffon newydd i Dai, ac roedd wrth ei fodd gyda'i anrheg.

Hunodd Charlie wedi gwaeledd byr yn 2005 a bu colled fawr ar ei ôl. Roedd yn rhan annatod o'r ffarm ers blynyddoedd lawer. Roedd yn edrych ar ôl y stoc a'r peiriannau yn Nantcarfan, a fo fydde'n torri clustiau'r ŵyn bob gwanwyn, sef torri patrwm ar y clustiau i adnabod y ddiadell wrth ddidoli, neu os bydde dafad yn mynd ar goll. Mae gan bob ffarm ei nod clust penodol, ac mae'n dal yn arferiad pwysig i ni yma o ran adnabod ein diadell. Dyma i chi grefft sydd yn diflannu yng Nghymru erbyn hyn, a dim ond y ffermydd ar yr ucheldir sy'n pori'r mynyddoedd sy'n marcio clustiau y dyddiau hyn. Gan fod Dad yn llaw chwith, ac yn ffaelu gwneud y toriadau'n gywir, dysgodd Charlie'r grefft i mi pan oeddwn yn ifanc, er iddo fynnu cael gwneud y gwaith ei hun am flynyddoedd lawer wedyn!

Gweithiodd Charlie i'r teulu am dros 58 o flynyddoedd, tipyn o record bydden i'n tybio. Yn ffodus iawn i ni, cafodd ei anrhydeddu yn y Sioe Frenhinol yn Llanelwedd am wasanaeth hirdymor ychydig fisoedd cyn iddo ddechrau mynd yn sâl, a daeth nifer fawr o'r teulu yno i'w gefnogi.

Wedi dyddiau Charlie, yn anffodus doedd gan Dad na finne'r amser, na digon o ddiddordeb i gadw'r fridfa i fynd, sy'n bechod mawr. Roedd un gaseg ar ôl gennon ni pan hunodd Charlie, a daeth honno â swclyn bach benyw y gwanwyn canlynol. Enw'r un fach oedd Brynmair Serena, a bu gyda ni am ryw bedair blynedd. Roedd hi'n dipyn o fadam, ac yn eitha siarp gyda'i choesau ôl, felly penderfynom ei gwerthu gan fod y plant yn tyfu ac eisiau mynd ati. Ces dipyn o help gan Sarah a Glyn Jones, y gof lleol, i'w pharatoi i'r sêl yn Llanybydder, a chware teg roedd hi'n edrych yn fendigedig ar ddiwrnod yr arwerthiant, gan gipio'r ail wobr yn y sioe yn y bore. Roeddem mor falch fel teulu mai David Oliver o Gefn Coch, un o sylwebyddion S4C o'r Sioe Fawr, brynodd hi. Mae David yn perthyn i mi, felly roeddwn mor falch bod yr olaf o'r fridfa yn aros yn y teulu. Mae David wedi cael ambell i swclyn ganddi erbyn hyn, ac mae un ohonynt, sef Rhoswen Tenor, wedi gwneud yn arbennig o dda drwy ddod yn fuddugol mewn nifer o'r sioeau mawr, gan gynnwys pencampwriaeth yn y Sioe Frenhinol yn Llanelwedd. Roeddwn mor falch drosto, a hefyd mor falch o'r enw a roddodd arno. Den ni'n dal i gadw llygad barcud ar lwyddiannau Tenor yn y sioeau.

Mae'r hen gymeriadau gwledig yn diflannu'n sydyn iawn yng nghefn gwlad, a dydi cymeriadau fel Charlie Price ddim yn dod rownd yn aml iawn y dyddiau hyn. Dwi mor falch i Charlie gael ei gynnwys gyda ni ar raglen *Cefn Gwlad* yn 2001. Roedd o wrth ei fodd yn sôn am ei hanes efo'r teulu gyda Dai, a dwi'n dal ddim yn siŵr hyd heddiw sut stryffaglodd y march i dynnu Charlie a Dai i fyny'r allt serth a hwythau yn y cerbyd bach tu cefn!

Ar ddiwrnod ei angladd ym mis Tachwedd 2005 clywsom stori hyfryd amdano sy'n cloriannu ei gymeriad a'i haelioni i'r dim. Cafodd llythyr ei ddarllen yn yr angladd gan y gweinidog wrth iddi gyflwyno'i theyrnged iddo, sef llythyr gan Mrs Eira Woosnam – menyw oedrannus oedd yn byw yn Llanilltud Faerdre, yn ne Cymru erbyn hyn, ond roedd wedi bod yn byw yn ffermdy Nant-hir am flynyddoedd. Disgrifiodd yn ei llythyr yr hanes am ei mab ifanc yn mynd ar goll yn yr eira un gaeaf wrth iddo gerdded adre o'r ysgol yn Llanbryn-mair, taith o ryw bum milltir o'r pentref, heibio i ffarm Nantcarfan. Roedd y tacsi wedi gorfod troi'n ôl oherwydd y lluwchfeydd ac roedd Phillip, ei mab, wedi dechrau cerdded am adre. Deallodd Charlie fod y plentyn ar goll ac aeth allan yn syth i chwilio amdano. Wedi cerdded am amser hir drwy'r lluwchfeydd, daeth o hyd i'r hogyn yn oer ac yn sownd yn yr eira, a chariodd Charlie fo adre'n saff i Nant-hir. Roedd hi mor falch ac roedd am ddiolch i Charlie am ei ddewrder wrth achub bywyd ei phlentyn. Roedd y llythyr yn dangos yn glir i bawb cymaint o gymeriad hoffus oedd Charlie, a den ni'n gweld ei eisiau ar y ffarm o hyd.

5

Cneifio

ERS PAN OEDDWN yn fachgen ifanc ces fy swyno gan y grefft o gneifio defaid ac roeddwn yn ei chanol hi yn y sièd gneifio yn ifanc iawn. Dwi'n cofio'r tro olaf i ni fel teulu gneifio defaid mynydd Aberbiga i fyny yn y sièd, nid nepell o lyn Clywedog ger y Stae. Roedd yn rhaid cerdded y defaid tua pedair milltir i lawr y mynydd ar hyd y llwybrau drwy'r goedwig ac roedd nifer fawr o gneifwyr wrthi ar eu meinciau pren yn cneifio gyda'u peiriannau. Dei Lloyd, Y Gronwen, oedd yn pitsio, gan roi'r nod coch gyda llythyren bersonol y teulu ar y defaid, a finne'n helpu – neu falle mai niwsans oeddwn i! Ryw chwech neu saith oed oeddwn i ar y pryd, mae'n rhaid, oherwydd daeth cyfnod pori mynyddoedd Hafod Cadwgan a Blaenhafren ar foelydd Pumlumon i ben i ni yn 1981. Mae tarddle afon Hafren, afon hiraf Prydain, yn dechrau ar fynydd Blaenhafren. Mae'n anodd coelio bod yr afon arbennig hon, sy'n gorffen ei thaith 220 milltir i ffwrdd, wedi dechrau o ddim, i fyny ar y mynydd hwn lle bu ein teulu ni'n amaethu am ddegawdau.

Parhaodd y traddodiad o gneifio yn 'yr hen lawr pren', sef un o'r siediau traddodiadol yn Nantcarfan, hyd 1988, tan i ni adeiladu siediau defaid newydd, pwrpasol dan gynllun grant y llywodraeth. Cyn hynny, byddai hyd at ddeg o gneifwyr yn y sièd, gyda dau neu dri o gogie wedyn yn dal y defaid o'r gorlan i bob cneifiwr, a dau neu dri yn lapio'r gwlân. Job galed iawn oedd dal defaid os oedd y defaid yn drwm a'r gwlân yn dod i ffwrdd yn hawdd oherwydd roedd yn rhaid dal dafad arall yn amlach. Doedd dim amser am hoe. Dyna oedd y traddodiad yr adeg honno – y cymdogion yn helpu'i gilydd trwy anfon rhywun draw o'r ffermydd cyfagos ar ddiwrnod cneifio, ac wedyn bydde pawb yn talu'r gymwynas yn ôl pan ddeuai eu tro nhw.

Yn draddodiadol roedd gan bob ffarm ei dyddiad cneifio bob blwyddyn, ac os oedd y tywydd yn caniatáu bydde'n rhaid glynu at y diwrnod hwnnw bob blwyddyn. Yn wahanol i'r cneifio fel mae heddiw, cael eich talu am y dydd fyddech chi fel cneifiwr flynyddoedd yn ôl – tua £5 y dydd falle – felly doedd dim hast ar y cneifiwr i orffen. Erbyn heddiw, mae pethe dipyn yn wahanol a chewch eich talu am bob dafad; felly y mwya o ddefaid, y mwya ydi'r siec.

Roedd fy nhad yn un o gneifwyr gorau'r ardal yr adeg honno. Dechreuodd ddysgu'r grefft yn ifanc, ac roedd wedi dechrau mynd allan i gneifio ar ffermydd cyfagos pan oedd ond yn dair ar ddeg. Roedd hyn yn ifanc iawn, ond roedd y defaid ychydig yn llai ac yn ysgafnach flynyddoedd yn ôl o'u cymharu â defaid heddiw. Roedd pob ffarm fynydd yr adeg honno yn cneifio'r ŵyn i gyd hefyd. Bydden nhw'n dechrau yn y bore gyda'r ŵyn – y rhai benyw a'r rhai gwryw – cyn dechrau ar y mogion yn y prynhawn.

Roedd steil cneifio fy nhad yn wahanol i'r steil heddiw hefyd. Bydde'n defnyddio'r fainc bren, gan roi'r ddafad ar ben mainc ryw chwe modfedd o uchder, gan droi'r ddafad wedi iddo gneifio un ochr ohoni. Roedd Dad yn llaw chwith yn ogystal, felly doedd dim modd i mi ei ddilyn, a deudodd wrtha i o'r dechrau petawn i am ddysgu cneifio yn iawn, dylen i gael gwersi gan rywun arall, a dilyn y steil Bowen mwy modern roedd pawb arall wedi'i ddilyn. Roedd Godfrey Bowen yn hanu o Seland Newydd, a fo gyflwynodd y dechneg newydd hon o gneifio'r ddafad yn y pumdegau y mae bron pob cneifiwr yn ei ddefnyddio heddiw. Mae yna fideo arbennig ar wefan YouTube o 1958 yn dangos y cneifiwr arbennig hwn wrth ei waith. Mae'n dangos sut aeth o ati i gyflwyno'r dechneg chwyldroadol hon a wnaeth y grefft gymaint yn haws i ffermwyr y byd. Mae Dad yn ei gofio'n dod i wneud arddangosfa ar ffarm Capten Bennett Evans ger Llangurig, ond roedd Charlie yn deud bod tipyn o olwg ar y defaid gan ei fod yn trio mynd yn rhy gyflym!

Roeddwn i tua pedair ar ddeg ac yn dal i fod yn yr ysgol uwchradd ym Machynlleth pan glywais fod cwrs cneifio gyda'r A.T.B., sef y bwrdd hyffordi amaethyddol, ar ffarm Bacheiddon, ger Machynlleth. Roeddwn am fynd yn syth, a chawsom un o gymeriadau traddodiadol y byd cneifio i'n hyfforddi, sef Twm Jim, o'r Bala. Wel, am sbort! Roedd o'n amyneddgar tu hwnt efo ni. Ar ôl dau ddiwrnod o hyffordi roeddwn yn gallu cneifio ambell i ddafad heb gymorth o gwbl. I'r rhai ohonoch sydd erioed wedi trio cneifio, y grefft yw dal y ddafad yn llonydd ac yn gyfforddus. Mae eich traed a'ch llaw chwith, sef yr un sy'n rhydd, i fod i weithio drwy'r amser i drio dal y croen yn dynn i allu cneifio'n hwylus. Rhaid cadw un ochr y grib sy'n torri gwlân uwchben croen y ddafad drwy'r amser fel bod y gwlân yn dod i ffwrdd mewn un darn, heb dorri drwy ei ganol, na drwy'r croen chwaith! Mae yna lot fawr o bethe i'w cofio, ac mae'n cymryd blynyddoedd lawer i feistroli'r grefft. Mae'n waith caled a chwyslyd iawn, a meddyliwch chi, faint o bobl erbyn hyn sy'n gorfod mynd â thowel gyda nhw i'w gwaith bob dydd? Dim llawer.

Ces hyfforddiant yn lleol gan Twm Jim deirgwaith i gyd, cyn cael hyfforddiant pellach gan Richard Hughes, Mathafarn ac yna John Pughe, Gwernbere. Roedd Richard yn gneifiwr da iawn yn ei ddydd, ac yn ddiweddarach yn feirniad mewn sioeau lleol yn y Canolbarth. Dwi'n cofio iddo ddeud wrtha i ar ddiwedd y cwrs pan oeddwn i ryw ddwy ar bymtheg oed, y byswn i'n gallu cneifio dros 150 o ddefaid yn hyderus rhyw ddiwrnod. Tua pythefnos yn ddiweddarach roeddwn wedi cneifio 180 mewn diwrnod! Felly roeddwn wedi gwrando ar rywbeth, mae'n rhaid. Ond roeddwn yn benderfynol o lwyddo. Rai blynyddoedd yn ddiweddarach, dwi'n cofio i mi dorri fy record bersonol o dros 100, gan gneifio 352 o ddefaid y diwrnod hwnnw!

Roedd John Gwernbere, sy'n dad i'r cyflwynydd Aeron Pughe, yn un o gneifwyr gorau Cymru ar ddechrau'r nawdegau, a fo oedd un o'r cneifwyr cynta o'r ardal i fentro cystadlu yn erbyn y cneifwyr gorau yn y Sioe Fawr yn Llanelwedd. Dwi'n credu i lwyddiant John yn y cyfnod hwnnw annog llawer o gneifwyr ifanc yn nyffryn Dyfi. Roedd cogie fel Hywel Cilcwm, Geraint Barhedyn, Endaf Meddins, Martin Harding a llawer mwy wedi dechrau mynychu'r sioeau cneifio oedd wedi'u sefydlu mewn sawl ardal o Gymru, a thu hwnt. Roeddwn i'n dechrau cael blas arni hefyd, ond roeddwn yn gwybod bod tipyn mwy o waith mireinio ar fy nhechneg cyn y byddwn i'n gallu mentro cystadlu mewn sioe.

Roedd Dad yn cystadlu mewn sioeau lleol dros y Canolbarth pan oedd yn iau, a bu'n llwyddiannus iawn fel cneifiwr cystadleuol, ac mae 'na ambell i gwpan arian o'i eiddo yma ym Mhentremawr i brofi hynny. Roedd y sioeau bychain lleol yn canolbwyntio mwy ar waith gorffenedig y cneifio yn yr hen ddyddiau. Bydde pob cneifiwr fel arfer yn mynd â dafad neu oen ei hunan i'r sioe ac yn cael amser penodedig o ryw bum munud i orffen y gwaith. Roedd ambell un yn ailgneifio'r oen i gael pob blewyn o'r gwlân i ffwrdd, ac os bydde cwt bach i'r croen, byddech allan o'r gystadleuaeth yn syth. Âi pawb ati wedyn i arddangos eu gwaith mewn rhes, gyda'r cneifiwr glanaf yn ennill y cwpan.

Erbyn heddiw mae'r system wedi newid ac mae beirniadu cneifio yn cael ei rannu'n dair rhan – y cyflymder rydych chi'n cneifio'r defaid, y gwaith gorffenedig a'r nifer o aildoriadau – sef faint o weithiau mae'r cneifiwr wedi torri drwy ganol y gwlân ac yna ei aildorri, sy'n diffetha gwerth y cnu. Mae'r sgôr wedyn yn cael ei rannu ymhlith faint o ddefaid mae'r cneifwyr wedi'u cneifio cyn bydd yr enillydd yn cael ei wobrwyo. Ambell dro bydd rhai'n mynd yn rhy gyflym gan wneud smonach o'r cneifio, ac yna rhai'n cneifio'n lân ond yn rhy araf, felly yn colli gormod o bwyntiau amser. Mae gwahanol fridiau o ddefaid yn gallu gwneud gwahaniaeth mawr hefyd.

Dechreuais fynd allan i gneifio ar ffermydd yr ardal pan oeddwn yn ddwy ar bymtheg. Roeddwn wedi dechrau fy mhrentisiaeth adre, ac roedd Dad yn dda iawn yn fy ngwylio â llygaid craff, yn deud wrtha i lle roeddwn yn torri drwy'r gwlân, ac roeddwn yn wyliadwrus o drio peidio â gwneud hyn bob amser. Bu ambell ffrae yn y sièd ym Mhentremawr, cofiwch! Doedd y defaid a finne ddim yn cytuno weithiau, a phan oedd y rheini'n dechrau cicio, roeddwn yn blino, a'r amynedd yn pallu. Dwi'n cofio rhedeg allan o'r sièd yn crio gan 'mod i'n methu dal i fyny efo Dad, oedd yn cneifio wrth fy ochr, a finne'n deud 'mod i byth am gneifio eto!

Ond ar ôl sylwi fy mod yn dechrau gwella, a'r hyder yn codi, penderfynwyd prynu peiriant cneifio newydd i fi. Roedd prynu peiriant cyflawn a'r llaw gneifio, sef yr *handpiece*, yn arian mawr – dros £700 yr adeg honno – ac wedyn roedd yn rhaid cael *combs a cutters* yn ychwanegol, yn ogystal â throwsus ac esgidiau pwrpasol. Ond dwi'n credu iddo fod yn werth o i Dad yn y diwedd gan iddo gael ei ddefaid wedi'u cneifio am ddim am flynyddoedd lawer! Roedd y system gontractio wedi dechrau chwyldroi hefyd. Ychydig iawn o lefydd roeddech yn mynd iddyn nhw lle roedd yna rywun yn dal defaid i chi. Roedd corlannau pwrpasol wedi cael eu hadeiladu i bob cneifiwr ddal ei ddefaid ei hun, ac yn ddiweddarach, daeth y trelars cneifio, lle roeddech yn gallu gosod y trelar yng nghornel sièd, neu mewn cae, ac wedyn bydde drws i bob cneifiwr a byddent yn dal eu defaid eu hunain. Bydde pob cneifiwr hefyd yn cael ei dalu am bob dafad roedd yn ei chneifio. Tua 30 ceiniog y ddafad dwi'n ei gofio gynta, tua diwedd yr wythdegau. Felly y gorau roedd y cneifiwr, y mwya fydde'r cyflog ddiwedd y dydd. Erbyn hyn mae'r pris wedi codi, ac ychydig iawn o gneifwyr fydde'n gofyn am lai na phunt y ddafad!

Bûm yn cneifio ar lawer o'r ffermydd cyfagos, yn ogystal â gweithio am flynyddoedd gydag Emyr Pugh o Benffordd-las yn cneifio ar ffermydd ardal y Stae ac i lawr am Lanidloes. Mae Emyr yn gymeriad hoffus ac roedd wedi adeiladu trelar ei hun, un mawr gwyrdd allan o fetel i gyd, yn hytrach na'r rhai gyda'r paneli pren roedd John Pughe a'i deulu yn eu hadeiladu a'u gwerthu. Wel, roedd ratl a hanner yn dod o'r trelar, felly doedd dim byd i neud ond dod â radio mawr efo fi i'r sièd. Bu hwnnw'n gymorth mawr, oherwydd roedd bît y miwsig yn cadw rhywun i fynd ar ddiwrnod blinedig, a doeddwn i ddim yn clywed sŵn y trelar swnllyd!

Ges i lot fawr o sbort yn mynd rownd y ffermydd gydag Emyr. Roeddem yn cael hwyl bob tro ar ffermydd o gwmpas y Stae. Dwi'n cofio mynd efo fo i gneifio ym Mhen-y-banc, un o'r ffermydd sydd uwchben Llyn Clywedog, a chael hwyl dda arni. Roedd un cneifiwr arall o ardal Aberhosan gyda ni hefyd. Wna i mo'i enwi, ond un drygionus oedd o flynyddoedd yn ôl hefyd. Roedd y cneifiwr unigryw hwn wedi bod yn gwneud pob math o ddrygioni drwy'r bore, ac roedd Emyr ac ynte'n chware triciau ar ei gilydd. Dyma ni i mewn i'r tŷ i gael cinio, ac mae cinio ar ddiwrnod cneifio yn draddodiadol yn werth ei gael. Cinio rhost, y trimins i gyd a phwdin i ddilyn. Roedd o wedi dod â sgriw fach tua modfedd a hanner o hyd o'i focs tŵls i'r tŷ a phan oedd Emyr wedi troi ei ben i'r cyfeiriad arall, dyma fo'r gosod y sgriwsen i mewn i gwstard a chrymbl Emyr Pugh. Welais i'r peth yn digwydd, ac roedd y funud neu ddwy nesa'n teimlo fel oes, cyn clywed y crynsh anferthol o geg Emyr. I ddechrau, roeddwn i mor falch ei fod o heb lyncu'r peth, ac roedd ei ddannedd o'n dal yn gyfan, diolch byth. Parhaodd y castiau drwy'r prynhawn, a finne'n cadw'n dawel rhwng y ddau. Mi alle pethe fod wedi bod yn llawer gwaeth.

Ges wahoddiad i gneifio'r sbinod blwydd gyda Geraint Bebb a'i frawd, Wyn, ar ffarm Barhedyn, ardal Aberhosan. Roeddem yn cneifio mewn sièd ar y mynydd rai milltiroedd i fyny'r cwm, i gyfeiriad Dylife. Aeth y cneifio'n dda – Geraint a fi'n cneifio, a Wyn a'i dad yn lapio'r gwlân. Wedi i ni orffen aethom i gael swper ac roedd Audrey, mam y ddau, wedi paratoi pryd i ni.

Dyma Geraint yn sortio'r siec i fi am gneifio, ac roedd Wyn wedi mynd allan i'r sièd ers rhyw ddeg munud. I ffwrdd â fi am adre ac yna'n syth i'r bath i ymlacio wedi diwrnod caled o waith. Rhyw awren yn ddiweddarach dyma benderfynu mynd i lanhau'r *combs* a'r *cutters* o'r cês cneifio i gael eu hogi erbyn y diwrnod canlynol. Agorais y *briefcase* i'r sŵn mwya dychrynllyd glywes i erioed, a'r unig beth weles i oedd rhyw bump o gegau adar bach yn sgrechian amdana i. Roedd Wyn, y diawl bach slei, wedi dod o hyd i nyth o jac-dos yn y weinws ac wedi meddwl bydde'n syniad gwych eu rhoi nhw i mewn gyda fy ngêr cneifio! I'r rhai sydd ddim yn fy nabod i, mae genna i ryw ffobia am adar erioed, ac roeddwn wedi sôn am hyn yn gynharach y diwrnod hwnnw. Allwn i ddim hyd heddiw ddal iâr na dim byd pluog fel yna – maen nhw'n troi arna i. Ges i gymaint o sioc bu raid nôl Dad o'r tŷ i weld beth oedd yno a hwnnw, fel finne, ddim yn hoff o adar, yn trio'u cael nhw allan o'r cês gyda choes brwsh, a finne yn y cefndir yn dechrau meddwl am gynllun i drio dial ar Wyn rhyw ddiwrnod. Mae o'n dal i aros!

Bues yn cneifio i deulu'r Bennetts, Fferm y Neuadd, Llawr-y-glyn am flynyddoedd lawer. Glyn a Ruby, a Nick y mab oedd yn byw yn y Neuadd. Roedd hi werth mynd bob blwyddyn dim ond i glywed newyddion yr ardal amser cinio, ac am y bwyd bendigedig bob amser. Roedd yr ŵyr bach, Ryan, yn cael diwrnod adre o'r ysgol bob tro ar ddiwrnod cneifio hefyd, ac roedd hwnnw wedyn yn gwneud rhyw gastie drwg drwy'r amser, yn tynnu ar ei daid a'i wncl. Pitsh glas oedd ar ddefaid y Neuadd bob amser gyda'r llythrennau TB. Roedd Ryan wedi dechrau mynd yn ddrwg ac wedi dechrau pitsio'i daid ar ei gefn. Roedd golwg y diawl ar siaced Glyn, a weles i erioed rhywun â gymaint o TB arno erioed! Roedd Emyr Pugh wedi'i gythruddo o weld y llanast ar gefn Glyn, felly dyma fo'n gafael yn Ryan ac yn cneifio ychydig o wallt y còg bach i ffwrdd. Wel, roedd hi off yna wedyn, roedd Ryan yn crio mawr yng nghornel y sièd, ac yn y diwedd bu raid ffonio'r barbwr lleol i ddod draw i dacluso'i wallt o! Chwerthin mawr am y peth wedyn amser swper.

Ychydig flynyddoedd yn ôl, ces neges ar fy ffôn symudol gan Ruby Bennett. Roeddwn wedi clywed ers ychydig wythnosau nad oedd hi'n dda o gwbl – ond ces fy llorio gan y neges ar y ffôn. Roedd Ruby yn ffonio o'r ysbyty, o'i gwely angau druan, ac roedd hi'n ffonio i holi i mi ganu yn ei hangladd. O'r nefoedd! Sut yn y byd o'n i'n mynd i'w ffonio'n ôl am hyn – ond chware teg, ces sgwrs hyfryd efo hi. Roedd hi'n llawn canmoliaeth a fydde ddim byd yn well ganddi na chael fi'n canu unawd, a chodi'r canu yn yr angladd. Sut alle rhywun wrthod? Cwta bythefnos yn ddiweddarach roedd dau gapel yn Llawr-y-glyn yn orlawn ar gyfer ei hangladd ac roedd y teulu i gyd mor werthfawrogol 'mod i wedi canu.

Bues yn cneifio gyda Wyn Jones, Y Graig, Llanfair Caereinion am gyfnod hefyd. Dyma i chi gymeriad a hanner, a ges i lot fawr o sbort yn ei gwmni. Roedd cneifwyr arbennig o Seland Newydd yn dod ato i gneifio bob blwyddyn – rhai o oreuon y byd – ac roeddwn yn dysgu lot fawr wrth eu gwylio yn mynd trwy'u pethe. Un o'r cneifwyr hynny oedd Alan Macdonald, cyn-bencampwr y byd 'nôl yn 1994, a ches gyfle i gneifio mewn sièd gyda fo cwpl o weithiau, gan drio 'ngore i gadw fyny efo fo!

Un diwrnod es gyda Wyn i gneifio ar ffarm y Weston, rhwng y Drenewydd a Ceri. Roedd perchennog y ffarm yn fridiwr defaid arbennig, a diadell werth ei gweld ganddo. Roedd y sièd yn llawn o sbinod blwydd y brid Beulah. Dyma frid sy'n adnabyddus am fod yn ddefaid bywiog, gwyllt – a dyna oeddynt y tro hwn yn bendant! Pan rois fy mhen i mewn i'r sièd cododd tua pum cant o bennau gyda'i gilydd ac roedd eu llygaid i gyd yn disgleirio. Roedd tymer ar y diawl arnynt, a dwi'n amau mai dim ond rhyw bump nath ddim cicio drwy'r dydd. Dyna'r diwrnod mwya blinedig a digalon o gneifio ges i erioed ac roeddwn mor falch o orffen a mynd adre'r noson honno. Rai blynyddoedd yn ddiweddarach des i, Wyn y Graig a Dyfrig Jones – perthynas iddo o Lanfyllin – yn fuddugol ar gystadleuaeth y contractwyr yn rowndiau terfynol y gylchdaith cneifio Cymru yn 1998, a bu cryn ddathlu wedyn a thynnu coes y contractwyr eraill!

Cystadlu cneifio

Cystadlu yn sioe fach Llanbryn-mair wnes i gynta pan oeddwn tua un ar bymtheg. Cneifio dau oen benyw yn y gystadleuaeth dan 18. Ces y wobr gynta a chael blas yn syth ar y byd cystadleuol. Roeddwn wrth fy modd yn cystadlu yn y sioeau bach gwledig, a dyna lle dechreuodd llawer o'n cneifwyr amlycaf hefyd. Roedd ambell i sioe yn darparu'r ŵyn i ni, ond weithiau roedd rhaid mynd â'ch oen eich hunan. Roedd cystadlaethau cneifio yn sioeau amaethyddol y Canolbarth i gyd ac roeddwn yn ysu am fynd i bob un. Ces lot fawr o sbort hefyd wrth fynd lawr gyda Huw Nantygaseg i sioeau bach lleol fin nos yng ngogledd Ceredigion. Dwi'n cofio'r sioeau bach yn Lledrod, New Cross a Phonterwyd, a chael tipyn o *banter* efo'r Cardis. Roeddwn yn llwyddiannus weithiau, ac ar adegau eraill yn dod adre heb ddim. Ond fel yna mae dysgu yndê, ac mae dysgu sut i golli yn fwy gwerthfawr na dysgu sut i ennill yn aml iawn. Hynny sy'n gwneud rhywun yn fwy penderfynol erbyn y tro nesa. Dwi'n cofio mynd i sioe Nantmel, ger Rhaeadr, deirgwaith i gyd, gan gystadlu dan 21, dan 25 ac ar yr Agored, ac enillais y tair cystadleuaeth bob blwyddyn. Roedd arna i ormod o gywilydd i fynd 'nôl wedyn wedi hynny!

Ym mis Mai 1993 es i gneifio ochrau'r Trallwng gyda Hywel Cilcwm ac Iwan Pengraig. Roedd Hywel yn gneifiwr profiadol iawn, a deudodd wrtha i fy mod yn cneifio'n dda, a bod angen i mi fynd i ddechrau cystadlu yn y sioeau mawr oedd yn rhan o'r gylchdaith Brydeinig. Ddeudodd o bydde siawns dda genna i yn y Juniors, yr adran iau, a deud wrtha i am fynd i gystadlu y Sadwrn canlynol yn sioe Sir Drefaldwyn. Doeddwn i ddim yn siŵr, wir; rhyw ofn gneud ffŵl ohono fi fy hun. Ond dyma oedd y tro olaf un y bydde sioe sir yn cael ei chynnal yn Sir

Drefaldwyn, felly fydde dim cyfle eto. Penderfynais fynd i'r Trallwng i gystadlu yn y Juniors. Roeddwn yn nerfus tu hwnt. Mae pedwar categori cneifio yng nghystadlaethau'r gamp, sef Juniors, Intermediates, Seniors, ac Open. Dydi'r categorïau hynny ddim yn mynd yn ôl eich oedran, ond yn ôl safon eich cneifio – un ai drwy gyflymder eich cneifio, neu drwy eich profiad cystadleuol, a faint o wobrau rydych wedi'u hennill yn y gorffennol. Mae rhai cneifwyr wedi bod yn y dosbarth Iau ers blynyddoedd maith, ac ambell un wedi hedfan drwy'r dosbarthiadau o fewn cwta dair blynedd. Mae'r beirniaid profiadol yn cadw golwg yn y sioeau, a phan ydych wedi gwneud yn reit dda bydd yr alwad yn dod y gwanwyn canlynol i ddeud eich bod wedi mynd i fyny i'r categori nesaf.

Mi aeth yn arbennig o dda yn y sioe, ac enillais yr Adran Iau y diwrnod hwnnw. Cefais dlws crisial arbennig o hardd i'w gadw, ynghyd â £30. Roeddwn wrth fy modd, a dyna ddechrau arni.

Yn 1994 aeth criw ohonom i goleg Llysfasi ger Rhuthun am hyfforddiant pellach gan ddau o feistri dysgu cneifio yng Nghymru, sef Hywel Jones, Llangwm, sy'n gneifiwr profiadol dros ben ac wedi ennill pencampwriaeth Cymru, a Brian Williams, cyn-athro yn y coleg, ond sydd hefyd yn athro cneifio arbennig o dda. Dysgais lawer iawn gan y ddau. Roedd Hywel yn dangos ffordd fwy datblygedig o gneifio, lle roeddwn yn gallu dod o hyd i ffyrdd mwy hwylus o ddal y ddafad, ac wedyn Brian yn esbonio wrtha i sut i ddefnyddio'r grib oedd yn mynd drwy'r gwlân yn llawnach, drwy lenwi'r grib i'r eithaf dros y ddafad gyfan, a pheidio colli amser rhwng yr ystodau. Gwellodd fy nghneifio yn aruthrol ac roeddwn yn barod i symud ymlaen i'r dosbarth canolig – yr Intermediates. Roedd tystysgrifau Efydd, Arian ac Aur i'w cael gan y Bwrdd Gwlân am wneud y cyrsiau yma. Roeddwn eisoes wedi cael yr Efydd a'r Arian ac yn 1994 roeddwn yn ceisio am yr Aur. Roedd rhaid i chi gneifio 24 o ddefaid mewn awr i gael yr Aur. Roedd Hywel a Brian yn goruchwylio'r cneifio ac yn gwirio ein bod wedi cydymffurfio â'r hyfforddiant. Gofynnodd y ddau i mi gneifio wyth dafad mewn ugain munud i gael yr Aur, ond cneifiais 14 o ddefaid yn daclus yn yr ugain munud hwnnw a ches y dystysgrif Aur yn syth, gyda'r ddau yn canmol yn fawr iawn!

Fis yn ddiweddarach roedd pencampwriaeth gneifio Llysfasi, a finne erbyn hyn yn cystadlu yn yr Intermediates. Ond ches i ddim gormod o hwyl arni, gan fethu cyrraedd y rownd gyn-derfynol hyd yn oed, felly roedd fy mhen yn fy mhlu braidd. Roedd *entries* yr adran hŷn, y Seniors, ar fin cau pan ddeudodd Berwyn, a chwpl o'm ffrindiau agosa o'r ardal, i mi roi fy enw i lawr. Gwrthod wnes i gan ddeud 'mod i ddim digon da a chyflym, a hwythau'n herio mi i gystadlu. Yn y diwedd ildio wnes i, a rhoi fy enw i lawr. Wrth droi'n ôl at fy ffrindiau agosaf dyna lle roeddent yn chwerthin mawr ac yn deud 'mod i'n ffŵl i gystadlu. Y diawled! Wel, roeddwn yn benderfynol wedyn – un fel yna dwi wedi bod erioed. Ond roedd yr adran yma'n stepen tipyn uwch ac roedd rhaid codi'r safon a'r cyflymder.

Ces fy rhoi yn yr *heat* olaf un, gyda dau gneifiwr profiadol o Seland Newydd, sef Earl Paewai a Joe Tango. Roeddwn i'n nerfus tu hwnt cyn mynd i fyny, a phan holais i'm ffrindiau pwy oedd am ddod i ddal defaid i fi yn y gorlan, gwrthododd pob un ohonynt o gywilydd! Ges i gneifiwr arall i ddal defaid i mi, a ffwrdd â fi i'r llwyfan. Es amdani o'r eiliad gynta, gan orffen y pum dafad o flaen y lleill i gyd. Drwy ryw ryfedd wyrth roeddwn yn y rownd gyn-derfynol, ac aeth pethe hyd yn oed yn well yn fan'no. Roeddwn yn y pedwerydd safle, ac i mewn i'r ffeinal. Ro'n i'n methu coelio'r peth o gwbl – na'r criw ffrindiau chwaith! Pan godais i fynd i'r llwyfan i'r ffeinal roedd pob un o'm ffrindiau eisiau dod i ddal defaid i mi, ond roies i mo'r pleser iddynt y diwrnod hwnnw, gan holi'r un boi a fu'n driw i mi o'r dechrau! Pumed ges i'r diwrnod hwnnw, ond roedd y profiad o gneifio mewn categori uwch wedi rhoi hyder enfawr i mi ac wedi fy ysgogi i feddwl falle mai fan'no ddylen i fod, gyda'r cneifwyr cyflymach.

Wedi ennill ambell i ffeinal y flwyddyn ganlynol, gan gynnwys ein cystadleuaeth leol, Cneifio Bro Ddyfi, ces fy nyrchafu i'r Adran Hŷn. Ches i ddim gormod o hwyl arni y flwyddyn gynta, ond mi wnes ambell i ffeinal yn 1997, gan gynnwys cael trydydd yng Nghneifio Llysfasi eto. Es i'r ffeinal hefyd yn Sioeau Mawr Sir Efrog, De'r Alban a hefyd i lawr yn Romney Shears yng Nghaint. Dim hwyl eto yn y Sioe Frenhinol yn Llanelwedd! Doedd dim byd i'w wneud ond gweithio'n galetach gan baratoi am dymor mwy llwyddiannus y flwyddyn wedyn.

Tymor cneifio 1998

Roedd John Gwernbere wedi ennill ei le yn Nhîm Cymru ac roedd pencampwriaethau Cneifio'r Byd yn Gorey yn ne Iwerddon ym mis Mai 1998. Aeth criw mawr ohonom draw i gefnogi John am benwythnos hir, a phenderfynodd ambell un ohonom gystadlu yn ein hadrannau oedd yn cyd-fynd â'r bencampwriaeth fawr. Cyrhaeddodd Berwyn y Garej y ffeinal yn yr adran ganolig, a chyrhaeddes inne'r rownd gyn-derfynol allan o 70 o gystadleuwyr, gan fethu'r ffeinal o dair eiliad. Ond roedd dod yn seithfed mewn cystadleuaeth fawr fel yna yn rhywbeth i'w drysori. Wna i byth anghofio wyneb Berwyn pan oedd yn cerdded i lawr y babell fawr i'r llwyfan pan gyhoeddwyd ei enw i'r ffeinal. Roedd pawb yn gweiddi, ac roedd ei wyneb yn goch fel bitrwt.

Bu dathlu mawr yn Gorey y noson honno, ac roeddem fel criw yn cysgu mewn pebyll mewn cae gerllaw. Aeth hi braidd yn flêr, a deffrais yn y bore gyda fy nghoese allan o'r babell a 'mhen tu mewn. Roedd rhywun wedi dod 'nôl yn hwyrach a chael y syniad o'n llusgo allan o'r babell i'r glaw. Deffrais yn wlyb socen yn y bore, a fy esgidiau yn llawn o ddŵr. Am ffrindiau clên sydd genna i, yndê?

Wedi cyrraedd yn ôl o Iwerddon, y penwythnos canlynol roedd Rali Ffermwyr Ifanc y Sir ym Maldwyn ac enillais y gystadleuaeth gneifio yno, gan ennill fy lle i gynrychioli'r sir yn y Sioe Frenhinol. Y diwrnod hwnnw hefyd enillais gystadleuaeth barnu stoc defaid, gan ddod i wybod yn ddiweddarach fod y ddwy gystadleuaeth ymlaen ar yr un amser yn Llanelwedd. Penderfynais yn syth mai'r cneifio fyddai'n dod gynta, gan nad oeddwn yn rhy hyderus ar farnu stoc beth bynnag.

Rai diwrnodau wedyn dois yn fuddugol yn y Seniors yn Llysfasi, gan roi llawer o hyder i mi cyn y sioeau mawr oedd i ddod. Penderfynais fynd amdani wedyn, oherwydd bod siawns uchel y bydde'n rhaid i mi esgyn i'r adran Agored os bydde mwy o lwyddiant. Es dros y ffin i Loegr i gystadlu gan gyrraedd y ffeinal yn sioeau Stafford, Romney Marsh, De'r Alban a'r Great Yorkshire.

Daeth tymor y cneifio defaid i ben ganol mis Gorffennaf ac roedd rhaid troi fy ngolygon yn syth at gneifio ŵyn. Mae cneifio ŵyn yn gallu bod yn anoddach, oherwydd eu maint yn fwy na dim, felly mae'n rhaid cael ymarfer sut i'w dal yn hyderus. Ces wahoddiad gan fy nghefnder, Arwyn y Wig, i fynd am ymarfer ar ei ŵyn benyw a bu'r pnawn hwnnw yn amhrisiadwy cyn y sioeau mawr. Bues i lawr yn cystadlu yn sioe gneifio Llambed gan fynd i'r ffeinal ar frig y rhestr, ond ches i ddim llawer o hwyl yn y ffeinal ei hun yn anffodus.

Cyrhaeddodd wythnos y sioe fawr yn Llanelwedd ac roeddwn yn edrych ymlaen yn fawr, er nad oeddwn i erioed wedi bod yn lwcus yno yn ystod y pum mlynedd cyn hynny. Ar fore Llun y sioe roedd cystadleuaeth y ffermwyr ifanc, a ches hwyl reit dda arni, gan ddod yn gynta yn y dosbarth i gystadleuwyr dan 26. Felly, dechrau da iawn. Bore dydd Mawrth roedd rownd gynta'r Seniors. Ces hwyl dda iawn arni eto, gan ennill fy lle yn y rownd gyn-derfynol ac yna, cwpl o oriau yn ddiweddarach, roeddwn yn y ffeinal a hynny allan o 60 o gystadleuwyr. Roedd rhaid aros tan ddiwedd y prynhawn am y ffeinal, ac roedd pum Cymro wedi'i gwneud hi i'r ffeinal, ac un o Seland Newydd, sef Reece Wilkinson – y boi enillodd y dosbarth hŷn ym Mhencampwriaeth y Byd yn Iwerddon fis yn gynt! Roedd y pedwar Cymro arall yn byw o fewn awr i mi yn y Canolbarth – Aled Jones, o Ddolgellau, ond o Lwyncelyn, Talerddig yn wreiddiol; John Williams o Dywyn; Hywel Wigley

Jones o Lanuwchllyn; a Phillip George o Lanilar. Roeddwn wedi cystadlu gyda'r cogie yma ers blynyddoedd ac roedd hi'n wych cael rhannu'r profiad ar y llwyfan mawr.

Ces hwyl reit dda arni, ac er na wnes orffen y gwaith cneifio yn y safle cynta, roeddwn wedi cneifio deuddeg oen mewn deg munud ac ugain eiliad. Roeddwn yn gwybod fy mod wedi cneifio'n reit lân, felly roeddwn yn gobeithio cyrraedd ymhlith y tri safle uchaf. Pan ddaeth y canlyniad, dechreuodd y cyhoeddwr gyda'r chweched safle, gan weithio'i ffordd at y goreuon. Pan ddoth hi i'r ddau olaf dim ond y fi a'r boi o Seland Newydd oedd ar ôl. Cyhoeddodd mai Aled Wyn Davies oedd yn fuddugol, a ches sioc farwol. Roeddwn i wir methu coelio'r peth. Ces y cwpan mawr i'w gadw am flwyddyn, medal a rhuban glas, *handpiece* cneifio newydd, £150 a thlws crisial 'Gwobr Goffa Huw Harding'. Roedd Huw yn ffrind i mi. Bachgen ifanc o Garno ydoedd, ac roeddwn wedi cneifio efo fo sawl tro. Roedd wedi colli ei fywyd wedi damwain rygbi frawychus y flwyddyn cynt. Roedd pawb yn meddwl y byd ohono, ac roedd cael ennill y wobr yma am y tro cynta erioed yn fraint. Roeddwn mor falch o'i derbyn, ac roedd Gwynfor a Bronwen, ei rieni, yno i gyflwyno'r tlws i mi ac yn falch iawn drosta i hefyd. Roedd honno'n foment emosiynol iawn i ni i gyd.

Wedi'r fuddugoliaeth, roedd pawb yn dod ataf i'm llongyfarch ac yn deud pethe mor glên. Cawsom noson i'w chofio ar faes y sioe. Roedd Breian yr Organ wrthi ym mhabell y Members ym mhen ucha'r sioe, a buom yno fel criw yn canu a chymdeithasu am oriau. Dyna ddiwrnod wna i fyth anghofio, a dwi'n categoreiddio'r fuddugoliaeth yma mor uchel ag unrhyw beth dwi wedi'i gyflawni ym myd cerddoriaeth ers hynny.

Y diwrnod canlynol roedd pencampwriaeth Cymru, y Champion Shearer of Wales, yn cael ei chynnal, ac fel un o'r Seniors uchaf roeddwn yn cael cystadlu. Er bod fy mhen i'n dal mewn breuddwyd, es ymlaen i gyrraedd y rownd gyn-derfynol, a thrwy hynny cael y fraint o gystadlu ar y dydd Iau hefyd mewn cystadleuaeth i ennill taith gneifio i Seland Newydd. Dois yn bumed yn y gystadleuaeth honno, ond roedd cneifio ugain o ŵyn am y tro cynta erioed mewn cystadleuaeth yn ormod o dasg i mi y tro hwn! Ar y dydd Iau hwnnw hefyd ces wobr gynta arall, y tro yma gyda'r cneifiwr Rhydwyn Price o Lanandras mewn cystadleuaeth timau o ogledd, canolbarth a de Cymru – a ninne'n dau o'r Canolbarth yn fuddugol! Roedd hon yn wythnos i'w chofio go iawn.

Wedi'r Sioe Fawr roedd yr hyder wedi codi ac es ymlaen i ennill yr Adran Hŷn yn sioeau Llanrwst, Sioe'r Tair Sir yng Nghaerfyrddin, Cneifio Bro Ddyfi yn Llanbryn-mair, Sioe Llanfair Caereinion, a dod yn drydydd yng Nghneifio Corwen. Gorffennodd y tymor gyda rowndiau terfynol cylchdaith Cneifio Ŵyn Cymru yn Llanelwedd lle roeddwn wedi ennill digon o bwyntiau i gyrraedd y ffeinal. Cneifiais yn dda eto, gan ddod yn ail agos i'r cneifiwr lleol, Gareth Davies o Aberhonddu. Ond roeddwn mor hapus ac wedi cael tymor wna i gofio am byth.

Bu raid esgyn i'r adran Agored yn 1999, oedd yn stepen fawr iawn eto gan gystadlu o hyn ymlaen yn erbyn goreuon y byd. Drwy'r fuddugoliaeth yn Llanelwedd yn 1998 ces gyfle am y tro cynta erioed i gynrychioli Tîm Cneifio Cymru. Roedd enillydd pob categori o'r flwyddyn cynt yn cael mynd i sioe Bath and West yng Nghystadleuaeth y Pum Gwlad. Roedd y tîm yn cynnwys Colin Jones o ochr Llanfair-ym-Muallt fel y cynrychiolydd Iau; Simon Jones, Fferm y Glyn, Llanidloes oedd yr Intermediate; finne wedyn fel y Senior; a John T.L. Davies o Bontsenni, cneifiwr profiadol iawn, fel y cynrychiolydd Agored. Braint yn wir oedd cael cynrychioli fy ngwlad, ac yn uchafbwynt i mi yn fy ngyrfa oedd cael gwneud hyn ym myd cneifio – byd cystadleuol tu hwnt. Roedd hwn yn ddiwrnod llwyddiannus iawn eto pan ddaethom yn fuddugol, gyda thîm Lloegr yn dod yn ail – ar eu tomen eu hunain! Roedd ennill yn fonws ac yn brofiad bythgofiadwy.

Ces hwyl reit dda arni y ddwy flynedd ganlynol ym mhencampwriaeth Cymru, y Champion Shearer of Wales, gan gyrraedd y rownd gyn-derfynol ddwywaith, ac eto'r ffeinal i ennill y daith i Seland Newydd, ond roedd cystadlu yn erbyn mawrion y byd un stepen yn rhy bell i mi. Dwi wedi bod yn ffodus iawn o gael cneifio ochr yn ochr â chneifwyr gorau'r blaned mewn cystadlaethau, fel y meistr ei hun, David Fagan – enillydd pencampwriaeth y byd bum gwaith.

Wedi i mi orffen cystadlu yn y sioeau mawr cadwais ymlaen am flynyddoedd i gneifio yn yr ardal, ac i gontractwyr eraill yn y Canolbarth yn ogystal â chneifio'r defaid adre ar y ffarm. Erbyn hyn mae cogie lleol yn dod mewn i gneifio atom ni hefyd, er fy mod yn dal yn hoffi gwneud ambell i ddiadell fach adre 'ma i atgoffa fy hun 'mod i'n dal yn gallu gwneud y gwaith. Mae safon fy nghneifio cystal ag erioed er bod y cyflymder wedi arafu ychydig. Colli amser rhwng pob dafad ydi'r broblem erbyn hyn. Henaint ni ddaw ei hunan!

Un cwestiwn mae pob cneifiwr yn ei gael yn ei dro ydi, "Faint o ddefaid wyt ti wedi gneifio fwya mewn diwrnod?" Wel, er i mi gneifio dros 300 sawl tro, y mwya i mi gneifio mewn diwrnod erioed ydi 380, a hynny wrth gneifio i wncl i Karina yng nghyffiniau Aberaeron. Roedd hwnnw'n ddiwrnod blinedig, dwi'n cofio, a finne'n cneifio ar ben fy hun, ond roedd y defaid yn cneifio'n dda, ac roeddwn eisiau plesio teulu'r *in-laws*, yn doeddwn! Cysgais yn dda y noson honno!

Wedi i mi orffen cystadlu, bues yn hyfforddi pobl ifanc i gneifio i'r Bwrdd Gwlân ambell flwyddyn, ac roeddwn yn hoffi'r gwaith yn fawr, yn enwedig wrth ddysgu'r cneifwyr oedd wedi datblygu rhyw ychydig yn barod. Roeddwn yn falch o gael rhoi rhywbeth yn ôl i'r diwydiant oedd wedi rhoi cymaint o bleser i mi dros y blynyddoedd. Bues yn hyfforddi ar ffarm y coleg yn y Drenewydd ambell flwyddyn hefyd ac roedd 'na gneifwyr bach da iawn yno. Mae'r cystadlu cneifio wedi parhau yn y teulu hefyd, gan fod Gareth Daniel, fy nghefnder cynta o Benegoes, wedi gwneud ei farc yn y maes, gan ennill Pencampwr Cymru a chystadlaethau mwya Prydain Fawr dros y ddegawd ddiwetha, ac wedi cynrychioli tîm Cymru ym mhencampwriaethau'r byd sawl tro. Mae Gareth hefyd yn dal record Brydeinig am gneifio 781 o ŵyn mewn diwrnod! Dwi'n browd iawn o ddeud mai fi oedd y cynta i roi gwers gneifio iddo flynyddoedd yn ôl.

Mae gan Gymru bencampwr cneifio'r byd rŵan hefyd. Mae'r datblygiad yn safon cneifio yng Nghymru wedi codi dros y ddegawd ddiwetha, gyda'r cneifwyr yn dal eu tir yn erbyn mawrion Seland Newydd erbyn hyn, ac roeddwn mor falch o weld Richard Jones, bachgen ifanc o Lyndyfrdwy, ger Corwen, yn ennill Pencampwriaeth y Byd draw yn Le Dorat, Ffrainc ym mis Gorffennaf 2019 – y Cymro cyntaf erioed i wneud hynny.

Ni fues yn cystadlu eto yn y sioeau mawr wedi'r flwyddyn clwy traed a'r genau yn 2001, oherwydd roeddwn wedi cyrraedd ble o'n i eisiau bod drwy gyrraedd yr adran Agored, ac roedd y canu wedi dechrau cymryd drosodd, oedd ychydig yn haws! Mae angen bod yn ffit iawn i gadw gyda'r goreuon yn y byd cneifio, ac roeddwn yn gwybod 'mod i wedi cyflawni cymaint ag y gallwn yn y byd cystadleuol yma. Bues ar bwyllgor trefnu cystadlaethau Cneifio Cymru yn y Sioe Frenhinol am flynyddoedd lawer wedyn. Dwi'n dal i gael y fraint o droedio'r llwyfan yn y sièd gneifio yn Llanelwedd yn flynyddol – ond erbyn hyn i ganu'r anthemau cyn y prawf mawr, Cymru yn erbyn Seland Newydd. Mae hynny'n brofiad anhygoel bob tro, ac mae'r anthemau, yr Haka ac wedyn y prawf ei hun, yn uchafbwynt y Sioe i lawer. Dwi hefyd yn dal i fynychu Cneifio Corwen bob blwyddyn, ac eto'n cael y fraint o ganu'r anthemau mewn awyrgylch drydanol anhygoel yn fan'no.

Roedd hi'n yffach o brofiad cneifio yn yr hen bafiliwn yng Nghorwen flynyddoedd yn ôl. Yma yng Nghorwen ges i wahoddiad i ddechrau canu'r anthemau gynta, ac mae hynny bron ugain mlynedd yn ôl erbyn hyn. Roedd y cefnogwyr yn arfer taro'u traed ar y llawr pren yn ystod y prawf yn erbyn Seland Newydd ac roedd y sŵn yn fyddarol yno. Cawsom lot fawr o hwyl yng Nghneifio Corwen dros y blynyddoedd, a pharti mawr fel arfer i orffen y tymor cneifio! Erbyn hyn mae'r gystadleuaeth wedi symud i siediau pwrpasol Stad y Rhug wedi i'r hen bafiliwn yn y dref gael ei ddymchwel.

Dwi wedi gwneud cannoedd o ffrindiau da dros y blynyddoedd drwy'r diwydiant gwlân, a'r rheini'n griw ffyddlon tu hwnt. Bydd yr hen griw yn siŵr o gwrdd yn y sièd yn y Sioe yn Llanelwedd bob blwyddyn am sgwrs ac i gofio'r hen ddyddie. Dwi'n browd iawn o sut aeth fy ngyrfa fel cneifiwr, a bydd yr wythnos arbennig yna 'nôl yn 1998 yn aros yn y cof. Mae fy enw wedi ei nodi ar fwrdd y cyn-enillwyr yng Nghanolfan Gneifio'r Sioe, ac mae'n rhaid mynd â'r plant draw bob blwyddyn i ddangos enw eu tad ar y bwrdd mawr pren, a fydd yno mewn hanes am byth, gobeithio.

6

Y Ffermwyr Ifanc

PAN OEDDWN YN fy arddegau cynnar dechreuais sylwi bod fy ffrindiau oedd ychydig yn hŷn na mi wedi dechrau mynychu'r Clwb Ffermwyr Ifanc lleol. Er mai gyda chlwb Bro Ddyfi roeddwn i'n gysylltiedig ag o am flynyddoedd, bues yn aelod o Glwb Ffermwyr Ifanc Llanbryn-mair a Charno am flwyddyn gan gystadlu unwaith efo nhw yn yr eisteddfod pan oeddwn tua tair ar ddeg. Roeddwn i dipyn iau na'r aelodau eraill yn y clwb yno ar y pryd oherwydd roedd fy ffrindiau agosaf i gyd yn mynd i glwb Bro Ddyfi i lawr y ffordd yng Nglantwymyn. Er eich bod yn gallu dechrau cystadlu yn ddeg oed gyda'r mudiad, yng nghlwb Bro Ddyfi roedd rhaid bod ym Mlwyddyn 10 yn yr ysgol uwchradd cyn bod modd ymaelodi, felly roedd rhaid aros. Ym mis Medi 1988 es i noson gynta'r tymor newydd a chael modd i fyw yn syth. Roedd fy ffrindiau ysgol agosaf i gyd yno, felly o'r dechrau roedd genna i gwmni i fwynhau.

Mae'r mudiad ffermwyr ifanc wedi bod yn *dating agency* i filoedd o aelodau dros y blynyddoedd – gan gynnwys Karina a fi – ond mwy am hynny yn nes ymlaen! Mae'n fudiad clòs iawn ac yn ffordd dda i wneud ffrindiau newydd a chael cymdeithasu ag aelodau ar draws y sir ac ar lefel genedlaethol.

Roedd Clwb Ffermwyr Ifanc Bro Ddyfi yn ei anterth yn yr wythdegau gyda chriw mawr o aelodau, a bu'r nawdegau ymlaen hefyd yn gyfnod llwyddiannus iawn i'r clwb ar lefelau sirol a chenedlaethol. Nid dim ond meibion a merched o gefndir amaethyddol oedd yn mynychu, ond eu ffrindiau o'r ysgol a'r pentrefi hefyd. Wrth gwrs, yn hytrach na chlwb pentref mae Clwb Bro Ddyfi yn glwb sy'n cynrychioli llawer o bentrefi'r dyffryn, o Aberangell i Dderwen-las, Aberhosan a Thal-y-wern dros y cwm i Lanwrin, a nifer o aelodau hefyd o Lanbryn-mair.

Un o'r pethe cynta mae'r clwb yn paratoi ato ar ddechrau'r tymor bob blwyddyn ydi'r Eisteddfod Sir. O'r flwyddyn gynta dechreuais gystadlu dros y clwb yn syth, a chael llwyfan ar yr Unawd Canu Emyn dan 26 y tro cynta i mi gystadlu, a finne'n bedair ar ddeg oed. Roedd aelodau talentog yn y clwb pan ddechreuais, a finne'n mwynhau eu gweld yn cystadlu ar y cystadlaethau ysgafn fel y sgets, y ddeuawd ddoniol a'r meim i gerddoriaeth. Dwi'n cofio un meim cofiadwy o'r archif, sef Tegid Glanmerin ac Elwyn Ffriddfawr yn actio fel dawnswyr bale, a hwythau yn eu twtws bach pinc! Roedden nhw'n wych. Mae'r clwb yn draddodiadol wedi gwthio'r ffiniau wrth ysgrifennu geiriau a chaneuon newydd i eitemau amrywiol. Mae llawer iawn o glybiau yn dueddol o ddefnyddio hen alawon disgwyliedig megis 'Claddu'r Mochyn Du' neu 'Bing bong be', gan roi geiriau gwreiddiol newydd arnynt, ond roedd talent arbennig ym Mro Ddyfi i ysgrifennu alawon newydd sbon egnïol oedd yn rhoi ffresni i berfformiadau. A dyna dwi'n credu wnaeth i'r clwb sefyll allan mewn cystadlaethau o'r fath.

Ar ôl y Nadolig ac wedi i'r clwb fod o amgylch bron pob ffarm yn canu carolau gan godi arian tuag at elusennau lleol, roedd rhaid troi ein golygon tuag at y gystadleuaeth adloniant flynyddol. Ar y dechrau roedd cystadleuaeth ddrama a chystadleuaeth hanner awr o adloniant bob yn ail flwyddyn, ond o ganol y nawdegau ymlaen dechreuodd y mudiad gyflwyno cystadlaethau gwahanol fel ffars neu bantomeim hefyd, a dyna pryd ddechreuodd yr hwyl go iawn.

Ar ddechrau 1989, a finne dal yn bedair ar ddeg, ces fod yn rhan o'r gystadleuaeth hanner awr o adloniant. Aelodau hŷn y clwb ysgrifennodd y sgript gan gynnwys tipyn o'r caneuon gwreiddiol. Testun ein hadloniant oedd 'Sianel Pedwar Cymru', a oedd dim ond wedi bodoli ers saith mlynedd yr adeg honno. Wel, am hwyl! Portreadu'r sêr a'r enwogion oedd ar y sianel yn yr wythdegau roedden ni. Roedd Elwyn Ffriddfawr yn dynwared Wali Tomos, a'r olygfa anfarwol pan oedd Wali yn hymian y garol 'Dawel Nos' ar *C'mon Midffîld*! Roedd o'n wych. Roedd Sian Mwyars ac Edryd Caeiago yn canu fel Rosalind a Myrddin, a Sioned Mwyars a'i *backing singers* egnïol yn dynwared Caryl Parry Jones a'i grŵp, Bando. Gwelsom hefyd berfformiad anfarwol Colin Harding o'r boi oedd ar yr hysbyseb cwmni sigârs Hamlet yn eistedd ar y tŷ bach yn darllen papur newydd pan giciodd y rholyn papur i ffwrdd, cyn dechrau mygu'n braf! Roedd Colin yr un oed â fi, ond dwi'n credu iddo bron â thagu ar yr hen sigâr!

Fy nghymeriad i oedd y ffarmwr a'r tenor enwog, Trebor Edwards! Roeddwn mewn hen siwt las fy wncl yn canu'r gân 'Yr Hen Siec'. Roedd y criw wedi ysgrifennu geiriau newydd i'r alaw ''Rhen Shep', un o ganeuon enwocaf Treb, ac roedd y geiriau newydd yn sôn am yr arian roedd Trebor yn ei gael ar ôl dechrau canu ar S4C! Dwi'n cofio rhai o'r llinellau rŵan – 'Pan oeddwn yn ifanc, siec fach ydoedd hi, a minnau mor ddiflas a blin.' Ac yna'r ddwy linell ola – 'Sdim ots os yw'r canu'n uffernol o fflat, mi fyddaf 'di gwneud ffortiwn neu ddwy.' Roedd pobl yn chwerthin mawr pan oeddwn yn canu hon, yn enwedig pan oeddwn yn trio canu'n fflat hefyd. Roedd yn brofiad doeddwn i erioed wedi ei brofi o'r blaen wrth berfformio ar lwyfan, ond dyna oedd pwrpas y gân, i wneud sbort am bethe oedd ar y sianel. Neges y sioe oedd i ddangos i griw ifanc o'r dre bod rhywbeth i bawb ar S4C, ac erbyn y diwedd, wedi iddynt weld y rhaglenni a'r arlwy i bobl ifanc, roedd pawb yn mwynhau ac wedi'u syfrdanu gan yr amrywiaeth oedd ar y sianel. Ac wedyn y gân olaf un, 'S4C ein sianel ni, o ie. Peidiwch â meddwl am funud fach y gwnaeth y sianel fynd i ddwylo'r crach, S4C ein sianel ni, o ie!' Wedi i ni ennill yn y sir, aethom ymlaen i gystadlu ar lefel genedlaethol yn Nhywyn, Meirionnydd, yn erbyn chwech o siroedd eraill, gan ddod yn fuddugol drwy

Gymru! Mae genna i hen fideo yma yn rhywle o'r gystadleuaeth. Bydd rhaid twrio amdani. Mae'n anodd coelio bod dros dri deg o flynyddoedd ers hynny.

Y cymdeithasu sydd bwysicaf yn y ffermwyr ifanc, ond mae'r cystadlu yn bwysig hefyd, a'r bwrlwm sydd yng nghystadlaethau'r rali, yr eisteddfod neu'r diwrnod maes. Mae'r elfen gystadleuol wedi bod ynof ers yn ifanc iawn, ac mae hynny'n dal i fod hyd heddiw genna i ofn! Ond cryfderau'r mudiad ydi cynnig cystadlaethau amrywiol fel barnu stoc, siarad cyhoeddus, ffensio a gwahanol grefftau a thasgau egnïol yn y rali flynyddol. Bues yn cystadlu hyd yn oed ar gwcio un tro mewn rali, a hefyd chwysu peintiau wrth geisio tynnu'r gelyn gyda'm ffrindiau. Er i fi gasáu'r peth ar y pryd, un o gystadlaethau pwysica'r mudiad yn fy marn i ydi'r siarad cyhoeddus. Bues yn cymryd rhan yn y rhain am flynyddoedd, yn cynnig areithiau o blaid hela llwynogod a melinau gwynt. Bues hefyd yn gadeirydd ar banel o bedwar yn dadlau am bynciau'r cyfnod gan fynd ymlaen i gystadlu ar lefel genedlaethol nifer o weithiau – er 'mod i ddim eisiau mynd, i fod yn onest! Doeddwn i ddim yn teimlo'n gyfforddus ar y pryd yn siarad yn gyhoeddus, ond yn gwerthfawrogi erbyn heddiw cymaint o fudd oedd o i'r blynyddoedd wedi hynny. Ryw dair gwaith ces fy mherswadio i gystadlu ar farnu stoc erioed, ac er bod nifer fawr yn cystadlu ar y rhain ar lefel sirol yn y rali, mi ddois yn gynta un tro am farnu defaid miwl, ac yn gynta hefyd am feirniadu gwartheg stôr. Wrth lwc, pan ddaeth yn agosach i'r rownd nesaf yn y Sioe yn Llanelwedd bu raid i mi dynnu allan gan fod fy nghystadleuaeth gneifio yn y sioe yr un amser, a oedd dipyn pwysicach!

Roeddem, fel criw, yn hoff iawn o gymdeithasu, ac roeddem i gyd yn cwrdd bob penwythnos am beint neu ddau – y bechgyn a'r merched i gyd fel criw mawr hapus, clòs. Ambell dro byddem i gyd yn mynychu rhyw ddawns sgubor yn y Canolbarth – pethe reit boblogaidd yn y nawdegau – ac ambell dro roedd cyfle i fynd am benwythnos i ffwrdd i wylio gêm ryngwladol yng Nghaerdydd i gael ehangu ein gorwelion, fel petai. Bydde'r cogie yn bendant yn deud fy mod yn foi reit lletchwith ar nosweithiau allan, ac os bydde rhywbeth yn torri, bydde Aled Pentremawr yn siŵr o fod yn ei chanol hi. Mae'n rhaid cyfadde, roeddwn yn giamstar ar dorri gwydrau cwrw. Fel arfer, wrth godi i fynd i'r tŷ bach bydde fy nghoese'n taro'r bwrdd a bydde 'na lanast llwyr! Dwi'n cofio bwrdd cyfan o beintiau llawn yn mynd drosodd un tro ym Machynlleth, a bu raid i fi brynu rownd i'r criw, a'r rheini wedyn yn tynnu fy nghoes drwy'r nos. Ar noson arall, hedfanodd fy mhlatiaid o sgampi, tsips a pys i'r llawr yn Nhafarn y Rhos ar y ffordd adre o ornest gneifio yn Sioe Môn wrth i mi drio ffitio i mewn i gornel fach o'r bwrdd mewn tafarn brysur – er i mi gael rhybuddion bod dim lle i mi. Dylwn i fod wedi gwrando arnynt.

Yn 1994 roedd Eisteddfod y Sir yn Llanidloes a phenderfynodd Aled Griffiths, Tynywern, a finne gystadlu ar y ddeuawd ddoniol am y tro cynta. I'r rhai ohonoch sy'n cofio, y flwyddyn honno roedd protestiadau mawr ym Mhrydain ynglŷn ag allforio da byw, sef y 'Battle of Brightlingsea' fel y'i galwyd. Ysgrifennodd Alun Glanmerin, un o arweinwyr y clwb, ddeuawd i ni ar y dôn 'Those were the days' am ddau oen bach – wel, un mawr ac un dipyn teneuach – oedd wedi'u siomi am eu bod nhw'n methu mynd ar wyliau dros y môr i Sbaen. 'O'r blincin Ecsport Ban, den ni isio holide, Mam' oedd ei henw hi, a chafwyd lot fawr o sbort. Cawsom y wobr gynta yn y sir, ac roeddem wedi gwirioni, ond yn sylweddoli wedyn nad oedd y gystadleuaeth, yn anffodus, wedi'i dewis gan y sir i fynd ymlaen i'r lefel genedlaethol y flwyddyn honno.

Ddwy flynedd yn ddiweddarach dois i ac Aled Tynywern yn gynta eto yn yr Eisteddfod Sir, ond y tro hwn, yn hytrach na deuawd ddoniol, cafwyd cystadleuaeth canu allan o diwn! Noson cyn y gystadleuaeth yn y sir penderfynom roi tro arni, a ninne wrthi tan yn hwyr yn trio dysgu'r geiriau a chael rhyw elfen o ddoniolwch i'r perfformiad. Ein dewis oedd 'Ti a dy ddoniau', deuawd enwog Ryan a Ronnie, a gwisgodd Aled siwt DJ, a finne, am ryw reswm, fel dynes fawr dew mewn ffrog hir, ddu. Roedd stand gerddorol i ddal geiriau o'n blaen a honno wedi'i chysylltu wrth lein bysgota denau ynghlwm wrth goes Aled. Pan oedd yn troedio'n ôl roedd y stand yn cwympo bob tro, a neb yn deall sut. Ond am ein canu, dwi'n credu, y cawson ni'r wobr gynta y tro yma. Dechreuom mewn tiwn gyda'n gilydd, ond hanner ffordd drwy'r pennill cynta dyma fi'n mynd allan o diwn yn rhacs. Y gamp oedd i fod rhyw ychydig allan ohoni, trio canu rhyw hanner tôn yn rhy isel, ac wedyn ambell i nodyn ofnadwy ar ddiwedd llinell, dod yn ôl i diwn wedyn yn y cytgan olaf cyn cloi gyda nodyn anfarwol o giami! Dydi canu allan o diwn i rywun cerddorol ddim yn hawdd. Roedd yr Aled arall yn ei weld o'n haws falle na fi! Ha-ha, sori, Aled!

Dyma un o'r pethe mwya cofiadwy dwi'n ei gofio fel aelod o'r mudiad. Aethom ymlaen i'r Eisteddfod Genedlaethol yn y Bala a dod yn fuddugol. Dim llawer all ddeud eu bod yn enillwyr cenedlaethol am ganu allan o diwn! Dros ugain mlynedd yn ddiweddarach atgyfodwyd y ddeuawd enwog mewn nosweithiau llawen gyda Chôr Meibion Machynlleth, gydag un ohonynt yn Ontario, Canada, mewn Gŵyl Gymreig ar daith y côr, lle roedd y gynulleidfa'n reit swil am ychydig, a ddim yn siŵr a oeddent i fod i chwerthin o gwbl.

Yn 1998 ces ddau bartner newydd yng nghystadleuaeth y ddeuawd ddoniol, gyda Meinir Evans, Y Ffridd, gyda mi yn y sir, ac wedyn Sioned Pughe Jones, Lluest Wen, oedd fy mhartner yn Eisteddfod Cymru. Roedd Meinir yn colli'r Eisteddfod Genedlaethol oherwydd roedd ar ei mis mêl, felly daeth Sioned i'r adwy, neu dan y bwrdd i fod yn onest! Ein cymeriadau oedd Bill Clinton, arlywydd America ar y pryd, a Monica Lewinsky, ei ysgrifenyddes rywiol oedd yn hoffi'i bleseru o dan fwrdd yr Oval Office! Wel wir, dwi ddim yn gwbod ble oedden ni'n cael y syniadau yma, ond yn amlwg roedd yn gweithio gan i ni ddod yn fuddugol ym Mhorthaethwy. Lwcus bod dim ffonau symudol, Twitter na Facebook i'w cael yr adeg honno, wir

Dduw, neu chaen ni fyth fynd i mewn i'r Unol Daleithiau eto ar ôl dangos amharch at eu harlywydd!

Cawsom dipyn o hwyl hefyd ar gystadlaethau'r adloniant yn y nawdegau. Dyma'r tro cynta i'r mudiad gynnig cystadleuaeth pantomeim yn Gymraeg, a daeth criw ohonom fel aelodau'r clwb at ein gilydd i lunio sgript wreiddiol – 'Dewi'r Dewin Hyll'. Roedd hwn yn brosiect tipyn mwy na chynllunio hanner awr o adloniant, oherwydd roedd awr i'w llenwi y tro hwn, oedd yn cynnwys codi'r set a chlirio'r llwyfan ar y diwedd. Nid oeddem am ailwampio un o glasuron byd y panto felly ysgrifennon ni stori newydd sbon. Yn naturiol, Aled Tynywern oedd y Dewin hyll, a finne oedd y *dame*, sef Dêm Jên Glên! Roedd hi'n stori dda, am y dewin a oedd yn anhapus am ei fod o'n hyll, gyda'i dri *sidekick* doniol yn tynnu'i goes o o hyd. Herwgipiodd y Dewin Hyll ferch hyfryta'r pentref, Hyfrydwen Deg, cyn i drigolion y pentref gynhyrchu hylif o'r pethe gwaetha posib a'i roi yn niod y Dewin Hyll gan ei drawsnewid i fod yn dlws! Wel, y gorau gallen ni, te! Wedyn, fel pob diweddglo hapus mewn pantomeim, daeth pawb ynghyd, a phriododd yr hen ddewin â Dêm Jên Glên. Y llinell dwi'n dal i'w chofio o'r panto ydi, 'Mewn pentref dychmygol hapus yng nghanolbarth Cymru heb doilet, telefision na ffôn, trigai teulu hapus llon!'

Aethom ymlaen yn dawel hyderus i Gaerfyrddin i gystadlu yng nghystadleuaeth pantomeim Cymru, ond yn sydyn y noson honno daeth nerfusrwydd llwyr. Roedd y beirniad, yr actor dadleuol, David Lyn, yn beirniadu'n hallt iawn, gan gwyno am safon pob un perfformiad. Roedd mor ddrwg fel iddo gael ei drafod ar raglen *Stondin Sulwyn* ar y radio'r wythnos wedyn! Roeddem yn teimlo dros y clybiau eraill oherwydd roedd eu perfformiadau yn dda iawn, a doedden nhw ddim yn haeddu'r fath feirniadaeth. Y ni oedd yr olaf i berfformio yn Theatr Halliwell y noson honno, ac roeddem yn nerfus tu hwnt cyn cychwyn, ond ar yr un pryd eisiau dangos i'r boi yma bod talent i'w gael yn ein mudiad arbennig. Cawsom dipyn o *pep-talk* gan Alun ac aeth y perfformiad yn wych, y tro gorau i ni'i neud o.

Roeddem rŵan yn aros yn y neuadd i weld be oedd gan y dyn 'ma i'w ddeud amdanom. Daeth David Lyn ymlaen a deud, "Wel, dyna i chi be oedd panto. Sgript arbennig a gwreiddiol, canu ac actio gwych a pherfformiad llawn sglein!" Doedden ni ddim yn gallu coelio'r peth. Roeddem yn fuddugol eto, a'r panto Cymraeg cynta i ennill yn y Ffermwyr Ifanc. Bu cryn ddathlu yng Nghaerfyrddin y noson honno!

Y flwyddyn wedyn, roedd rhaid i ni ysgrifennu ffars. I fod yn onest, cyn dechrau, doedd genna i ddim cliw beth oedd ffars. Rhyw fath o ddrama ddoniol ydi hi, sy'n anelu at ddifyrru'r gynulleidfa mewn sefyllfaoedd sy'n gorliwio'n ormodol ac yn annhebygol o ddigwydd! Fel arfer mae'n digwydd mewn un lleoliad ac mae popeth posib yn digwydd. Criw o ryw ddeg ohonom oedd y tro 'ma, ond pawb â chymeriad cryf. Capten llong oeddwn i mewn siwt wen, gyda barf fawr drwchus wedi'i gwneud o wlân cotwm – boi tebyg iawn i Captain Birdseye. Iwan Pengraig oedd First Mate Percy, a Berwyn y Garej oedd Davey. Doedd gen Berwyn druan ddim llawer o linellau i gyd, ac roedd pawb yn ei alw'n Dave, a'i linell o bob tro oedd, "Don't call me Dave, I'm DAVEY!!!"

Wedi ennill yn y sir cawsom drip bach i Abergwaun, a bu dathlu eto wrth i ni ddod yn fuddugol unwaith eto drwy Gymru. Roedd hyn yn dipyn o wefr, ac roedd y llwyddiant yn llawer gwell oherwydd ein bod wedi ysgrifennu'r holl beth ein hunain!

Roeddem yn hynod ffodus y cyfnod hwnnw o gael hyfforddwyr arbennig i'n harwain yn y clwb fel Magwen Pughe, Alun Glanmerin, Peter Jones – fy nghyfaill yn y grŵp Traed dan Bwrdd – a hefyd y Parchedig Evan Morgan, a hyfforddodd ni tuag at fuddugoliaeth gyda'r ffars. Mae'r bobl yma'n gwneud y gwaith o'u gwirfodd, a hynny ar adegau prysur yn aml iawn heb hawlio ceiniog. Den ni'n cymryd y bobl yma'n ganiataol ac mae angen diolch pan fydd rhaid, hyd yn oed os nad ydych yn ennill. Daeth Magwen atom i helpu tua'r flwyddyn 1994. Doedd Bro Ddyfi ddim wedi cael gormod o lwyddiant y ddwy flynedd flaenorol. Roedd llawer o'r criw hŷn wedi gadael gyda'i gilydd ac roeddem fel criw yn eithaf ifanc fel clwb. Dois i'n gadeirydd ar y clwb pan oeddwn ond yn ugain oed, oedd yn gymharol ifanc 'sen i'n tybio. Penderfynais fod angen i ni gael rhywun newydd atom i'n cynorthwyo gyda chystadlaethau fel y côr a'r partïon, a derbyniodd Magwen y sialens yn syth. Cawsom flwyddyn brysur iawn yn y sir gan fynd â llawer o eitemau ymlaen i Eisteddfod Cymru i lawr yng Nghaerfyrddin. Dwi'n credu i ni ddod yn drydydd gyda'r côr, ond uchafbwynt yr eisteddfod i ni oedd criw o gogie'r clwb yn ennill y parti unsain yn canu cân enwocaf Dafydd Iwan, 'Yma o Hyd'. Roedd cael canu hon gyda fy ffrindiau yn wefr, a dwi'n cofio dod o'r llwyfan yn llawn emosiwn gan ein bod wedi llwyddo i roi o'n gorau. Enillodd Sir Drefaldwyn y cwpan am y mwya o bwyntiau drwy'r dydd hefyd y diwrnod hwnnw, rhywbeth dwi ddim yn credu ein bod ni wedi'i wneud cyn nac ar ôl hynny.

Gweithiodd Magwen yn galed iawn i ddod â llwyddiant mawr i ni yn yr eisteddfodau. Roedd tipyn o weiddi weithiau, ond ambell dro mae angen gweiddi i sobri ambell un pan mae diwrnod eisteddfod yn agosáu. Daethom yn fuddugol sawl tro yng nghystadleuaeth y côr yn y genedlaethol, a hynny gyda chôr gweddol fach ambell dro. Erbyn heddiw mae cystadlaethau'r corau wedi mynd yn fwy o beth, gyda chlybiau'n uno i greu corau sirol mawr. Mae safon y corau wedi codi oherwydd hyn yn gyffredinol, ond o ganlyniad rydych yn colli'r awyrgylch gymunedol o ennill fel côr clwb. Mae S4C erbyn hyn yn darlledu'n fyw o Eisteddfod Genedlaethol y Ffermwyr Ifanc – rhywbeth roeddem wedi holi amdano ers blynyddoedd lawer. Daeth cwestiwn gan rai pam fod S4C yn darlledu'r Ŵyl Gerdd Dant ac ati, ond ddim y Ffermwyr Ifanc? Yr ateb oedd yn dod yn aml oedd bod y safon ddim yn ddigon da i'w darlledu ar deledu. Wel, am rwtsh! Erbyn hyn mae Eisteddfod y Ffermwyr Ifanc yn un o uchafbwyntiau'r flwyddyn i lawer o bobl. Mae'n eisteddfod hollol wahanol i bopeth arall, mae'n llawn amrywiaeth, yn ddwyieithog ac yn llawn talent. Hir oes, gobeithio, i'r eisteddfod ar y teledu ac ar Radio Cymru.

Fy mlwyddyn olaf fel aelod o'r clwb oedd 1999–2000. Cynhaliwyd Eisteddfod Cymru yn Theatr Hafren yn y Drenewydd, ac roedd cryn edrych ymlaen yn y clwb, a phawb am fynd amdani yn y sir i drio mynd trwyddo i'r genedlaethol. Bu Bro Ddyfi yn llwyddiannus mewn nifer o gystadlaethau, ond ddim ar y côr y tro yma, yn anffodus. Piti hefyd, oherwydd trefniant arbennig Linda Gittins o 'Ar Noson fel Hon', allan o *Pum Diwrnod o Ryddid* oedd y darn gosod. Ond roeddem yn cystadlu ar gymaint o bethe, hwyrach ein bod heb ganolbwyntio digon ar y côr y tro hwn.

'Nes i un peth reit slei y flwyddyn honno! Roedd Anwen, fy chwaer, yn cael gwersi llefaru gydag Ann Fychan, ac roedd Ann wedi recordio'i hun yn llefaru'r darn i Anwen ar dâp. Tua deuddydd cyn y gystadleuaeth, a finne heb lefaru'n gyhoeddus ers blynyddoedd lawer, ces afael ar y tâp ym Mhentremawr. 'Cymru' oedd y darn, dwi'n cofio. Mi wrandewais ar y tâp sawl tro gan drio dynwared Ann yn llefaru'r darn, ac i ffwrdd â fi i'r Eisteddfod Sir yn dawel bach i gystadlu. Cafodd Anwen sioc o 'ngweld i yn y rhagbrawf yn y bore, ac roedd hi'n credu fy mod wedi dod yno i'w chefnogi. Galwodd y stiward fy enw, ac es ymlaen a llefaru'r darn yn weddol. Ces i ac Anwen fynd i'r llwyfan, a phan ddaeth y dyfarniad, y fi ddoth yn gynta a hithe'n ail. Aeth o ddim i lawr yn rhy dda efo Mam, a dwi'n cofio iddi drio'i gore i gael fi i dynnu'n ôl a gadael i Anwen fynd ymlaen i'r genedlaethol, ond fel cystadleuydd penderfynol daliais fy nhir, ac ymlaen i'r Drenewydd es i, gan ddod yn ail am lefaru!

Mae'r eisteddfod fawr hon yn y Drenewydd am aros yn y cof i mi am byth am lawer o resymau. Roedd o'n ddiwrnod prysur iawn ac roeddwn yn cystadlu ar chwech o gystadlaethau yn ogystal â chanu Cân y Cadeirio. Dois yn fuddugol ar yr Unawd dan 26, yn canu 'Yr Hen Gerddor' gan D. Pughe Evans. Dois hefyd yn fuddugol ar yr Unawd Canu Emyn dan 26, cystadleuaeth sydd wedi bod yn agos at fy nghalon i erioed. Enillais y gystadleuaeth hon yn y sir droeon.

Roedd cystadleuaeth pedwarawd wedi'i chynnwys yn 1999 hefyd, y tro cynta ers nifer o flynyddoedd, a ches gyfle i ganu gyda Sara Meredydd, Sioned Lluest Wen ac Owain Fychan, a oedd yn gefndryd i'w gilydd. Gwnaethom ganu'r emyn-dôn 'Arizona', a thrwy hyfforddiant amhrisiadwy Magwen eto, daethom adre gyda'r wobr gynta.

Un o gystadlaethau olaf yr eisteddfod oedd y ddeuawd ddoniol, ac yma perfformiais gydag Owain Fychan gyda'r gân, 'Wili, fy mhysgodyn bach aur'. Aeth y lle yn wyllt wedi i ni orffen, a phawb yn gweiddi ac yn chwerthin. Roeddwn wrth fy modd yn canu hon, a dwi'n cofio gwrando'n ôl wedyn ar ddarllediad Radio Cymru o'r eisteddfod, a Geraint Lloyd druan yn trio esbonio i'r gwrandawyr beth oedd yn mynd ymlaen wrth i ni ganu am ein wilis! Roedd hon yn gystadleuaeth gref iawn, gyda dwy ferch nobl o Gaerwedros yn ein herbyn, Catrin a Meryl Owens. Dwi'n deud 'nobl' oherwydd roeddent wedi'u gwisgo fel dwy ddynes fawr dew oedd am drio colli pwysau. Roeddent yn wych, ac unrhyw flwyddyn arall byddent wedi mynd â'r teitl, ond Wili aeth â hi'r tro 'ma! Hyd yn oed heddiw dwi'n dal i gael sylwadau gan bobl ar draws Cymru am Wili, a chymaint roedden nhw wedi mwynhau'r ddeuawd!

Uchafbwynt yr eisteddfod i rai bob blwyddyn ydi seremoni'r Cadeirio, ac mae'n rhaid deud ei fod yn uchafbwynt i finne hefyd yn 1999 gan mai Karina Perry, fy ngwraig erbyn hyn, enillodd y Gadair, a chan mai fi oedd yn canu 'Cân y Cadeirio', y fi gafodd ei llongyfarch gynta, a honno oedd y sws gynta i ni erioed! Mwy am hynny'n nes ymlaen...

Ni allaf ddiolch digon am gyfraniad Mudiad y Ffermwyr Ifanc i 'mywyd. Yn bendant, fyddwn i ddim yr unawdydd ydw i heddiw oni bai am y cyfleoedd arbennig a brofais dros y deuddeng mlynedd gyda chriw Bro Ddyfi. Profiad gwerthfawr yw gallu mynd ar lwyfan i wneud ffŵl o'ch hun, a'ch bod yn gadael y llwyfan wedyn yn medru chwerthin yn braf gyda phawb arall. Pwysig hefyd yw gallu siarad yn gyhoeddus, un ai mewn cystadleuaeth neu drwy gyflwyno eitemau mewn cyngerdd. Maen nhw mor bwysig. Hefyd am yr holl ffrindiau arbennig a gwrddais dros y blynyddoedd. Mae'r atgofion yn llifo, ac maent i gyd yn brofiadau hapus na fydda i byth yn eu hanghofio. Diolch i'r mudiad am bopeth.

7

Canu gwerin

WEDI I MI gael tipyn o hyfforddiant gan Eirian Owen, doedd fy llais ddim wedi datblygu'n llawn fel canwr clasurol, felly penderfynodd y ddau ohonom y dylwn ddal i ganu beth oedd yn addas i'r llais, a throis fy ngolygon at ganu gwerin.

Ces i lot fawr o sbort yng nghartref Eirian a'i gŵr, Elfyn, yn canu'r caneuon gwerin yma. Mae pob math o ganeuon gwerin, o'r llon i'r lleddf, ond y caneuon hwyliog roeddwn yn eu mwynhau fwya, gan fod lle i gymeriadu a rhoi fy stamp i fy hun arnynt. Roeddwn yn canu ambell un hefyd gyda'r grŵp Traed dan Bwrdd, fel 'Y Sguthan' a 'Gwenno Penygelli', ond fel unawdydd y dysgais i'r caneuon yma i ddechrau, yn y nawdegau. Caneuon hwyliog eraill fel 'Bonheddwr Mawr o'r Bala', 'Ddaw hi Ddim' a 'Mari Fach fy Nghariad' wnes i fwynhau eu perfformio'n fawr hefyd. Roedd unrhyw gân oedd â stori dda yn fy siwtio i'r dim. Wedi tipyn o bolisio ar y darnau roedd Eirian yn gweiddi ar Elfyn i ddod i'r ystafell gerdd i wrando ar fy mherfformiad olaf cyn mynd i gystadlu, ac roedd hwnnw wedyn yn ei ddyblau ambell dro pan oeddwn yn canu rhywbeth doniol. Os oeddwn yn pasio'r test gydag Elfyn ac Eirian roeddwn yn gwybod bod siawns dda yn yr eisteddfod.

Yn Eisteddfod Genedlaethol yr Urdd Bro Preseli yn 1995 cefais lwyfan am y tro cynta erioed ar yr Unawd Alaw Werin dan 25. Roeddwn i mor falch o gael llwyfan yn yr Urdd wedi blynyddoedd o gystadlu, a chefais y drydedd wobr. Y diwrnod hwnnw hefyd ces y wobr gynta mewn tîm siarad cyhoeddus

Ffermdy Aberbiga, cartre'r teulu Davies tan 1964, cyn adeiladu argae Clywedog

Y teulu yn clirio cyn symud i Bentremawr

Gweddillion Aberbiga i'w gweld adeg haf sych yn yr 1980au

Anti Martha, chwaer fy nhad,
gyda'i gwobrwyon am ganu

Diwrnod priodas Dad a Mam yn 1972.
Taid a Nain ar y chwith gyda'u plant

Dad a Mam

Aled bach, newydd ddod i'r byd – Awst 1974

Dechrau gyrru'r tractor yn ifanc iawn!

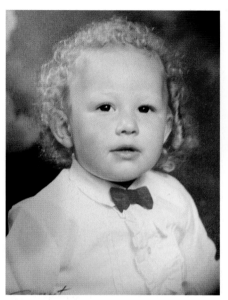

Gyda Nain Pentremawr, a hunodd yn 1992

Roedd y tei bo ymlaen yn gynnar iawn hefyd!

Fi a fy chwaer Anwen

Mynd am sbin ar y beics gydag Wncwl Dei ger ffermdy Nanthir, cartref teulu fy mam

Fi ac Anwen

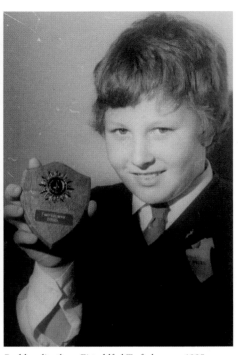

Buddugoliaeth yn Eisteddfod Trefeglwys yn 1985

*Ffermdy Pentremawr – neu Pentre Cynddelw
Brydydd Mawr fel y'i gelwid ganrifoedd yn ôl*

Ennill ar yr Unawd yn Eisteddfod Powys

Hel defaid ar fynydd Nantcarfan gyda Jim.
Mae Cae Crwn – tarddiad y stori Sili-go-dwt
– i'w weld i'r chwith dros y cwm

Sgwrs gyda Dai Llanilar i raglen Cefn Gwlad
gyda'r ddiadell penwyn Cymreig yn y cefndir,
newydd eu hel o'r mynydd

Fi a fy nghyfnither Menna Wyn, merch Charlie
ac Anti Mair a fu farw'n ifanc yn 1987

Y cymeriad Charlie Price, fy wncl, a weithiodd
i'r teulu am flynyddoedd lawer

Dau geffyl a fagwyd yn Nantcarfan – Brynmair Fury a Brynmair Cardi – mewn sioe geffylau fawr yn Llundain yn 1983

Charlie wedi ei wisgo'n smart a'i geffyl mewn harnes

Charlie yn cael ei anrhydeddu am dros 58 mlynedd o wasanaeth i'r teulu yn y Sioe Frenhinol yn 2005

Cneifio fy nafad gyntaf erioed ddechrau'r 1980au!

Y fuddugoliaeth fawr yn y Sioe Frenhinol yn Llanelwedd – ennill yr adran hŷn yn 1998

Cynrychioli Cymru yng Nghystadleuaeth y 5 Gwlad yn Sioe Bath & West, 1999

Fi a Berwyn Roberts, wedi ein buddugoliaethau yn 1998

Canu'r anthemau yng Nghneifio Corwen cyn prawf Cymru v Seland Newydd

Dêm Jên Glên yn y Panto Dewi'r Dewin Hyll *gyda'r Ffermwyr Ifanc*

Atgyfodi'r gân enwog 'Wili' gyda fy nghyfaill Aled Griffiths mewn cyngerdd yn 2019

Capten Birdseye yn ffars fuddugol y Ffermwyr Ifanc yn Abergwaun

Traed dan Bwrdd yn perfformio ar raglen Noson Lawen ar S4C

Portreadu'r gweinidog John Hughes yn y sioe gerdd Ann *gyda Chwmni Theatr Maldwyn*

Perfformio yng nghyngerdd Nadolig y Daily
Post *ym Mhafiliwn Llangollen yn 2001*

*Ennill yr Unawd Alaw Werin yn yr Ŵyl Gerdd
Dant yn Aberystwyth, 1997*

© WYN JONES

*Owain Glyndŵr yn y cyngerdd 'Ar Noson fel Hon' oedd
yn cloi Eisteddfod Genedlaethol y Bala yn 2009*

TEACHER Karina Perry carved herself a place in history last Saturday by winning the coveted chair at the Young Farmers National Eisteddfod for the third time.

Karina, who hails from Pennant and teaches Welsh at Ysgol Morgan Llwyd in Wrecsam, completed her record-breaking hat-trick at this year's festival staged at Theatr Hafren, Newtown after first winning the chair in 1996 and again last year.

The Mansel Charles Shield awarded to the county with the highest marks in all competitions was awarded to Ceredigion.

Among the winners from Ceredigion were Gwawr Edwards (Cerdd Dant solo under 26), Clwb Caerwedros (pop song), Pontsian (Parti Cerdd Dant), Llanwenog (Oral presentation) and Llanwenog (Club project).

The Bro Ddyfi club also figured stronly amongst the winners with Aled Wyn Davies winning the solo 21-26 while the club also won the quartet competition and the humorous duet.

■ Triple chair winner: Karina Perry

■ In fine voice: Aled Wyn Davies

*Karina a finne mewn erthygl bapur
newydd wedi i ni gwrdd am y tro cynta
ar lwyfan y Ffermwyr Ifanc!*

Dyweddïo yn 2002

*Ein priodas yn Eglwys Llanerchaeron
yn 2004*

Llun gyda'n rhieni ar ddiwrnod ein priodas

*Karina yn ennill Cadair
Eisteddfod Powys yn 2013*

*Karina yn ennill Coron Eisteddfod Powys
am y tro cynta yn 2006*

© TINA JONES

Y llun swyddogol cynta i'r rhaglenni cyngerdd

*A dyma hi'n gwneud y dwbwl –
Cadair a Choron Powys yn 2018*

*Canu ar y llwyfan rhyngwladol yn
Llangollen yn 2005*

*Buddugoliaeth yn Eisteddfod Ryngwladol
Llangollen yn 2005*

© DAVID WILLIAMS

*Perfformio'r aria enwog 'Che Gelida Manina'
ar y Rhuban Glas yn 2006*

© DAVID WILLIAMS

*Y wên yn deud y cyfan. Enillydd y Rhuban Glas,
Abertawe a'r cylch, 2006*

*Dathlu 2006 gyda
chwpanau'r flwyddyn*

*Y pedwarawd tri llais enwog
yng Nghapel Cymraeg L.A.
– fi, Rhiannon Acree, Wini
Goedol a Mel Jones*

*Mwynhau'r olygfa o'r Skytower yn
Auckland, Seland Newydd yn 2003*

*Taith o amgylch Auckland
cyn brecwast wedi siwrne 36
awr o Gymru fach!*

*Eric druan wedi iddo syrthio
allan o'r rafft!*

*Y fi yn y gôt goch yn ofn am fy
mywyd mewn rhaeadr serth!*

*Cloi cyngerdd llwyddiannus yn Hamilton,
Seland Newydd gyda lleisiau cyhyrog Côr
Godre'r Aran tu cefn i mi*

*Yn y gêm rygbi enwog Cymru v Seland Newydd
yng Nghwpan Rygbi'r Byd yn Sydney, 2003*

Perfformio yn Perth Concert Hall – un o neuaddau cyngerdd enwoca'r byd

Gyda fy mentor arbennig, Eirian Owen, mewn cyngerdd yn Awstralia, 2003

Minerva II – y llong fordaith y ces gyfle i ganu arni sawl tro

Dechrau mordaith Gogledd America ger pont enwog y Golden Gate yn San Francisco

Gyda David Palmer, Diana Palmerston ac Eirian Owen cyn ein cyngerdd cynta erioed ar fwrdd y llong

Dathlu wedyn yn y bar coctels!

Mwynhau pryd o fwyd blasus ar y môr gydag Eirian a'i gŵr Elfyn, a Wini Goedol

Wini a fi yn gwylio'r morfilod ar gefnfor Califfornia, ger Mecsico

yr Urdd efo Aelwyd Bro Ddyfi gyda neb llai nag Aled Griffiths, Tynywern, a Tegwen Morris, sydd erbyn hyn yn gyfarwyddwraig cenedlaethol Merched y Wawr. Y fi oedd y Cadeirydd, gyda'r ddau arall yn dadlau. Wel, doedd dim angen i mi ddeud rhyw lawer, nag oedd – roedd hi'n anodd cael gair i mewn!

Ces lwyfan bob blwyddyn wedyn ar yr alaw werin yn yr Urdd yn eisteddfodau Bro Maelor, 1996; Islwyn, 1997; a Llŷn ac Eifionydd 1998, gan ddod yn ail ddwywaith. Dwi'n cofio cystadlu yn Eisteddfod Islwyn yn y bore, ac ychydig yn siomedig 'mod i wedi cael llwyfan oherwydd roeddwn i eisiau gyrru'n ôl i Rali'r Ffermwyr Ifanc i gystadlu ar y cneifio yn y prynhawn!

Yn 1997 es i gystadlu am y tro cynta erioed yn yr Ŵyl Gerdd Dant, a oedd yn ddigon lleol i mi yng Nghanolfan y Celfyddydau, Aberystwyth. 'Trip i Aberystwyth' oedd y darn gosod i'r cantorion gwerin – cân hwyliog arall lle roedd digon o gyfle i gymeriadu. Mi ddois adre gyda'r wobr gynta y diwrnod hwnnw, gyda chanmoliaeth fawr gan y beirniad, Gwilym Morris o Lannefydd, am ganu naturiol dros ben ac yn llawn hwyl. Roedd Gwilym ei hun yn ganwr gwerin naturiol a hwyliog hefyd, ac roedd hyn yn help mawr i fi oherwydd dwi'n credu fy mod wedi canu'n ddigon tebyg i'r steil bydde fo wedi ei chanu hi.

Y flwyddyn wedyn es i gystadlu yn Eisteddfod Rhyngwladol Llangollen am y tro cynta. Mae'r ŵyl arbennig hon, sy'n cael ei chynnal ddechrau mis Gorffennaf bob blwyddyn, yn llawn lliw a bwrlwm ac yn werth mynd iddi. Pan es i'r rhagbrawf yn Ysgol Dinas Brân yn y dref, doeddwn i wir ddim yn gwybod beth i'w ddisgwyl. Roedd y neuadd yn llawn dop, gyda chystadleuwyr o bedwar ban byd – o Dde America, Awstralia, Yr Alban, Iwerddon a gwledydd eraill ar draws Ewrop. Roedd angen canu dwy gân wrthgyferbyniol, a phenderfynais ganu 'Ambell i gân' a 'Gwenno Penygelli'. Y peth cynta sylwais yn syth wedi i mi fynd i'r neuadd oedd bod pob cystadleuwr yn cyflwyno'u caneuon ar y dechrau, ac yn disgrifio'r darnau i bawb. Wel, mi ges banig llwyr, oherwydd doeddwn i ddim wedi paratoi dim byd, a doedd dim cliw genna i beth i'w ddeud. Fel arfer, roeddwn yn camu i'r llwyfan a chanu'n syth, ond roedd hwn yn brofiad hunllefus. Wedi i mi fynd allan am ychydig funudau doedd dal dim llawer o siâp arna i, felly es yn ôl i mewn a phenderfynu siarad â'r gynulleidfa yn hwyliog a naturiol a gweld sut y bydde pethe'n mynd. Cyflwynais y caneuon yn Gymraeg, ac yn fy Saesneg gore, gan ddeud cwpl o jôcs bach am y caneuon, a nath pawb chwerthin, felly roeddwn yn iawn.

Canais yn reit dda, a chael sioc o glywed fy mod ar y llwyfan mawr yn y pafiliwn anferthol. Roedd y ddau arall oedd ar y llwyfan yn gantorion hollol wahanol – un canwr o'r Wcráin, a'r llall o Slofacia. Wel, ges i hwyl efo'r ddau tu cefn llwyfan, ac roedd un yn yfed fodca fel petai o allan o ffasiwn, ac yn cynnig y ddiod i fi a'r canwr arall, a finne'n gwrthod, gan ddeud bod rhaid i fi ddreifio adre wedi'r gystadleuaeth! Roedd y llwyfan yn anferth, ac roedd y pafiliwn yn llawn. Sylwais i ddim ar y blodau tu cefn i mi tan ar ôl y gystadleuaeth, a ches syndod wrth wylio'r gystadleuaeth yn ôl ar y teledu pa mor hardd oedd y llwyfan. Wedi'r feirniadaeth, dyfarnwyd mai Aled Wyn Davies oedd yr enillydd! Doeddwn i ddim yn coelio'r peth. Roeddwn yn enillydd rhyngwladol.

Mae'r diwrnod arbennig yna wedi aros yn y cof, a gan 'mod i wedi mwynhau cymaint, es yn ôl i gystadlu yn Llangollen eto y flwyddyn wedyn yn 2000. Mae pobl wastad yn deud wrthoch chi am beidio mynd yn ôl i gystadlu ar yr un gystadleuaeth y flwyddyn ganlynol, a dyna'n union ddigwyddodd i mi y tro 'ma. Dim llwyfan, er i mi ganu'n dda, ond fel'na mae'n mynd weithiau. Be dwi'n cofio am y tro hwn oedd bod dau ddyn o Siberia yn cystadlu ac roedd y ddau yn *throat-singers*! Doeddwn i erioed wedi clywed ffasiwn beth, roeddent yn gallu creu dwy sain wahanol yr un pryd – un o'r geg, a'r llall o'r gwddf! Roedd y ddau ganwr yn swnio'n debyg iawn, ac er doedd o ddim yn swynol i fy nghlust i, roedd o'n glyfar iawn ac roeddent yn amlwg wedi plesio'r beirniaid, a gan eu bod wedi trafaelio mor bell, dwi'n siŵr ei bod yn bwysig iddynt gael eu gweld ar y llwyfan mawr! Dwi ddim yn ddig o gwbl, ond dwi'n dal i gael stic gan Karina hyd heddiw am i mi gael fy maeddu gan ddau ganwr gwddf o Siberia yn Llangollen!

Bydd Sadwrn olaf Eisteddfod Genedlaethol Sir Ddinbych 2001 hefyd yn aros yn y cof am byth. Dyma'r eisteddfod yn ystod blwyddyn clwy'r traed a'r genau, lle roedd rheolau iechyd a diogelwch llym ar y maes. Dyma hefyd oedd y tro cynta erioed i mi ddod yn fuddugol yn yr Eisteddfod Genedlaethol. Roeddwn wedi cystadlu ar y gân werin yn y Genedlaethol yn 1999 a 2000 gan ddod yn ail ddwywaith, ond y tro hwn yn 2001, ces ddwy wobr gynta ar yr un un diwrnod, gan i mi ennill cystadleuaeth Cymdeithas Eisteddfodau Cymru, Unawdydd 2001, yn gynharach y diwrnod hwnnw. Felly, i ffwrdd â fi i'r rhagbrawf gwerin yn hapus iawn ac ar ôl gwrando ar 16 o gystadleuwyr, dyma'r beirniaid yn cyhoeddi bod Dafydd Jones, Ystrad Meurig; Siwan Llynor o'r Bala, ac Aled Wyn Davies ar y llwyfan! Roeddwn yn hynod falch unwaith eto ac yn edrych ymlaen i gael troedio'r llwyfan mawr am yr eildro'r diwrnod hwnnw.

Canais ddwy alaw hollol gyferbyniol, sef 'Y Ferch o Blwy' Penderyn' ac yna 'Ddaw hi Ddim'. Roedd angen canu deallus, llyfn dros ben yn y gynta, gan ddangos cariad at y ferch o Benderyn, cyn newid yr awyrgylch yn llwyr yn 'Ddaw hi Ddim' drwy gymeriadu a chael tipyn o sbort. Gweithiodd hyn hyd yn oed yn well ar y llwyfan oherwydd i'r gynulleidfa ymateb i'r hwyl yr oeddwn yn ceisio'i gyfleu. Roedd yna linellau lle roeddwn yn llefaru ar ddiwedd pob pennill cyn llifo'n esmwyth 'nôl i'r canu yn y gytgan. Y grefft fan hyn oedd ceisio cadw'r traw wrth ddod 'nôl i mewn i'r gân, gan orffen ar yr union nodyn ddechreuais i! Daeth Eirian Jones, Cwm-ann i'r llwyfan i draddodi ac wrth iddi siarad amdana i, roedd yn amlwg 'mod i wedi plesio'r beirniaid ac roedd gwrando arni'n deud pethe fel, "llwyddodd i'n cyfareddu ni" a "rhoi i ni'r wefr arbennig o weld gwir artist ar waith" yn sioc bleserus! Pan ofynnwyd i mi ddod 'nôl i'r llwyfan gan Robin Jones, arweinydd y llwyfan, i dderbyn fy ngwobr, roeddwn i mor falch fod Mrs Nest Price, wyres Lady Ruth Herbert Lewis, yno i gyflwyno'r cwpan i mi. Diwrnod arbennig iawn!

Roeddwn uwchben fy nigon o gael ennill ac er fy mod wedi mwynhau'r cyfnod o gystadlu fel canwr gwerin, dyma'r tro olaf i mi droedio'r llwyfan cystadleuol fel unawdydd gwerin. Mae genna i atgofion hapus iawn o'r cyfnod hwn ac roedd canu gwerin yn bendant y ffordd orau i ddatblygu'r llais a chael defnyddio'r ddawn i gymeriadu ar lwyfan. Roeddwn mor falch hefyd o'r cyngor a'r hyfforddiant amhrisiadwy a gefais gan fy athrawes llais, Eirian Owen, yr adeg honno, ac roedd hi a fi'n chwerthin yn iach weithiau wrth i mi arbrofi gydag ambell linell mewn ffordd ddoniol! Ond roedd y llais yn datblygu, a gan i mi ennill y gystadleuaeth canu Unawdydd 2001 roeddwn yn barod i symud ymlaen i ganu fel tenor clasurol.

Wedi'r diwrnod mawr yn Ninbych, daeth cyfleoedd di-ri i ganu mewn cyngherddau drwy Gymru benbaladr, gan gynnwys perfformiadau yng nghyngerdd Nadolig S4C y flwyddyn honno, *Carolau o Langollen*, a fu'n wefr arbennig a chael rhannu'r llwyfan efo Côr Godre'r Aran ac artistiaid proffesiynol fel y bas-bariton o Seland Newydd, Jonathan Lemalu.

Erbyn hyn, mae'n anodd coelio bod bron ugain o flynyddoedd wedi hedfan heibio ers i mi ennill y gystadleuaeth anrhydeddus yn Ninbych. Mae canu gwerin Cymreig yn dal yn boblogaidd tu hwnt, ac mi gofiaf am byth i mi ganu'r alaw werin 'Gwenno Penygelli' mewn cyngerdd yn Esquel ym Mhatagonia yn 2007, pan ofynnais i'r 800 o bobl oedd yno yn y gynulleidfa i ganu'r cytganau efo fi, a phawb yn morio canu. Dyna oedd profiad arallfydol!

Er fy mod yn gallu canu erbyn hyn mewn arddull hollol wahanol, dwi'n siŵr mai naturioldeb fy llais a'm dehongli ar lwyfan sydd wedi profi'r llwyddiant mwya i mi fel canwr, ac mae hynny'n bwysig, yn enwedig wrth ganu gwerin. Byddwn wrth fy modd yn gweld mwy o unawdau gwerin ar lwyfannau Cymru a thu hwnt, er mor braf yw gweld y grwpiau newydd ifanc gwerinol yn cael cymaint o hwyl arni y dyddiau yma. Dwi mor falch hefyd o weld datblygiad poblogaidd, cyffrous Tŷ Gwerin yn yr Eisteddfod Genedlaethol a fydd, gobeithio, yn cadw'r traddodiad i fynd am flynyddoedd lawer.

8

Traed dan Bwrdd

DECHREUODD Y GRŴP Traed dan Bwrdd yn y flwyddyn 1993. Roedd Owain Fychan yn yr ysgol uwchradd efo fi, ryw ychydig fisoedd yn iau, ond drwy Gwmni Theatr Maldwyn y dois i gysylltiad â Peter Jones am y tro cynta. Yn un o'r nosweithiau cynta yn ymarferion y sioe *Heledd* gyda'r Cwmni roeddem yn cael hoe fach o'r canu ac yn cael ein rhoi mewn grwpiau. Roedd Derec Williams yn mynd drwy bawb yn yr ystafell ac yn rhoi rhif i ni o un hyd at ddwsin, ac wedyn pawb gyda'r un rhif yn mynd at ei gilydd i greu grwpiau sgwrsio. Roedd hyn yn syniad gwych, oherwydd roeddem yn cael cwrdd a chymdeithasu gyda ffrindiau gwahanol bob wythnos am y deufis cynta. Dyna dwi'n credu oedd un rheswm bod y cwmni mor unigryw a chlòs, ac roedd pawb yn dod i nabod ei gilydd mor sydyn. Yn y grŵp cynta un roedd boi o'r enw Peter o Benegoes. Weles i erioed mohono o'r blaen, a dwi'm yn siŵr oedd o'n fy nabod i chwaith. Beth bynnag, daethom yn ffrindiau da yn syth a chael lot o hwyl.

Ces wahoddiad gan Owain, neu Fych fel den ni'n ei alw fo yn yr ardal, i ymuno â chriw Abercegir i gymryd rhan yng ngyfarfod bach Aberhosan. Cyfarfod Cystadleuol i ardaloedd cefn gwlad Aberhosan, Abercegir a Darowen ydi hwn, a finne allan o'r ardal o ryw ychydig yn cael dod mewn i helpu gyda'r partïon. Roeddem yn cystadlu ar y côr, yr wythawd, y pedwarawd ac yn y blaen, ac roedd cystadleuaeth cân ysgafn hefyd. Dyma Ann Fychan, sef mam Owain, yn holi a fydde diddordeb gan Peter, Fych a finne i greu triawd ysgafn. Felly, dyna sut dechreuodd hi. Canu'r gân werin 'Fflat Huw Puw' wnaethon ni, a hynny mewn tri llais. Peter yn canu'r alaw, Fych oedd y baswr, a finne'n canu'r tenor. Gethon ni hwyl dda arni a hynny mewn tiwn, a dyma pawb yn deud yn syth y dylen ni ganu mwy gyda'n gilydd.

Dwi ddim yn cofio i ni ganu rhyw lawer yn syth ar ôl hynny, falle oherwydd bod y sioe *Heledd* yn ei hanterth, ond penderfynwyd cael sgwrs i weld beth oedd y ffordd ymlaen. Roedd Peter yn reit gerddorol, yn gallu chware ychydig ar y piano, wedi dechrau ffidlan efo'r gitâr hefyd; ond roedd Owain a finne dim ond yn gwrando arno ac yn canu!

Dwi'n eich clywed chi'n holi rŵan, "Pam yr enw Traed dan Bwrdd?" Wel, doedd dim gormod o siâp arnom ar y dechrau, eitha ymlaciol i ddeud y gwir, a lot fawr o sgwrsio a nosweithiau hwyr. Doedd gennon ni ddim cliw beth i alw'n hunain. Roedden ni eisiau rhywbeth hollol wahanol a ddim rhyw enw plwyfol oedd yn dangos ble roedden ni'n byw – oherwydd ein bod ni wedyn yn gallu diflannu wedi perfformiad gwael a neb yn gallu dod o hyd i ni! Mae'r enw'n cyfleu ein steil ymlaciol o ganu, arddull ddi-ffws a digon o hwyl. Mae 'na ddywediad yn y Canolbarth yma, os ydech wedi cael eich traed dan y bwrdd mewn perthynas gyda merch, rydych wedi setlo i mewn i'r nyth, fel petai, gyda'r teulu yng nghyfraith. Dwi'n cofio cael y profiad unigryw hyn rai blynyddoedd yn ddiweddarach. Ond stori arall ydi honno!

Felly, roedd enw gyda ni, ond dim cyfeilydd parhaol, na chaneuon i'w canu mewn nosweithiau. Daeth Lydia Jones atom fel cyfeilydd. Hi oedd y cyfeilydd yn y cyfarfod bach yn Aberhosan, felly yn gwybod beth oedden ni'n trio'i wneud. Roedd Lydia yn dipyn o gês, yn deud ei barn yn blwmp ac yn blaen. Os oedd rhyw gân ddim yn siwtio, neu rywun allan o diwn roedd Lydia yn siŵr o ddeud, ac roedd hynny'n beth da iawn i ni glywed os yr oeddem am lwyddo, oherwydd roedd tipyn o le gyda ni i wella ar y dechrau.

Roedd Peter yn ffan mawr o ganeuon y grŵp enwog Mynediad am Ddim, ac roedd o wedi dewis ambell i gân gennyn nhw roedd o'n eu hoffi gan feddwl y bydden nhw'n addas i ni hefyd fel triawd. Caneuon fel 'Hi yw fy ffrind', 'Beti Wyn', 'Yn y Dre 1913', 'Ceidwad y Goleudy', a 'Wini'. Wel, gethon ni hwyl yn trio dysgu'r rhain; roedd y caneuon yn reit ddieithr i fi, ond roedd yr harmonïau yn hyfryd, ond roedd lot fawr o eiriau i'w dysgu!

Roedd Peter, sef yr un mwya trefnus ohonom ar y pryd, wedi nodi'r nodau ar bapur mewn sol-ffa i ni, y tri llais ar ben ei gilydd, ac fel yna naethon ni ddysgu'r caneuon i gyd drwy holl gyfnod Traed dan Bwrdd. Roedd o'n ffordd sydyn o ddysgu nodau, ac roeddwn i'n tueddu i ddysgu'r rhan fwya o ganeuon drwy'r arddull sol-ffa yn y cyfnod hwnnw. Mae'n draddodiad arbennig, a dwi'n ddyledus iawn iddo, a bydde'n wych petai plant ysgol heddiw yn cael eu trwytho i ddysgu'r grefft. Yn anffodus, ychydig iawn o blant sy'n meddu'r sol-ffa erbyn hyn. Fydde fo ddim yn cymryd llawer o amser i blant heddiw ei ddysgu, a bydde'n grefft bydden nhw'n ei chofio am byth.

Daeth Peter â mwy o drefniannau o ganeuon i ni ddysgu gan gynnwys alawon gwerin fel 'Gwenno Penygelli', 'Y Sguthan', 'Ffarwél i blwy' Llangower', y gân enwog am John Jones yr Hogyn Pren, ac ambell i gân fwy modern fel 'Un Funud Fach' gan Celt. Roeddem hefyd yn hoff iawn o ganu plygain gyda'n gilydd ac yn mynd i sawl gwasanaeth yn y Canolbarth am gyfnod gan fwynhau perfformio'r steil cartrefol hyn yn arw, oedd yn ein siwtio ni i'r dim. Den ni'n dal i fynychu ambell i blygain yn achlysurol.

Un noson wrth ymarfer yng Ngwernyffridd, sef cartref Peter, daeth ein "trefnydd cerddorol" â chân newydd sbon danlli. Ei henw oedd 'Traed dan Bwrdd'. Roedd y geiriau yn wych, a'r alaw hefyd. Stori am fachgen yn mynd i dŷ rhieni ei gariad am y tro cynta, a'r troeon trwstan ddigwyddodd ar yr ymweliad cynta hwnnw yng nghartre'r *in-laws*! Roedd hi jyst y peth – rhywbeth personol a hwyliog i ni fel grŵp, rhywbeth oedd yn rhoi ryw hunaniaeth i Draed dan Bwrdd!

Un o'r perfformiadau cynta dan yr enw Traed dan Bwrdd, dwi'n credu, oedd yn ôl yng nghyfarfod cystadleuol Aberhosan, lle perfformiwyd ein cân newydd am y tro cynta. Roedd pawb wedi'i mwynhau yn fawr iawn, a dyma'r gwahoddiadau'n dechrau dod i ni fynd i ganu mewn cymdeithasau lleol, cyngherddau Gŵyl Ddewi, nosweithiau Merched y Wawr, ac ambell i gìg yn nhafarndai'r ardal.

Roedd o'n lot o hwyl, a thipyn o chwerthin hefyd, a hynny weithiau yng nghanol y caneuon. Dwi'n cofio mynd i ganu mewn festri capel yn Llanfyllin i ddiddanu'r gymdeithas Gymreig, a ninne'n canu'r alaw werin 'Y Sguthan', sef hen stori am ddau yn mynd allan i hela fin nos ac yn saethu'r hen sguthan ar y pren a mynd â hi adre at wraig y tŷ i'w chwcio, cyn sylwi wrth bluo fod yr hen sguthan wedi marw ac wedi'i chrogi ar fforch y pren ers bron pedwar mis! Roedd Fych yn un drwg am newid geiriau caneuon wrth drafaelio yn y car, a ninne'n chwerthin yn ddiymdroi wrth iddo roi geiriau anweddus i mewn wrth ymarfer. Yn anffodus, yn festri capel Llanfyllin y noson honno wrth sôn am wraig y tŷ yn dechrau cwcio'r aderyn cofiwyd am y geiriau anweddus yn y car, a bu raid stopio ac ailddechrau, cyn stopio eto ac ailddechrau, cyn dod i stop parhaol a rhoi'r ffidil yn y to ar yr hen sguthan! Bu raid anghofio am y deryn hwnnw am dipyn go lew wedi'r noson honno.

Dwi'n cofio Peter yn gwneud rhywbeth tebyg mewn cystadleuaeth cân ysgafn yn Aberhosan, gyda rhyw wyth ohonom yn canu 'Rownd yr Horn' a ninne i gyd â'r geiriau o'n blaen. Rhoddodd Peter bapur gwahanol i'r ddau hynaf yn y parti, sef Gwilym Fychan, Felin Newydd, a thaid Gwernbere, Hugh Pughe, pan newidiodd y geiriau 'fe gododd wynt yn nerthol' i rywbeth arall anweddus. Sylwodd y ddau ddim byd, ac i ffwrdd â ni i'r llwyfan. Rhywbeth arall gododd y noson honno ar wefusau Gwilym a Hugh, a'r gweddill ohonom ar y llwyfan yn chwerthin yn ddiymdroi. Un drwg iawn oedd Peter!

Noson arall ym mherfeddion Sir Ddinbych cawsom y gigls eto. Roedd Bedwyr Fychan, brawd Owain, wedi ymuno â ni i chware'r bongos. Ond wrth edrych tua'r gynulleidfa dyma sylwi ar ddynes oedrannus druan gyda mwstásh tywyll ganddi. A dyma Bedwyr, dwi'n credu, yn deud pan oedd Peter yn cyflwyno rhyw jôc, bod Tecwyn Ifan yn y drydedd res! Wel, dyna'i diwedd hi, a bob tro roeddem yn edrych tuag at y ledi fach daeth pwl o chwerthin eto. Cywilydd, yndê!

Daeth gwahoddiad arall i ganu mewn Gŵyl Gawl yn y gogledd-orllewin. Wna i ddim enwi'r pentre, ond o'r degau o'r nosweithiau yma den ni wedi bod iddyn nhw, hwn oedd y cawl mwya hallt i ni'i flasu erioed! Dwi ddim am fod yn anniolchgar, ond os bydden nhw wedi mynd i nôl bwcedaid o ddŵr y môr i'w goginio fydde fo ddim halltach. Wrth i ni fwyta, dyma un o'r menywod yn dod draw gan gynnig rhagor o gawl i ni. Owain yn deud ei fod o'n iawn, gan ddeud bod Peter ac Aled angen rhagor o halen! Wel, dyma chwerthin mawr eto, a neb yn gwybod beth oedd yn bod efo ni, a ninne'n gwrthod deud beth oedd y rheswm. Ond roedd o'n esgus da i stopio am beint ar y ffordd adre.

Mewn dim o dro cawsom wahoddiad i ganu ar S4C ar raglen *Noson Lawen*. Daeth y gwahoddiad cynta i berfformio ar raglen a recordiwyd ar ffarm yr Ynys, Pennal, yn 1995. Roedd rhywun wedi'n clywed ni'n canu ac yn meddwl ei bod hi'n syniad ein cael ni ar y rhaglen fel un o'r eitemau hwyliog. Dyma berfformio'r gân newydd 'Traed dan Bwrdd' y noson honno. Roedd Peter wrth ei fodd, oherwydd roedd o'n cael arian ychwanegol gan S4C am y geiriau a'r alaw. Y troeon wedyn pan fuon ni'n canu cyfansoddiadau Peter roedd o'n mynnu gwneud yr intro yn hirach i gael mwy o arian, a dwywaith ar *Noson Lawen* y ni agorodd y rhaglen, felly roedd y gân yn hirach fyth oherwydd bod cyflwyniad i'r rhaglen yn rhan o'r gân hefyd. Siŵr bod Peter wedi cael miloedd am hyn! Buom yn recordio *Noson Lawen* am sawl blwyddyn gan ymweld â ffarm Bronymaen, Meifod sawl tro; Maesmachraeth, ger Glantwymyn, a'r Ganolfan Hamdden yn y Bala.

Dyma benderfynu bod angen ehangu'r grŵp a chael mwy o offerynnau, gan anelu at gynnal nosweithiau mewn tafarndai gyda system sain. Aeth y tri ohonom i'r Amwythig, gan ddod adre gyda system sain bwrpasol a'i gosod i fyny yn y sièd ym Mhentremawr. Roedd sŵn mawr yn dod o'r sièd wartheg, a dyma Dad yn dod i lawr i weld beth oedd yn mynd ymlaen. Dwi'n credu mai rhyw fil o bunnau gostiodd popeth i ni, ond dyma Peter yn deud wrth Dad,

"Chydig gewch chi am ddeg mil y dyddiau yma – mae o'n lot o bres!"

Dyma Dad yn dechrau rhegi gan ddeud, "'Ycin hel, dech chi ddim yn gall!"

Penderfynodd Lydia roi'r gorau iddi oherwydd bod ganddi deulu bach ifanc ar y pryd, ac roedd Traed dan Bwrdd yn dechrau prysuro. Buom yn lwcus iawn o gael Nia Wyn Williams, Tŷ Pella, Llanbryn-mair fel cyfeilydd i ni wedyn. Roedd Nia wedi cael ei magu dros y dyffryn i mi ar ffarm Tŷ Pella, yn ferch i'r enwog W.E. Tŷ Pella, oedd yn ganwr arbennig yn ei ddydd. Roedd ei thad yn gystadleuydd bariton, wedi bod ar lwyfan y brifwyl, ac yn arweinydd corau Llanbryn-mair a Bro Cyfeiliog am flynyddoedd. Roedd Nia wedi cael ei magu mewn tŷ cerddorol tu hwnt, ac wedi cael gwersi piano ers yn ifanc iawn. Roedd ymuno â Traed dan Bwrdd, dwi'n siŵr, yn brofiad gwahanol iawn iddi, ond roedd hi'n llawn sbort ac mi ffitiodd i mewn yn syth. Wrth gwrs, doedd dim cerddoriaeth hen nodiant o gwbl efo ni, felly roedd rhaid i Nia, fel Lydia o'i blaen, wneud synnwyr o'r cyfeiliant drwy'r cordiau roedd Peter wedi'u hysgrifennu. Ond dysgodd Nia bopeth mewn dim o dro a bu'n rhan allweddol o'r grŵp am flynyddoedd.

Roeddem wedi bod yn pendroni a ddylen ni gael ffidil neu ryw offeryn cerdd arall i greu sain lawnach, ac yn y diwedd cawsom y ddau. Roedd Owain wedi dod ar draws Siôn Steffan ac wedi deall ei fod yn gallu chware'r mandolin. Roedd Siôn yn dod o ardal Ceri, ger y Drenewydd yn wreiddiol, ac yn byw ar y pryd yn Llanllwchaiarn. Roedd wedi dysgu'r Gymraeg yn rhugl, ac erbyn hyn mae'n dysgu Cymraeg i oedolion wrth ei alwedigaeth. Roedd Siôn yn debyg iawn o ran ei olwg i'r gôl-geidwad Peter Schmeichel, a dwi'n cofio criw'r band ar raglen *Noson Lawen* un tro yn meddwl mai y fo oedd o i ddechrau! Roedd Siôn yn ymarfer ar sêt flaen y car un prynhawn wrth i ni siarad efo'r criw ffilmio a'r band, ond doedd y mandolin ddim i'w weld, dim ond braich yr hen Siôn yn symud fel pwll y môr. Roedd criw y band yn chwerthin ac yn meddwl bod Peter Schmeichel yn mwynhau ei hun braidd yn ormodol!

Daeth Glyn Cae-lloi, neu 'Proff' fel roedd pawb yn ei nabod o, atom hefyd. Roedd Proff yn gerddor heb ei ail, yn feistr ar y ffidil, ac eto'n gallu pigo pethe i fyny o'r glust, fel Nia. Bydde'r hen Proff yn clywed cân newydd sbon am y tro cynta, ac erbyn yr ail bennill, bydde fo wedi codi'r ffidil ac erbyn diwedd y gân roedd o wedi'i chael hi, mor sydyn â hynny. Os oedd Proff yn ei hwyliau, lwc owt, bydde fo'n jocian ac yn ateb Peter yn ôl ac yn deud wrtho lle i fynd os bydde'n cael ei herio. Bydde fo'n deud wrth Fych neu finne, "Deda wrtho fo i 'wcio ffwrdd!" A bydde pawb yn chwerthin ac yn mwynhau.

Yn anffodus, roedd Proff yn diodde o iselder ysbryd ers blynyddoedd. Bydde yn ei hwyliau ambell noson – yn cyrraedd gynta, a'r olaf i adael – ond yr wythnos wedyn fydde dim sôn amdano o gwbl. Roedden ni'n deall yn iawn bod y cr'adur yn diodde, ac os na fydde fo yno bydde'r noson yn mynd yn ei blaen hebddo. Wedi dyddiau Traed dan Bwrdd dirywiodd iechyd Proff, ac roedd yn cael cyfnodau isel iawn, ac yn anffodus daeth â'i fywyd i ben mewn sefyllfa drasig a thrist ym mis Ebrill 2019. Roedd yn ergyd i'r teulu, ac i gymdogaeth Dyffryn Banw a thu hwnt. Roedd hi'n anrhydedd fawr pan ffoniodd Christine, ei wraig, wedi'i farwolaeth i holi a fydden i'n fodlon canu yn ei angladd. Ro'n i'n teimlo'n gryf y dylai'r tri ohonom ganu, felly awgrymais hynny i Christine, ac roedd hi'n hoffi'r syniad, a dwi'n credu bod Peter ac Owain yn falch hefyd fy mod wedi holi iddyn nhw i ymuno â fi i ganu 'Rho im yr hedd' yn y fynwent. Does dim amheuaeth bod y dalent gerddorol naturiol wedi parhau yn y teulu, oherwydd erbyn heddiw mae Alis Huws, merch Proff, wedi ei phenodi'n delynores frenhinol i'r Tywysog Siarl. Mi fydde ei thad wedi bod yn falch iawn ohoni.

Roedd y caneuon yn dal i ddod gan Peter, yn ogystal â'r galwadau i bob cwr o Gymru. Licien i ddim meddwl faint o nosweithiau wnaeth Traed dan Bwrdd i gyd, ond o 1995 i 2002 buom yn brysur tu hwnt. Dechreuodd Peter ysgrifennu caneuon cyfoes difrifol yn ogystal â'r rhai doniol – alawon hyfryd a phoblogaidd fel 'Sŵn y Gwynt', 'Pob un â'i Nod', 'Cân yr Ymprydiwr', 'Dal i dy ddisgwyl yn ôl' a 'Thros Ryddid'. Er bod y rhain yn boblogaidd tu hwnt, mae'n rhaid deud mai'r caneuon doniol roedd llawer iawn o'r gwrandawyr yn eu hoffi. Roedden ni'n reit unigryw ar y pryd oherwydd ychydig iawn o artistiaid Cymreig oedd yn canu caneuon hwyliog a doniol y cyfnod hwnnw, a dyna oedd yn ein gwneud yn boblogaidd ac unigryw, mae'n siŵr.

Faint ohonoch sy'n cofio'r caneuon fel 'Cassie Siop Tsips', y ferch nobl ugain stôn oedd yn gweithio yn nrewdod y saim sglodion? Ac wedyn 'Temtasiwn', cân oedd yn sôn am y temtasiynau den ni i fod i'w hosgoi wedi derbyn cyngor gan Mam – fel y ddiod feddwol, sigaréts, cyffuriau, a merched mewn syspenders ar y stryd? Dwn i'm faint o'r cyngor wnaethon ni wrando arno fo chwaith! Un arall buom yn ei chanu ar *Noson Lawen* oedd 'Dwi'n addo byth eto', cân hwyliog am fynd allan i'r dafarn, dod adre'n feddw, cnocio ar ddrws drws nesa ar ddamwain a chael stŵr, cyn difaru ac addo "byth eto!":

"Dyna'r tro olaf imi yfed,
Tro diwetha imi ddeffro a chur yn fy mhen,
Nid wyf am ddeffro â'r fath flas yn fy ngheg,
Fy nghariad, dwi'n addo,
O! 'Na i byth eto,
Felly taw ar dy weiddi,
Gad mi fynd 'nôl i gysgu!"

Faint o weithiau mae'r geiriau yna wedi cael eu canu dros y blynyddoedd? A dwi'n dal i'w hanghofio yn achlysurol!

Mae un arall o ganeuon Traed dan Bwrdd, dwi'n siŵr, sydd yn aros yn y cof i lawer. Yn rhyfedd iawn, dros ugain mlynedd yn ddiweddarach, dwi'n dal i gael fy atgoffa am y gân arbennig hon, sef 'Wili, fy mhysgodyn bach aur!':

"Mae fy Wili i yn gorjys,
Mae fy Wili i yn ciwt,
Enillais i fy Wili yn y ffair.
Bob dydd mi fydda i'n dal o
Yn fy llaw er mwyn ei diclo,
Does 'na ddim byd fel fy Wili,
Fy mhysgodyn bach aur!"

1999 oedd hi pan ddisgynnodd geiriau'r gân arbennig yma o'n blaenau. Un o gampweithiau Peter, yn sicr. Yng nghyfarfod bach Aberhosan perfformiwyd hon am y tro cynta. Dwi'n cofio'n iawn mai Jamie Medhurst, un o ddarlithwyr Prifysgol Aberystwyth erbyn heddiw; Richard Lewis, y gweinidog o Bow Street, a'i wraig Mair oedd yn beirniadu y noson honno. Dechreuodd Peter y gân ar ganol y llwyfan gyda'i gitâr, gyda finne a Fych yn cerdded i mewn mewn dillad plant ysgol gyda'n dwylo tu ôl i'n cefnau. Dechrau canu'r gân 'Mae fy Wili i yn gorjys' cyn datgelu'r pysgod aur oedd mewn bag plastig wrth ganu'r llinell ola. Roedd sôn wedyn yn y penillion am gymeriadau lleol fel Mair Tŷ Gwyn yn holi'n glên os câi hi gydied yn fy Wili! Ac wedyn yn y pennill olaf, deud bod pobl yn beirniadu'r enw Wili, felly newid yr enw i Dic!

Wel, aeth y lle'n wallgo – chwerthin di-stop, a'r beirniaid a'r gynulleidfa yn eu dagrau am funudau wedyn. Roedd hi'n amlwg bod hon yn hit, ac wedi llwyddiant mawr yn Aberhosan, penderfynom neud Wili fel deuawd ddoniol yn Eisteddfod y Ffermwyr Ifanc fis yn ddiweddarach – y fi a Fych, wrth gwrs, yn cystadlu gan fod Peter yn rhy hen (o dipyn!). Aeth hi i lawr yn wych eto, ac enillom y gystadleuaeth drwy Gymru y flwyddyn honno yn y Drenewydd.

Buom yn perfformio fel grŵp mewn ambell i ŵyl gerddorol dros y blynyddoedd, ac mae'r uchafbwyntiau yn cynnwys canu yn Sesiwn Fawr Dolgellau, Gŵyl y Cnapan yn Ffostrasol, Gŵyl y Cian, Llangadfan, a Chân ar Dân yn y Llew Coch, Dinas Mawddwy.

Yn anffodus, ni recordiwyd albwm cyfan o ganeuon Traed dan Bwrdd. Mae hynna'n biti mawr, oherwydd roedd y caneuon gwreiddiol yma'n arbennig, ac roeddem yn lwcus iawn o dalent Peter yn ysgrifennu'r alawon hyn i ni. Mi recordiwyd EP bach o bum cân ddiwedd 1999, mewn stiwdio fach yn Rhaeadr Gwy. Roedd taith dramor ar y gorwel a phenderfynwyd gwneud rhywbeth i fynd ag o gyda ni. Dim ond rhyw 60 o CDs wnaethom ni i gyd, ac mae tipyn o'r rheini dramor yn rhywle, a'r lleill gyda ni a'n ffrindiau agosaf.

Gwlad y Basg

Yn 1999, daeth gwahoddiad gan ddyn lleol o'r enw Meic Llewelyn oedd yn byw ym mhentre Darowen i fynd ar daith i Wlad y Basg. Roedd gan Meic gysylltiadau drwy ei waith â band o'r wlad honno, ac un o aelodau'r band oedd canwr o'r enw Xabalt. Daeth y grŵp draw i Gymru gan wneud taith fach yn y Canolbarth, a buom ni fel Traed dan Bwrdd yn rhan o'r nosweithiau hynny. Yna penderfynwyd ein bod am fynd dramor at Xabalt i wneud cyngherddau ganol mis Chwefror 2000. Roedd hyn yn brofiad newydd sbon i mi, cael mynd dramor, a hon oedd fy nhaith gerddorol gynta dros y dŵr! Doeddwn i ddim wedi bod allan o Gymru rhyw lawer erioed, a dim ond unwaith dramor i'r Eidal ar daith sgio pan oeddwn yn yr ysgol. Doedd genna i ddim pasbort na dim byd. Felly archebais basbort, ac i ffwrdd â ni.

Wedi taith hir i faes awyr Stansted a chario hanner y system sain a'r offerynnau i gyd, dyma ni'n glanio yn ninas Bilbao, yng Ngogledd Sbaen, neu Wlad y Basg. Wnes i'r camgymeriad cynta o ddeud wrth Xabalt rai diwrnode yn ddiweddarach 'mod i erioed wedi bod i Sbaen na Ffrainc o'r blaen, a fynte'n ateb yn reit swta, "You still haven't," gan bwysleisio mai yng Ngwlad y Basg oedden ni, dim Sbaen na Ffrainc! Mi ddysgais i fod yn fwy siŵr o 'mhethe o hynny ymlaen. Roedd hi'n amser reit boeth yn wleidyddol yno ar y pryd. Roedd protestiadau'r sefydliad ETA yn eu hanterth, yn ymgyrchu am annibyniaeth. Roedd lot fawr o brotestio, a bomio hyd yn oed pan oedden ni yno, a chaewyd strydoedd yng nghanol Bayonne tra oedden ni'n gwneud cyfweliad radio yn y dre! Doedd clywed seirenau'r heddlu oherwydd yr ymgyrchu ddim yn beth dieithr o gwbl yno.

Roeddem yn aros y rhan fwya o'r amser mewn pentref bach yn y mynyddoedd o'r enw Astitz, rai milltiroedd o'r dref agosaf, sef Lekunberri. Y sioc fwya oedd gweld ein hystafelloedd cysgu. Un ystafell oedd i ni i gyd, a ninne'n rhyw un ar ddeg rhwng pawb. Hostel oedd y lle i raddau, ac un gwely mawr i bawb – roedd dwy res o welyau bync yn mynd o un pen yr ystafell i'r llall, tua 30 troedfedd. Roedd o'n ddigon cysurus ond ddim cweit mor gysurus pan fydde rhywun yn dechrau rhechu yn y nos!

Cawsom groeso arbennig yno, ac roedd Proff wrth ei fodd oherwydd roedd o wedi darganfod gwin coch gorau'r ardal. Cafwyd ambell noson dda a hwyl yn Astitz, a chanu tan berfeddion. Dwi'n credu mai dyna'r unig dro erioed i mi fwyta cig ceffyl. Cawl oedd o, ac roedd o'n flasus tu hwnt, a bu holi am ragor, dwi'n cofio. Ddiwedd y nos gaethon ni wybod yn iawn mai dyna oedd o, ond mi roedd o'n flasus iawn!

Trefnwyd cyngherddau i ni mewn sawl lle, gan gynnwys mewn bar yn ninas hyfryd San Sebastián, neu Donostía fel y'i galwyd gan y Basgwyr. Buom hefyd dros y ffin i ran Ffrengig Gwlad y Basg yn Biarritz gan wneud cyfweliad radio yn Bayonne ac yna dychwelyd i Astitz. Aethom fel criw drwy fynyddoedd y Pyrenees i ddinas Pamplona, gan weld y *bullring* enwog sy'n dal ugain mil o bobl – y trydydd mwya yn y byd.

Bûm yn cerdded yr ardal lle mae'r bobl ddewr yn rhedeg i lawr y strydoedd cul a'r teirw yn dilyn ar eu holau – The Running of the Bulls, fel y'i gelwid. Roedd meddwl am y peth yn codi ofn, a doedd dim teirw cyrniog, gwyllt yn agos!

Buom yn perfformio i blant ysgol un prynhawn cyn gwneud cyngerdd yn nhref Irún. Dwi'n cofio'r noson honno fel ddoe, oherwydd wedi'r cyngerdd roeddem yn cael aros yn nhŷ'r canwr, Xabalt. Roedd y tŷ yng nghefn gwlad yn rhywle. 'Nes i ddim cymryd sylw o'r cyfeiriad oherwydd fydda i ddim yn dychwelyd i'r tŷ hwnnw ar hast! Roedd Xabalt yn gymeriad unigryw, yn wleidyddol iawn ei farn ynglŷn â'r protestiadau ETA oedd yn mynd ymlaen. Dwi'n cofio cyrraedd y tŷ yn hwyr iawn wedi'r cyngerdd, ond doedd dim sôn am neb – dim ond tywyllwch. Cysgu ar y lloriau pren oedden ni, ond dwi'n gwybod nad y ni'r Cymry oedd yr unig rai yn yr ystafell y noson honno! Roeddwn yn gallu clywed y llygod yn symud yn yr ystafell, a dwi'n dal i ail-fyw'r noson honno pan dwi'n gwylio'r *bushtucker trials* ar raglen *I'm a Celebrity, get me out of here!* bob blwyddyn. Ond nid dyna oedd ei diwedd hi. Aeth un ohonom i'r ystafell ymolchi, a daeth sgrech a "Blydi hel!" gan rywun. Roedd gafr yn y bath, a honno wedi cael ei lladd â chyllell i'w gwddf, gyda phwll o waed yn y bath. Mae debyg ei bod yn rhyw ddefod hynafol sydd â chysylltiad â'r ymladd teirw a'r gred 'Mithras'. Doeddwn i ddim eisiau gwybod mwy na hynny, alla i ddeud wrthoch chi. Roeddwn i wirioneddol yn meddwl bod rhywun yn ein ffilmio ni ac yn trio'n dal ni allan ar raglen *Y Brodyr Bach* – ond yn sydyn iawn sylweddolais nad oedd hynny'n wir! Chysgais i fawr y noson honno, a ches ddigon yn y diwedd, gan symud allan i gysgu yn y car.

Roedd hi'n daith arbennig ac yn brofiad roedd y grŵp ei angen, sef amser gyda'n gilydd yn mwynhau. Mae'r atgofion yn llifo, bron cymaint â'r poteli cwrw lleol San Miguel, ac mae geiriau Proff y bore olaf yn mynd i aros yn y cof am byth. Roedd o wedi cael noson go hegar ar y gwin coch, a daeth i lawr am frecwast â golwg ofnadwy arno gyda'i grys led y pen ar agor, ei drowsus heb ei gau, a'i wallt ym mhobman, a dyma Peter yn holi, "Ti'n ocê, Proff?" a'r ateb anfarwol gafodd o gan Proff, "T'isie 'ycin sbectol neu be?!"

Erbyn 2002 dechreuodd cyngherddau Traed dan Bwrdd dawelu, gydag ambell i gìg yn dod yn achlysurol. Roedd sefyllfaoedd pawb wedi dechrau newid hefyd. Roeddwn i ac Owain yn caru erbyn hynny, a galwadau unigol yn dod i finne hefyd. Roedd yr amser wedi dod i mi gael mwy o wersi canu clasurol a'r teimlad ei bod yn bryd symud ymlaen. Trefnwyd noson fawr yn y Llew Coch yn Ninas Mawddwy i orffen mewn steil. Dyma un o'r lleoliadau cynta i ni ganu ynddo rai blynyddoedd ynghynt, felly roedd hi'n briodol iawn i ddychwelyd yno i orffen. Cafwyd noson i'w chofio, a dwi'n siŵr i ni fynd drwy ein holl *repertoire* cyn gadael, a phawb wedi mwynhau.

Ym mis Medi 2015 cafwyd aduniad Traed dan Bwrdd yma yn y sièd ym Mhentremawr. Doedd plant Owain a Fflur, na fy mhlant inne a Karina, erioed wedi clywed caneuon Traed dan Bwrdd, felly cawsom farbeciw i'n teuluoedd a'n ffrindiau i ddathlu, gan ganu rhai o'r clasuron. Roedd hi'n braf eto cael ail-fyw ein taith gyda'n gilydd gan ddod ag atgofion di-ri yn ôl.

9

Cwmni Theatr Maldwyn

ROEDDWN YN FY arddegau pan glywais am berfformiadau Cwmni Theatr Ieuenctid Maldwyn am y tro cynta. Roedd Eisteddfod Genedlaethol yr Urdd yn y Drenewydd yn 1988 ac roedd siarad mawr am sioe gerdd newydd oedd ymlaen bob nos yn Theatr Hafren o'r enw *Pum Diwrnod o Ryddid*. Roedd y Cwmni wedi dechrau yn 1981 gyda'r sioe gerdd *Y Mab Darogan* yn Eisteddfod Genedlaethol Machynlleth, ond saith oed oeddwn i'r adeg honno a dwi ddim yn cofio rhyw lawer am yr eisteddfod, er fy mod wedi mynychu'r ŵyl gyda'r teulu, wrth gwrs, ac mae genna i gof plentyn o'r pafiliwn anferthol gyda'r stepiau uchel i fynd i mewn iddo.

Mae'r *Mab Darogan* yn aros yn y cof o ganlyniad i berfformiad gwych Penri Roberts a'i bortread o Owain Glyndŵr, ac mae rhai o'r caneuon, fel 'Ie, Glyndŵr' a 'Bedd heb Yfory', yn dal yn gofiadwy i lawer hyd heddiw.

Mae'n debyg i Penri a Derec Williams fynychu un o bwyllgorau drama'r eisteddfod yn 1980, ac i un ohonynt ddeud, "Beth am i ni gael rhywbeth i bobol ifanc?" A'r ateb gawson nhw oedd, "Wel, sgwennwch chi o 'te!" Roedd y ddau yn athrawon ifanc yn y Canolbarth ar y pryd ac mewn grŵp gwerin gyda'i gilydd o'r enw Y Gasgen. Cofiodd Derec ei fod wedi dod ar draws disgybl cerddorol arbennig yn Ysgol Uwchradd Llanidloes o'r enw Linda Mills, ac roedd hi newydd raddio mewn cerddoriaeth ym Mhrifysgol Bangor, felly penderfynodd y ddau ei holi i ddod atynt i ysgrifennu sioe. Mae Linda yn

99

athrylith am ysgrifennu alawon arbennig, ac mae ei thalent wedi disgleirio dros y blynyddoedd. Bu'r cynhyrchiad yn llwyddiant ysgubol gyda chanmoliaeth dros Gymru benbaladr, a bu taith fawr o'r cynhyrchiad dros y wlad. Aeth y Cwmni o nerth i nerth wedi hynny, a daeth cynyrchiadau fel *Y Cylch* a'r *Llew a'r Ddraig*, cyn iddynt ysgrifennu'r sioe *Pum Diwrnod o Ryddid* yn 1988. Dyma'r sioe gynta gan y Cwmni i mi ei gweld yn fyw ac roeddwn wedi fy swyno o'r dechrau.

Roedd perfformiadau'r prif rannau – Geraint Roberts, Sian Eirian, Barrie Jones, Glandon Lewis a Catrin Fychan – yn arbennig iawn, ac roeddent wedi ysgogi llawer o bobl ifanc i ddod yn aelodau o'r Cwmni pan ddeuai'r cynhyrchiad nesa. Roedd pawb eisiau bod yn rhan o'r peth. Roedd yr alawon i gyd mor ganadwy, ac mae canu mawr ar rai o'r caneuon hyd heddiw mewn cystadlaethau sioe gerdd yn ein heisteddfodau. Yn anffodus roeddwn i'n rhy ifanc i fod yn aelod o'r Cwmni yr adeg honno eto. Bu tâp o'r caneuon yn mynd yn y car am flynyddoedd wedyn, ac roeddwn wrth fy modd yn eu canu gyda'r cymeriadau o'r sioe.

Yn y flwyddyn 1990 comisiynodd S4C y Cwmni i ysgrifennu oratorio ar stori'r Pasg, sef *Myfi Yw*. Roedd hwn eto yn gynhyrchiad anhygoel, a'r caneuon mor ganadwy a chofiadwy. Mae'r gân gorawl 'Hosana' yn un o fy ffefrynnau i, a hefyd yr anthem fawr 'Golgotha', sydd yn rhyw wyth munud o hyd ac yn plethu tair o'r caneuon hyd at ddiweddglo campus. Eto, yn anffodus roeddwn rhyw flwyddyn yn rhy ifanc i fod yn rhan o'r Cwmni – felly, roedd rhaid aros.

Pan wahoddwyd yr Eisteddfod Genedlaethol i Lanelwedd yn 1993, comisiynwyd Cwmni Theatr Maldwyn i ysgrifennu sioe gerdd newydd sbon, a phenderfynodd y tri gynhyrchu sioe ar stori *Heledd*, sef merch Cyndrwyn, chwaer Cynddylan, brenin Teyrnas Powys yn y seithfed ganrif. Pengwern oedd llys brenhinoedd hen deyrnas Powys, ac mae ganddo le arbennig mewn llenyddiaeth Gymraeg oherwydd cyfres o englynion a elwir yn 'Canu Heledd'. Yn yr englynion hynny mae Heledd yn galaru am ei brawd, Cynddylan, wrth amddiffyn Powys. Mae'r neuadd wedi'i llosgi ac mae 'Eryr Pengwern' yn aros ei gyfle i fwyta cyrff y meirwon. Mae union leoliad Pengwern yn ansicr hyd heddiw, ond cytunir yn gyffredinol ei fod yn Swydd Amwythig, sy'n cyfateb yn fras i diriogaeth yr hen Bowys yn y dwyrain. Ar ôl cwymp Pengwern, symudwyd llys brenhinoedd Powys i Fathrafal, sef safle'r Eisteddfod Genedlaethol yn 2003 a 2015.

Fel y gellwch ddychmygu, mae'n stori ddwys a thywyll gyda thristwch mawr. Roedd ysgrifennu sioe am hyn yn mynd i fod yn her enfawr i Penri, Derec a Linda. Ond eto, cafwyd cynhyrchiad arbennig iawn, ac mae 'na ambell i berl yn ei ganol, fel 'Eryr Pengwern', 'Ti yw'r Haul' a'r gân 'Rhaid i mi Fyw' oedd yn cloi'r sioe.

Roeddwn yn edrych ymlaen yn fawr i fod yn rhan o'r Cwmni o'r diwedd. Mae ymarferion Cwmni Theatr Maldwyn wastad wedi bod yn neuadd Glantwymyn ers i'r Cwmni sefydlu yn 1981, felly roedd o lawr y ffordd i mi, rhyw bum milltir i ffwrdd. Roedd nifer o fy ffrindiau o'r ffermwyr ifanc am fynychu am y tro cynta hefyd, a chawsom ein syfrdanu o weld y neuadd yn llawn y noson honno. Roedd rhyw gant a hanner wedi cyrraedd, a'r rheini dros Sir Drefaldwyn i gyd, a thipyn ymhellach. Roedd criw mawr o ardal y Bala a Llanuwchllyn yno oherwydd roedd Derec erbyn hynny yn athro mathemateg yn Ysgol y Berwyn ac wedi ymgartrefu ym mhentref Llanuwchllyn. Dosbarthwyd ffeil i bawb o ganeuon i'w dysgu, ond doedd y sioe gyfan ddim yno, gan fod hynny byth yn digwydd gyda'r Cwmni. Roedd Linda yn dal i ysgrifennu'r gerddoriaeth i'r caneuon am rai misoedd wedi i'r ymarferion ddechrau. Dwi'n cofio, un tro, cael caneuon i'w dysgu yn yr wythnosau olaf cyn y perfformiad! Ond doedd 'na fyth banig!

Wel, wnes i fwynhau fy hun y noson honno! Roedd sain y corws yn wych, hyd yn oed ar y noson gynta, ac roedd yn fraint cael bod y cynta erioed i ganu'r caneuon swynol yma. Rai misoedd yn ddiweddarach roedd y caneuon yn siapio, roedd symudiadau gennon ni i ambell gân, ac roedd rhaid dechrau edrych am unigolion ar gyfer y prif rannau. Doedd genna i ddim diddordeb i gael rhan unigol mae'n rhaid deud, ond un noson dyma Penri a Linda yn gweiddi arnaf i ddod ymlaen i fynd am glyweliad am un o rannau'r dynion. Ges i ychydig o fraw, oherwydd dim ond deunaw oed oeddwn i – roeddwn yn reit swil ar y pryd, a ches sioc eu bod yn gwybod amdana i. Beth bynnag, ces glyweliad bach byr a chanu cân y cymeriad roeddent am i mi ei bortreadu. Ches i mo'r rhan, ac roeddwn yn falch o hynny oherwydd roeddwn yn ddigon hapus i ganu gyda'r tenoriaid yn y corws, a doedd dim profiad actio genna i chwaith!

Geraint Roberts gafodd y brif rôl, sef Cynddylan, ac roedd o'n arbennig iawn hefyd. Roedd ei berfformiad o 'Eryr Pengwern' yn y sioe yn syfrdanol! Robin Glyn Jones gafodd ran y Brenin Penda. Mae Robin wedi bod yn rhan o'r Cwmni ers y cychwyn cynta, ac mae'n dal i ganu gyda nhw ddeugain mlynedd yn ddiweddarach, heb golli'r un sioe.

Roedd cymeriad Heledd yn gofyn am berfformiad sensitif gyda llais arbennig iawn, oherwydd roedd lot fawr o ganu i'w wneud. Roeddwn i mor falch pan glywais mai Sara Meredydd gafodd y rhan. Roedd Sara'n dal i fod yn yr ysgol ym Machynlleth, a dim ond dwy ar bymtheg oedd hi pan gafodd y cyfle, ond mae llais unigryw, llawn teimlad ganddi ac roedd hi'n haeddu'i chyfle.

Roedd Eisteddfod Llanelwedd yn wahanol iawn i eisteddfodau'r gorffennol oherwydd roedd popeth ar faes parhaol y Sioe Frenhinol. Wrth gwrs, roedd y sioe fawr ymlaen ychydig dros wythnos ynghynt, felly roedd hi'n ras i gael popeth yn barod ar gyfer yr Eisteddfod. Roedd y pafiliwn y tu mewn i neuadd fawr Morgannwg, ac erbyn yr ymarfer olaf ar y Maes roedd popeth yn dechrau edrych fel Maes Eisteddfod.

Roedd y sioe yn rhyw deirawr o hyd, ac roedden ni fel y corws yn actio fel ffoaduriaid, ac ar ein gliniau ar y llwyfan am y rhan fwya o'r sioe! Ond roedd cael canu'r caneuon arbennig yma yn wefr, yn enwedig y diweddglo pan oeddem yn ymuno gyda Sara i ganu 'Rhaid i mi Fyw'. Roedd yr ymateb yn wych, a phawb wedi mwynhau er gwaetha'r stori ddwys, oherwydd roedd y gerddoriaeth mor ysbrydol. Bu dathlu wedyn, a siarad mawr am fynd â'r sioe ar daith.

Ychydig fisoedd yn ddiweddarach roeddem ar daith drwy Gymru. Oherwydd nifer y cast a'r gofynion technegol, roedd angen lleoliadau oedd yn cynnig digon o le i bawb ar y llwyfan. Tynnodd ambell un allan, fel sy'n digwydd bob tro, ond roedd nifer fawr yn dal am fynd ar y daith. Bu nifer o berfformiadau yn Theatr Hafren yn y Drenewydd, ac mewn nifer o theatrau dros Gymru gyfan. Roedd rhaid gwneud dau berfformiad mewn ambell le oherwydd y galw mawr am docynnau, gan wneud *matinée* ychwanegol yn y prynhawn.

Dwi'n cofio Derec yn tynnu gwallt ei ben yn Theatr Gwynedd ym Mangor oherwydd doedd y sain ddim yn gweithio'n iawn o gwbl. Oherwydd bod cymaint o unawdwyr yn symud ar y llwyfan roedd rhaid i'r unawdwyr weithio gyda *radio-mikes* – pethe sy'n gallu bod yn reit sensitif. Mae'n rhaid sicrhau bod digon o fatri a bod yr unawdwyr yn eu gwisgo nhw'n iawn fel bod y sain yn glir. Wel, aeth pethe o chwith yn rhacs yn yr hanner cynta – roedd y meics yn 'distortio' a ddim yn gweithio o gwbl. Roedd hefyd ryw sŵn clecian drwy'r amser oedd yn amharu'n fawr ar y perfformiad. Roedd Derec yn gandryll, ac yn gweiddi bod rhaid i bethe wella neu doedd dim pwynt cario ymlaen. Lwcus i'r boi sain, daeth pethe i drefn yn yr ail hanner ac roedd popeth yn berffaith erbyn diwedd y noson.

Bu bron i fi roi Theatr y Werin, Aberystwyth ar dân pan aethom â'r sioe yno. Roedd rhyw *craze* yr adeg honno i wisgo siaced ledr i bobman. Wel, yn Aber roeddem wedi cael perfformiad yn y prynhawn ac wedyn ychydig o amser i gael bwyd cyn paratoi at y sioe nos. Rhuthro'n ôl i'r ystafelloedd newid wedyn i wisgo dillad y ffoaduriaid cyn mynd yn ôl i'r llwyfan. Gan nad oedd llawer o le yn yr ystafelloedd newid roedd pawb dros ei gilydd braidd ac roedd ein dillad yn bentyrrau ym mhobman. I'r rhai ohonoch sydd wedi mynychu ystafelloedd newid mewn theatr, mae goleuadau di-ri yno gyda degau o fylbs rownd y drych. Wrth gerdded yn ôl i'r ystafell newid hanner amser roeddem yn gallu arogli rhywbeth yn llosgi! Ie, chi'n iawn! Roedd un o freichiau fy siaced ledr ddu ar ben un o'r bylbs, ac roedd wedi llosgi twll anferth drwy'r lledr a'r defnydd tu mewn, a mwg ym mhobman. Roedd golwg ofnadwy ar y gôt, ond roeddwn i mor falch fod pethe ddim gwaeth, a ninne wedi bod ar y llwyfan am awr a hanner!

Newidiwyd enw'r Cwmni yn 1997 pan wahoddwyd yr Eisteddfod Genedlaethol i'r Bala. Gofynnwyd i Penri a Derec ysgrifennu sioe newydd i'r brifwyl, ond oherwydd bod yr Eisteddfod ym Meirionnydd, newidiwyd yr enw i Gwmni Theatr Meirion. Roedd hyn yn denu aelodau newydd o Feirionnydd a daeth nifer fawr o'r hen aelodau hefyd yn rhan o'r cast. Roedd yr ymarferion y tro 'ma yn Nolgellau ac yn y Bala. Robat Arwyn ysgrifennodd yr alawon y tro hwn, a Linda luniodd y trefniannau offerynnol i'r band.

Mwynheais y sioe *Er mwyn Yfory* yn fawr iawn. Stori oedd hon am Ryfel y Degwm. Sioe dipyn ysgafnach na *Heledd*, a thebycach i *Pum Diwrnod o Ryddid*. Roedd y caneuon yn hyfryd a chawsom brif unawdwyr gwych sef Arfon Williams, Siwan Llynor, Gerallt Jones ac Edryd Williams – pedwar o ardal yr Eisteddfod. Ces inne ran fach unawdol yn y gân agoriadol, ac wedyn ymuno â'r corws, a mwynhau hynny'n fawr iawn. Cawsom daith i ddilyn a recordiwyd CD gyda Sain ym Mhrifysgol Bangor, a chynhyrchiad teledu i'w roi ar gof a chadw.

Yn y flwyddyn 2001 roedd y cwmni yn dathlu ugain mlynedd, a daeth gwahoddiad gan gwmni teledu Opus/Rondo i recordio cyngerdd o ganeuon mwya poblogaidd yr ugain mlynedd blaenorol. Wel, roeddwn wrth fy modd, gan fy mod wedyn yn cael canu'r hen glasuron i gyd gyda'r corws. Rai wythnosau i mewn i'r ymarferion ces fy nghornelu gan Penri a ofynnodd i mi ganu rhai o'r rhannau unigol mewn ambell i gân. Roeddwn wrth fy modd a derbyniais y cynnig yn syth. Ces gyfle arbennig i ganu'r rhan unigol yn 'Ie, Glyndŵr', a hefyd y ddeuawd hyfryd 'Bedd heb Yfory' gyda Sara Meredydd. Roedd y ddwy gân allan o'r sioe *Y Mab Darogan*, a chan ei fod yn berfformiad i'r teledu roedd rhaid cael gwisg hefyd. Doedd hi ddim yn wisg lawn Owain Glyndŵr, dim ond rhywbeth ysgafn gallwn roi ymlaen yn sydyn i ganu'r rhan cyn dychwelyd i'r corws at y lleill. Ces hefyd ran Iesu Grist yn yr anthem 'Golgotha' allan o *Myfi Yw* – un o'r caneuon roeddwn wedi'i hedmygu ers blynyddoedd. Roedd hi'n noson arbennig iawn ac roedd cael rhannu llwyfan gyda'r unawdwyr gwreiddiol yn grêt, ac edmygu eu lleisiau bendigedig. Cawsom CD yr un o'r noson gan y cwmni teledu a buodd honno'n chware yn y car am flynyddoedd wedyn.

Yn 2003 roedd yr Eisteddfod Genedlaethol yn dychwelyd i Faldwyn, ac i ddolydd Mathrafal – lleoliad hen lys brenhinol Powys y soniais amdano yn gynharach. Bu siarad yn syth am sioe newydd gan Gwmni Theatr Maldwyn ac roedd pawb yn grediniol y bydde raid i'r sioe fod am stori'r emynyddes enwog o Ddolwar Fach, Ann Griffiths. Cadarnhawyd hyn gan y tri pen bandit ac roedd cryn edrych ymlaen. Cychwynnodd yr ymarferion ddechrau 2003, ac roeddwn newydd ddychwelyd o gyngerdd Gŵyl Ddewi yn Los Angeles y diwrnod cynt, ond roeddwn yn benderfynol o fynd i'r ymarfer. Daeth Karina gyda mi hefyd am y tro cynta. Roedd y neuadd yng Nglantwymyn yn orlawn unwaith eto, ond rhybuddiodd y tri ni o'r dechrau o bolisi'r cwmni – bod angen ffyddlondeb a phrydlondeb gan fod lot fawr o waith o'n blaenau. Mae gan Linda'r arferiad o ddod â chân dda i'r ymarfer cynta i drio cynnal diddordeb a cheisio cael pawb i ddod yn ôl eto i'r ymarferion. Gadawodd pawb Glantwymyn yn hapus iawn y noson honno ac yn edrych ymlaen at ddychwelyd yr wythnos wedyn. Roedd y peint bach yn y Penrhos yng Nghemmaes i ddilyn yn un o bleserau'r cwmni hefyd, a phan oeddem wedi dysgu ambell i ddarn corws yn dda, roeddem yn canu ambell un i'r landlord i ddangos be oedd ymlaen.

Erbyn mis Mai, cwta dri mis cyn y perfformiad yn y pafiliwn, cychwynnodd y clyweliadau i'r rhannau unigol. Roedd dwy gân i'r dynion i wrando arnynt ar dâp, ac wedyn perfformio un ohonynt o flaen y panel. Penderfynais ganu 'Gad i mi dy dywys di', sef un o ganeuon y cymeriad John Hughes – gweinidog a ffrind i Ann Griffiths. Mae hon yn berl o gân, ac roedd yn siwtio fi i'r dim. Cân deimladwy ydi hi am yr adeg mae John Hughes yn gweld Ann ar ei gwaethaf; mae'n helpu'r ferch ac yn ei thywys o'i salwch i wellhad. Doeddwn i ddim yn siŵr sut aeth hi yn y clyweliad, ond cyn mynd adre'r prynhawn hwnnw dyma Derec yn cynnig y rhan i mi a ches sioc bleserus. Dwi'n cofio deud wrtho'n syth fy mod yn mynd i Seland Newydd ac Awstralia gyda Chôr Godre'r Aran yn yr hydref am dros dair wythnos, felly os bydde taith, falle na fydden i ar gael. Roedd Derec wedi clywed si am hyn yn barod gan gogie Llanuwchllyn, ond sicrhaodd Derec fi'n syth mai fi roeddynt eisiau yn yr Eisteddfod ym Meifod ac y bydde'n trio gweithio o gwmpas dyddiadau fy nhaith dramor yn yr hydref os bydden nhw'n mynd â'r sioe ar daith. Roeddwn am fod yn onest gyda fo o'r dechrau.

Un o'r profiadau mwya nerfus oedd yr ymarfer yr wythnos wedyn pan gyhoeddwyd enwau'r prif rannau ac, yn ddiarwybod i mi, daeth cais i mi ganu fy nghân o flaen y cast i gyd. Roeddwn yn nerfus tu hwnt, oherwydd mae canu o flaen eich ffrindiau fel yna yn gallu bod yn reit *daunting*! Ond mi aeth popeth yn iawn ac roedd pawb yn clapio ac yn gweiddi wedi i mi ganu. Dwi'n credu bod y profiad hwnnw wedi helpu ac os oeddwn yn gallu canu o flaen y criw fel yna, bydde wynebu unrhyw gynulleidfa dipyn haws. Roedd yr ymarferion o hyn ymlaen yn brysur ac roeddwn mor falch hefyd mai Sara Meredydd gafodd ran Ann Griffiths. Roedd ei pherfformiad yn y clyweliad yn arbennig ac roeddech yn gallu dychmygu'n syth mai hi oedd Ann. Bu Sara a fi'n dysgu rhai o'r caneuon a'r deuawdau yng nghartref Linda, ac yn cael ymarferion ychwanegol ar foreau Sul cyn i'r corws gyrraedd.

Roedd Edryd Williams hefyd â thipyn o waith dysgu, gan mai y fo gafodd ran Thomas Griffiths, gŵr Ann.

Mae'n rhaid i mi gyfadde nad oeddwn yn gwybod digon am hanes Ann Griffiths cyn y cyfnod hwn, felly es ati i wneud tipyn o waith ymchwil am yr emynyddes, a phwy oedd John Hughes. Ces gyfle i fynd i Bontrobert i gapel John Hughes, a chael sefyll yn y pulpud simsan! I'r rhai ohonoch sydd wedi bod i'r capel bach, roeddech chi'n siŵr o fod wedi sylwi ar ba mor fach oedd y pulpud. Mae stepiau serth i fynd i fyny iddo a dim ond coed bach ysgafn sy'n dal y pulpud i fyny o'r llawr. Doeddwn i ddim yn teimlo'n gyfforddus o gwbl am fod arna i ofn ei dorri, ond mentrais i fyny i ganu'r gân 'Gad i mi dy dywys di'. Roedd naws arbennig yn y capel bach, ac roeddwn mor falch o allu troedio'r tir lle bu John Hughes ei hun yn weinidog. Aethom i Eglwys Llanfihangel-yng-Ngwynfa wedyn, lle mae bedd Ann Griffiths, a hefyd i'w chartref yn Nolwar Fach, Dolanog a chael croeso gwresog gan y teulu. Profiadau bythgofiadwy yn wir.

Roedd y cynhyrchydd Garmon Emyr o gwmni teledu Rondo yn ffilmio'r ymarferion a'r paratoadau fel rhyw *fly on the wall* i gyd-fynd â'r sioe, a bydde'r rhaglen yma'n cael ei darlledu ychydig cyn y sioe ar y teledu. Roedd rhaid bod yn wyliadwrus o'r camerâu drwy'r amser, yn enwedig pan oedd pethe ddim cweit yn mynd yn iawn yn yr ymarferion. Roedd y criw hefyd yn ein canlyn fel unigolion a buont yma ym Mhentremawr yn ffilmio ar y ffarm. Mae'n rhyfedd iawn edrych yn ôl ar y rhaglen erbyn hyn.

Mae'r gân gynta yn y sioe yn dechrau ar ddiwedd yr hanes, fel petai, yn angladd Ann Griffiths, ac mae'r corws yn canu'r 'Requiem' cyn i John Hughes ddod ymlaen ac edrych tua'r arch gan ganu, 'Y fi, neb ond y fi, y fi 'di'r unig un a ŵyr dy hanes ryfedd di, ym mhob trueni blin, neb ond y fi.' Yn amlwg, roedd John Hughes wedi'i frifo, gan ddatgelu mai fo helpodd Ann tuag at oleuni clir, ond iddi droi ei chefn arno, gan droi at Grist. Mae'r hanes wedyn yn mynd yn ôl i'r dechrau, at ddyddiau ieuenctid Ann pan oedd yn ferch ifanc ddiniwed. Ond roedd hi hefyd yn mwynhau bywyd, ac yn dipyn o un! Mae hi wedyn, yn ôl y sôn, yn cael ei threisio gan ficer y plwy, cyn i John Hughes ei hachub a'i chyflwyno i Iesu Grist. Wedi marwolaeth ei thad roedd Ann angen rhywun i redeg y ffarm, ac awgrymodd John y dylai Ann briodi, ond ni sylweddolodd fod John mewn cariad â hi, ac roedd Ann am iddo awgrymu enw rhywun i'w phriodi, heb feddwl amdano fo. Yn y diwedd, awgrymodd John y dylai hi briodi Thomas Griffiths. Yn ddiweddarach, collodd Ann blentyn newydd-anedig ychydig wedi'r briodas a thorri ei chalon yn llwyr. Ni ddoth dros y siom, ac mewn galar a thristwch llwyr, bu farw Ann.

Roedd yn hanes emosiynol iawn, ac roedd perfformiad Sara Meredydd o Ann yn y sioe gystal ag unrhyw beth dwi wedi'i weld erioed. Roedd o mor deimladwy ac roedd ei pherfformiad o'r caneuon 'Rwy'n dy weld yn sefyll' a 'Cysga 'mhlentyn' yn arbennig iawn.

Roedd pawb yn dod i ffwrdd o'r llwyfan bob tro yn reit emosiynol oherwydd yr holl deimladau roeddem wedi mynd drwyddynt ym mhob perfformiad. Mae'r perfformiad ym Mhafiliwn Eisteddfod Maldwyn yn 2003 o flaen tair mil a hanner o gynulleidfa yn un o uchafbwyntiau fy mywyd, ac ymateb anhygoel y dorf ar y diwedd wedi'r gân olaf pan gododd pawb o'u seddau. Roeddem i gyd yn ei theimlo'n fraint o fod yn rhan o rywbeth mor arbennig. Bu canmoliaeth enfawr i'r sioe a doedd dim dewis ond mynd â hi ar daith. Methais y perfformiadau yn y Drenewydd oherwydd fy nhaith dramor, a chafodd Barrie Jones, fy nirprwy, gymryd yr awenau. Ces berfformio yn y tri lleoliad arall, sef Venue Cymru, Llandudno; Neuadd Dewi Sant, Caerdydd, a Phafiliwn Rhyngwladol Llangollen.

Yn Llandudno roeddem wedi cytuno i wneud dau berfformiad oherwydd i'r sioe werthu allan mor sydyn, felly cytunwyd i wneud *matinée* yn y prynhawn. Roedd amser yn brin y diwrnod hwnnw, a threfnwyd ymarfer ar y llwyfan amser cinio wedi i'r criw osod y set, y goleuadau a'r meics.

Roeddwn i fyny yn Llandudno mewn da bryd, ac wedi tsiecio i mewn i'r gwesty yn barod. Gan fod ychydig o amser yn sbâr es i a Karina i'r dre i gael tamaid o ginio. Roeddwn yng nghanol bwyta fy mhwdin – mae'n rhaid cael pwdin, chi'n gweld – pan ddaeth galwad ar fy ffôn symudol. Penri oedd yno, yn holi ble oeddwn i. Roedd yr ymarfer wedi dechrau rhyw hanner awr yn gynt nag oeddwn i'n feddwl, ac roedd Derec wedi'i cholli hi'n lân gan fod un o'r prif gymeriadau ar goll ac yn hwyr!

"Dwi ar ganol fy mhwdin," medde fi. "Fydda i yna rŵan."

Ddeuda i ddim beth oedd ymateb Derec pan holodd i Penri ble oeddwn i, ond mi ruthrais i'r theatr fel mellten a chael stic anferthol gan bawb, a bu tynnu coes am y pwdin am fisoedd wedyn!

Roedd hi'n bleser cael mynd â'r sioe i Gaerdydd hefyd, ac i adeilad mor eiconig â Neuadd Dewi Sant. Roedd honno hefyd wedi gwerthu allan yn y nos, felly daeth cadarnhad bod perfformiad ychwanegol yn y prynhawn. Holodd Derec i mi a fydden i'n fodlon i Barrie berfformio yn y prynhawn, a finne yn y nos. Es i i eistedd yn y gynulleidfa i wylio a dwi mor falch y gwnes i, oherwydd roeddwn yn gallu mwynhau'r sioe fel pawb arall, ac es i lawr at weddill y cast ar y diwedd yn beichio crio. Roedd y perfformiad wedi fy nghyffwrdd ac roeddwn yn gallu gweld pa mor emosiynol oedd o i bawb arall yn y gynulleidfa hefyd.

Recordiwyd y perfformiad i S4C ym Mhafiliwn Rhyngwladol Llangollen. Roedd y llwyfan yma yn anferth ac yn rhoi digon o le i'r cast i berfformio. Buom yno am benwythnos yn recordio. Recordio'r sioe mewn darnau i ddechrau gyda phob golygfa yn cael ei pherffeithio, cyn perfformiad byw o flaen cynulleidfa lawn ar y nos Sul. Ychydig fisoedd wedyn recordiwyd CD gyda chwmni Sain, gyda'r corws yn recordio yn y Tabernacl ym Machynlleth a'r unawdwyr yn Stiwdio Sain yn Llandwrog. Mae hon yn CD werth chweil, a dwi'n dal i wrando arni ambell dro. Mae fy llais i wedi newid tipyn ers 2003, ond mae'r atgofion yn llifo bob tro wrth wrando'n ôl. Dwi ddim wedi gwylio'r sioe ar y teledu ers blynyddoedd, ond licien i eistedd i lawr rhyw ddiwrnod i'w gwylio gyda'r plant.

Rwyf hyd heddiw yn cael sylwadau gan bobl am y sioe *Ann*! Mi wnaeth y sioe gyffwrdd llawer iawn o bobl – tipyn mwy nag oedden ni'n ei ddychmygu ar y pryd, ac mae'n galonogol iawn i glywed sylwadau mor hyfryd amdani. Mae'r diolch wrth gwrs i Penri, Derec a Linda am ganiatáu i ni brofi'r wefr. Mae caneuon Cwmni Theatr Maldwyn yn eiconig, a thalent gerddorol Linda Gittins yn gallu codi pawb i'r entrychion. Mae rhai o gyfansoddiadau eraill y Cwmni hefyd yn wych. Caneuon unigol na fu mewn sioeau Cwmni Theatr Maldwyn, fel 'Talu'r Pris yn Llawn', 'Cadw'r Fflam yn Fyw', ac yn ddiweddar, 'Y Jeriwsalem Newydd'.

Pan ddychwelodd y Brifwyl i'r Bala yn 2009, yn hytrach na sioe newydd, penderfynodd Penri, Derec a Linda wneud cyngerdd o uchafbwyntiau Cwmni Theatr Maldwyn dros y blynyddoedd. Roedd hwn eto yn brofiad bythgofiadwy. Roedd tua dau gant yn y corws, a chafwyd epig o noson yn y pafiliwn i gloi'r ŵyl yn y Bala a honno'n fyw ar S4C! Ges i'r fraint o bortreadu John Hughes ac Owain Glyndŵr eto, gan ganu nifer o ganeuon allan o *Ann* a'r *Mab Darogan*, a'r tro 'ma gyda'r holl regalia – y wisg i gyd, gyda chadwyn filwr drom dros fy ysgwyddau a chleddyf anferth! Roeddwn yn edrych yn rêl boi, ond ddeudodd un ffrind wrtha i wrth adael y pafiliwn bydde angen "ceffyl gwedd reit gryf" i gario'r Glyndŵr yma!

Beth oedd mor galonogol ar y noson oedd bod criw ifanc Ysgol Theatr Maldwyn wedi ymuno â ni ar y llwyfan, a chan eu bod newydd berfformio'r sioe *Pum Diwrnod o Ryddid*, y nhw gymerodd yr awenau yn honno. Beth sy'n hyfryd erbyn heddiw ydi gweld y fath dalent sydd eisoes wedi dod drwy Ysgol Theatr Maldwyn yn barod. Roedd Luke McCall yn rhan o'r cast, ac mae o erbyn hyn wedi perfformio'r prif rannau yn *Les Misérables* a *Phantom of the Opera* yn y West End yn Llundain; hefyd Steffan Harri, bachgen lleol o Ddolanog sydd wedi gwneud enw mawr iddo'i hun ar lwyfan, gan gynnwys perfformio prif ran y sioe *Shrek* ar daith Brydeinig. Mae aelodau eraill o'r ysgol hefyd wedi datblygu'n gantorion ac artistiaid proffesiynol, a dwi'n siŵr bydde pob un ohonynt yn werthfawrogol o'r sylfaen gadarn yna gawson nhw yn Ysgol Theatr Maldwyn.

Yn drist iawn, collwyd Derec Williams yn frawychus o sydyn yn 2014, a hynny yng nghanol wythnos Eisteddfod Genedlaethol yr Urdd yn y Bala, y dre lle bu'n athro am flynyddoedd. Mae'n braf iawn gweld ei blant, sef Branwen, Meilir ac Osian yn parhau â'r diwylliant cerddorol a theatrig, ac maent yn siŵr wedi cael llawer o'r ysbrydoliaeth a'r egni i berfformio gan eu hannwyl dad. I ddathlu bywyd Derec, daeth cannoedd ynghyd i'r Bala rai misoedd wedi'i farwolaeth i gofio amdano ac i ganu caneuon y Cwmni, ac roedd yn fraint enfawr cael bod yn rhan o'r digwyddiad. Mae colled fawr ar ei ôl.

Rai blynyddoedd yn ôl, ces gyfle i fynd ar daith gerddorol yn canu caneuon o'r sioeau cerdd gyda Sara Meredydd ac Edryd Williams, gyda Linda Gittins yn cyfeilio i ni. Roeddent yn nosweithiau poblogaidd iawn gyda rhan fawr o'r gerddoriaeth yn ganeuon o'r Cwmni. Cawsom ymateb gwych a buom ar hyd y Canolbarth a Gogledd Cymru yn perfformio.

Mae Cwmni Theatr Maldwyn wedi bod yn ysbrydoliaeth fawr i mi dros y blynyddoedd ac roedd yn fraint cael perfformio gyda ffrindiau annwyl dros ben. Mae'r Cwmni'n dal i berfformio yn achlysurol, a phwy a ŵyr be ddaw eto yn y dyfodol. Mae dathliad y deugain mlynedd yn agosáu! Gobeithio, os bydd amser, caf gyfle i fod yn rhan o'r cast unwaith eto, a dwi'n siŵr bydd y plant acw yn ysu i fod yn rhan o'r Ysgol Theatr hefyd pan ddaw eu cyfle hwythau i ymuno. Bydd yn brofiad bythgofiadwy, alla i sicrhau hynny.

10

Hyfforddiant lleisiol

DWI WEDI CAEL y cyfle i ganu ers pan oeddwn yn ifanc iawn. Mae'r teulu'n deud 'mod i'n perfformio ers yn blentyn bach, a fy mod wedi dechrau cystadlu yn y Cyfarfod Bach yn Llanbryn-mair pan oeddwn ond cwta bedair blwydd oed. Mae'r cwrdd cystadleuol lleol wedi rhoi sylfaen gychwynnol dda i nifer iawn o'n cantorion Cymreig ni 'swn i'n tybio, a dyna'r ffordd orau bosib o roi hyder i blentyn o flaen cynulleidfa. Dwi'n ei weld o rŵan gyda fy mhlant fy hun, Aria ac Aron, ac yn eu gweld hwythau yn datblygu bob blwyddyn a'u hyder yn cryfhau wrth iddynt gamu i'r llwyfan. Mae'n rhaid cael cefnogaeth yr ysgol leol i'w wneud yn llwyddiant, cofiwch, a den ni wedi bod yn lwcus dros y blynyddoedd yn Llanbryn-mair o gael athrawon arbennig sy'n ymddiddori mewn cerddoriaeth ac yn annog y plant i fynd ar lwyfan.

Dechreuais yn ysgol Llanbryn-mair ar yr un diwrnod â Miss Ann O. Williams, ein hathrawes newydd o ardal Blaenau Ffestiniog. Roedd hi'n gerddorol tu hwnt a ches sylfaen arbennig o'r diwrnod cynta. Hi berswadiodd fi i ganu'r tro cynta erioed ar lwyfan, dwi'n credu, ac mae hyd heddiw yn deud wrtha i ambell beth ddigwyddodd i mi yn yr ysgol. Mae'n adrodd stori amdanaf yn aml am ddiwrnod pan oeddwn rhyw bedair oed ar ben y llithren yn y dosbarth yn yr ysgol ac yn gweiddi "'Ycin hel" yn uchel dros y lle, a hithe'n holi, "Be ddeudest ti, Aled?" cyn i mi ailadrodd y ddau air anfarwol eto. Dyma Miss Williams yn holi ble oeddwn i wedi clywed ffasiwn eiriau fel yna, cyn i mi ateb, "O, dyna be mae Mam yn gweiddi ar Dad adre, pan mae'r *washing machine* ddim yn gweithio!"

Druan â hi! Mae Ann wedi aros yn Nyffryn Dyfi ers hynny, yn byw ym Mhennal ger Machynlleth, ac mae Alun, ei mab, wedi priodi cyfnither gynta i mi! Bu fy nghyfnod yn ysgol y pentref yn un hapus iawn ac roedd yr athrawon eraill hefyd yn fy annog i wneud yn dda, un ai efo gwaith ysgol neu drwy berfformio. Dwi'n cofio Mr Meirion Jones, y prifathro, yn trio dysgu pump ohonom ni'r bechgyn i wneud meim i gerddoriaeth i'r cyngerdd Nadolig, a finne wedi 'ngwisgo fel Stevie Wonder mewn sbectol haul dywyll yn meimio, 'I just called to say I love you'. Dyddiau da! Roeddwn wrth fy modd yn yr ysgol yn y pentref, ac mae pawb yn deud fy mod yn fachgen bach da, cwrtais drwy'r adeg.

Wedi ychydig o lwyddiant yn y Cyfarfod Bach ac Eisteddfod yr Hen Gapel yma, yn Llanbryn-mair, dechreuodd Mam fynd â fi o amgylch yr eisteddfodau yn y Canolbarth, a ches ychydig o hyfforddiant gan ambell un yn yr ardal i ddysgu'r caneuon. Dwi wedi bod yn lwcus iawn dros y blynyddoedd cynnar o gael athrawon da y tu allan i'r ysgol i'm dysgu, gan ddechrau gyda Mrs Gwyneth Jones, Y Llysun, Llanbryn-mair. Dwi'n cofio mynd ati i'r tŷ mawr gwyn yn y pentref gan fynd i'r ystafell ffrynt a gweld y *grand piano* mawr yno. Roedd hi'n gyfeilyddes arbennig iawn hefyd, ac roedd nifer o gantorion amlwg yn mynd ati am ymarfer cyn iddynt fynd i steddfota. Ces hyfforddiant hefyd gan Mrs Gwenfron Barrett yng Ngharno am gyfnod, ychydig o wersi gyda Bryn Davies yn Llanwnnog, ac yn ddiweddarach, pan oeddwn yn fy arddegau, gyda Mrs Jen Evans yma yn Llanbryn-mair. Dwi'n gwerthfawrogi'r amser roddodd pob un ohonynt i drio cael rhyw siâp arna i.

Dwi ddim yn credu i mi fod yn fachgen llonydd iawn, ac roedd angen tipyn o amynedd i'm hyfforddi a finne ddim yn canolbwyntio drwy'r amser. Ces ambell i wobr yn yr eisteddfodau dros y blynyddoedd cynnar yna, ac mae genna i dipyn o gwpanau a rhubanau yma i gofio'r cyfnod hefyd. Roeddwn yn mynd yn flynyddol i Eisteddfod Powys, sy'n eisteddfod ranbarth ddeuddydd deithiol reit fawr yn y Canolbarth. Dwi'n cofio mynd i'r Powys yn Llanrhaeadr-ym-Mochnant gan ddod adre gyda dau gwpan arian y diwrnod hwnnw a finne tua deg oed. Mae genna i atgof hefyd o gael diwrnod llwyddiannus yn Eisteddfod y Foel, Llangadfan, gyda Gwyn Erfyl a'i wraig Lisa yn beirniadu. Ces ganmoliaeth arbennig gan Lisa Erfyl am ganu, a derbyniais Wobr Goffa Gwilym Gwalchmai am yr unawdydd mwya addawol yn yr eisteddfod ganddi. Roedd profiad o gystadlu yn yr eisteddfodau yn amhrisiadwy, rhywbeth den ni'n ei gymryd yn ganiataol yma yng Nghymru, ond sydd ddim yn digwydd dros y ffin yn Lloegr.

Roeddwn yn cystadlu yn Eisteddfod yr Urdd yn flynyddol, gan ddod i'r brig yn Eisteddfodau'r Cylch a'r Sir droeon. Ond ni fues yn llwyddiannus o gwbl yn Eisteddfod Genedlaethol yr Urdd tan oeddwn yn fy ugeiniau cynnar, gan fethu allan ar y llwyfan bob tro. Dwi'n credu i mi fynd drwodd i'r Genedlaethol yn agos i bymtheg gwaith cyn cael llwyfan am y tro cynta ym Mro Preseli yn 1995. Mae genna i ambell i feirniadaeth gyda'r geiriau "yn agos iawn i'r llwyfan", ond doedd hi ddim i fod. Wrth edrych yn ôl, doeddwn i ddim yn ddigon da, a doedd fy ymroddiad i'r cystadlaethau ddim cweit yno o gymharu fy mherfformiad â'r goreuon yn fy erbyn, er i mi drio'n galed bob tro. Be sy'n eironig yw pan ddois i'r llwyfan yn 1995, ces lwyfan ar bron popeth wedyn fel unawdydd wedi hynny! Rhyfedd o fyd.

Aeth parti unsain o ysgol fach Llanbryn-mair ymlaen i'r Genedlaethol un flwyddyn pan oeddwn rhyw ddeg oed. Y fi oedd yr unig fachgen yn y parti, gyda rhyw ddwsin o ferched yn gwmni i mi. Wrth gwrs, flynyddoedd yn ôl yn yr Urdd, roeddech yn cael aros gyda theuluoedd yn ardal yr Eisteddfod, ac roedd hyn yn dipyn o brofiad i bawb. Yn anffodus, mae'r drefn honno wedi gorfod newid erbyn heddiw oherwydd cyfyngiadau a rheolau amddiffyn plant, sy'n drueni mawr oherwydd roeddem yn cael croeso arbennig gan y teuluoedd yma bob tro. Roedd o'n un o brofiadau bywyd.

Ddiwedd yr wythdegau dyma fi'n mynd i Eisteddfod Powys yng Nghroesoswallt. Doedd fy llais ddim cweit wedi torri. Roeddwn yn cystadlu ar yr unawd dan un ar bymtheg ac yn canu'r gân 'F'annwyl wyt Ti', yr aria hyfryd gan Giordani. Roeddwn wedi canu'n reit dda yn y rhagbrawf, a ches wybod fy mod wedi cael llwyfan nes ymlaen yn y prynhawn. Y gyfeilyddes yn y rhagbrawf oedd Eirian Owen o Ddolgellau, sef un o gyfeilyddion gorau'r wlad, ac arweinyddes Côr Godre'r Aran. Chwarae teg iddi, ddoth hi draw ataf wedi'r rhagbrawf i fy nghanmol, ac yna fy ngwahodd draw at ei char y tu allan i mi gael gwrando ar rywbeth roedd hi wedi bod yn gwrando arno y bore hwnnw wrth iddi yrru i'r eisteddfod. Roedd tâp yn chwarae yn y car o oreuon y tenor enwog Luciano Pavarotti, a deudodd wrtha i am wrando. Roedd hi'n ddiwrnod braf ac roeddwn yn eistedd ar y borfa wrth ei char pan glywais y gân dan sylw, sef 'Caro mio ben', y fersiwn gwreiddiol Eidaleg o'r aria roeddwn i'n ei chanu y diwrnod hwnnw yn yr eisteddfod. Rhyfeddais at y llais arbennig yma yn canu mor rhwydd gyda thechneg anadlu anhygoel ganddo. Awgrymodd Eirian wrtha i am ymlacio ac i drio cwpl o bethe bach fel roedd Pavarotti yn eu gwneud, a dyna wnes i ar y llwyfan. Roeddwn yn meddwl am y llais godidog yma wrth ganu fy aria ar y llwyfan, ac wrth fy modd pan ges fy nyfarnu'n gynta yn y gystadleuaeth.

Wedi i fy llais dorri a dechrau setlo, dechreuais feddwl ychydig rhagor am y cyngor ges i gan Eirian Owen yng Nghroesoswallt y diwrnod hwnnw. Penderfynais holi'n garedig iddi a fydde hi'n fodlon rhoi ychydig o hyfforddiant lleisiol i mi, ac roeddwn wrth fy modd pan gytunodd yn syth. Dwi'n cofio i Mam ddod efo fi y ddau dro cynta oherwydd roeddwn wedi dechrau gyrru, ond heb basio fy mhrawf. Ddaliodd hynny ddim yn hir, oherwydd rhyw fis a hanner wedi i mi droi'n ddwy ar bymtheg roeddwn wedi pasio 'mhrawf ac roedd fy nhraed yn rhydd i fynd ble y mynnwn!

Er i mi gael hyfforddiant da gan athrawon eraill, roedd yr amser wedi cyrraedd i mi fynd at rywun newydd oedd wedi hyfforddi nifer o gantorion dros y blynyddoedd, ac roedd yn gyfeilyddes heb ei hail hefyd, a chanddi ddewis da o ganeuon i bobl ifanc. Weles i neb tebyg iddi ar y piano chwaith. Petai cân ddim yn siwtio oherwydd ei bod yn rhy isel neu'n rhy uchel, bydde Eirian yn medru chware'r cyfeiliant mewn cyweirnod arall heb feddwl ddwywaith. Roedd hyn yn help mawr, oherwydd roedd ambell i beth hoffen i ganu, ond doedd dim copi efo fi, neu doedd o ddim yn y cyweirnod cywir. Ond roedd gan Eirian bentyrrau o ganeuon addas ar gyfer pob llais, a dechreuais arni gan ganu caneuon newydd sbon oedd yn addas i'r llais ar y pryd. Erbyn heddiw, oherwydd datblygiadau technegol y we, gallaf ddod o hyd i gopi o unrhyw gân dan haul ar unwaith, gan ddewis y cyweirnod priodol cyn ei hargraffu mewn cwpl o funudau. Ond cyn hynny, roeddwn yn dibynnu ar Eirian i'w hysgrifennu allan i mi.

Mi ddysgais lawer iawn gan Eirian yn y blynyddoedd cynta yna, gan ddysgu sut i anadlu'n gywir drwy'r diaffram, ac mae'r dechneg honno a ddysgais yng nghartref Eirian yn dal efo fi hyd heddiw. Cawsom lot fawr o hwyl, ac roedd Elfyn, gŵr Eirian, yno yn ein gwylio weithiau. Fues am yn hir iawn yn meistroli'r dechneg, ac roedd Eirian yn sefyll y tu ôl i mi ambell dro yn gafael rownd fy asennau a fy ochrau i weld a oeddwn yn anadlu i mewn yn gywir wrth drio canu rhywbeth yr un pryd. Wedi meistroli'r anadl, cryfhaodd fy llais, ac roedd genna i'r sylfaen i gario brawddegau heb golli purdeb y llais drwy'r cymalau. Roedd fy nodau uchaf yn agored iawn ar y dechrau, ac roedd angen ailfeddwl sut oeddwn am ganu'r nodau yma fel eu bod ddim yn sefyll allan. Deudodd Eirian wrtha i o'r dechrau ei bod hi ddim yn hyfforddwraig llais broffesiynol, ond roedd yn gallu deud a oeddwn i'n lleisio'n gywir neu beidio, a chan mai fi oedd un o'r tenoriaid cynta iddi ei ddysgu, bydde hithe'n dysgu wrth fynd ymlaen hefyd. Dwi'n cofio cerddor adnabyddus o'r de sy'n dysgu pobl i ganu mewn colegau cerdd yn fy nghanmol rai blynyddoedd yn ddiweddarach am ganu'r llafariad 'i' ar y nodau top, ac roedd yn holi sut oeddwn yn gallu canu'r nodau hynny mor rhwydd heb i'r sain fynd yn rhy denau. Fy ymateb i oedd bod angen canu'r nodau hynny ar y llafariad 'u bedol' Gymraeg sydd yn sain fwy *polished*, a bod hynny'n helpu.

"Oh, very clever," meddai! "I'll have to try that with my students."

Un o'r caneuon clasurol cynta i mi ei dysgu gydag Eirian oedd yr aria Eidaleg 'O del mio dolce ardor', cân hyfryd gan y cyfansoddwr Gluck. Y trafferth mawr i mi oedd dysgu'r geiriau Eidaleg. Doedd genna i ddim syniad o gwbl, ond mi ddysgodd Eirian fi sut i ynganu'r geiriau'n gywir a hefyd ysgrifennu'r geiriau i lawr i mi'n ffonetig i mi gael dysgu'n gyflymach. Erbyn heddiw mae canu'n Eidaleg yn ail natur i mi a gallaf ddilyn y geiriau ar y copi yn ddigon hwylus, er does genna i ddim gormod o syniad beth mae'r brawddegau'n ei feddwl weithiau chwaith. Ond cyn perfformio mewn cystadleuaeth, bydden ni'n dau yn edrych dros y geiriau i ddeall ystyr pob un er mwyn i mi allu cyflwyno'r stori i'r gynulleidfa. Mae Eirian yn giamstar ar gael yr unawdydd i ddeall stori pob cân – rhywbeth sy'n hanfodol os rydych am lwyddo mewn cystadleuaeth. Mae'n rhaid deall natur y geiriau fel eich bod yn gallu rhoi'r teimlad cywir i bob llinell, sydd wedyn yn cael ei ymestyn tuag at y gwrandawyr a'r beirniaid mewn cystadleuaeth, gan eu hudo i mewn i'ch perfformiad. Doeddwn i ddim yn cytuno weithiau gyda phopeth roedd hi'n ei ddeud, a bydden i'n cwestiynu ambell beth ac weithiau bydde hi'n newid ei meddwl, ond roedd clust dda ganddi a hi oedd fel arfer yn gywir! Mae cael rhywun fel yna sy'n berffeithydd yn fantais fawr ac roedd yn rhaid ei gael o'n gywir cyn mynd adre.

Er bod pethe'n gwella yn araf, roedd tipyn o waith i'w wneud eto i fod yn safonol mewn cystadleuaeth. Doedd y llais ddim yn barod i berfformio caneuon mawr anodd, a doedd unawdau fel yr Hen Ganiadau Cymreig a'r arias operatig ddim yno eto yn lleisiol, felly roedd rhaid dewis yn gall beth i'w ganu. Dyna un rheswm pam fy mod wedi troi at ganu gwerin am gyfnod, oherwydd roedd modd i mi ddewis caneuon addas, dewis fy nghyweirnod a dangos fy nghryfderau drwy gymeriadu. Bues yn ffodus o gael tipyn o lwyddiant ar ganu gwerin, ond yn realistig roeddwn yn ysu am droi at yr unawdau Cymreig cyfarwydd a'r unawdau poblogaidd clasurol. Roeddwn yn gwrando yn y car ac yn fy ystafell wely ar gantorion eraill enwog yn canu'r caneuon yma ac yn ceisio'u hefelychu. Anghofia i byth y foment pan drawais y nodyn B fflat uchaf yna ar ddiwedd 'Nessun Dorma' wrth ganu gyda Pavarotti yn fy llofft, wedi misoedd o drio a methu! Roedd hi'n eiliad sbesial. Dyna sut datblygodd y llais, dwi'n credu, drwy ganu gyda thapiau a recordiau unawdwyr o fri fel Stuart Burrows, David Lloyd a Pavarotti.

Mae Mam a Dad wedi deud ers i mi fod yn blentyn ifanc bod diddordeb mawr genna i mewn canu clasurol Cymreig ar y teledu. Bydde *Sion a Siân* ymlaen yn wythnosol ac ar ddiwedd y rhaglen bydde Dai Jones Llanilar yn canu cân neu emyn i gloi'r rhaglen. Roedd rhaid eistedd yn llonydd i wylio hwnnw bob tro ac yna'n syth wedi iddo orffen canu bydden i'n codi a mynd i'r gwely! Dwi'n cofio hefyd y tenor enwog, Stuart Burrows, yn dod i neud cyngerdd yma yn y ganolfan yn Llanbryn-mair yn 1987 i godi arian i Eisteddfod yr Urdd, ac roeddwn wedi fy hudo gan ei lais arbennig. Mae wedi bod yn arwr i mi erioed, er 'mod i heb siarad â fo na'i weld ers hynny. Mae ambell un wedi deud dros y blynyddoedd fy mod yn edrych yn ddigon tebyg iddo, ac ambell un yn deud bod fy llais i'n debyg iddo hefyd. Dwi ddim mor siŵr am hynny, er mae'n ganmoliaeth sy'n werth ei chael.

Ddiwedd y nawdegau holais i Eirian am ganeuon newydd Cymreig, ac allan o'i phentwr o ganeuon daeth yr unawd 'Yr Hen Gerddor', sef un o'r Hen Ganiadau. Roeddwn wrth fy modd â hon oherwydd roedd stori dda i'r gân, alaw hyfryd, a diweddglo cadarn cryf. Mae hon yn dipyn o ffefryn gyda Dad hefyd! Wedi ei dysgu'n iawn, bues yn canu'r gân yma mewn eisteddfodau lu ac roedd yn mynd i lawr yn dda ym mhobman. Dois yn fuddugol yn canu'r 'Hen Gerddor' yn Eisteddfod Genedlaethol y Ffermwyr Ifanc 'nôl yn 1999, a dwi'n gallu cofio'r gymeradwyaeth fawr wedi i mi orffen canu. Roedd hynny'n dipyn o wefr! Dwi'n cofio hefyd i mi ganu'r unawd yma sawl blwyddyn yn ddiweddarach mewn cyngerdd ym Mhenffordd-las. Sylwais hanner ffordd drwy'r cyngerdd bod un dyn bach wedi cysgu yn y gynulleidfa, a phan oeddwn yn canu'n dawel roeddwn yn gallu ei glywed yn chwyrnu'n braf yn y drydedd res! Wrth gyrraedd rhan olaf 'Yr Hen Gerddor', mae'r gân yn tawelu eto wrth i'r hen ŵr farw, ac yna mae 'na gord uchel, dramatig ar y piano wrth iddo ddeffro yn y nefoedd, cyn i mi ganu'n gryf, 'Dihunodd fry a'i fysedd gwyn ar dannau y delyn aur!' Wel, mi neidiodd y cr'adur allan o'i sêt, a finne'n mynd amdani hefyd i geisio'i ddeffro fo. Chysgodd o ddim wedyn!

Un o ddiwrnodau mwya llwyddiannus fy ngyrfa oedd y Sadwrn olaf yn yr Eisteddfod Genedlaethol yn Sir Ddinbych yn 2001 – blwyddyn clwy'r traed a'r genau – pan enillais Wobr Goffa y Fonesig Herbert Lewis, sef prif gystadleuaeth y canu gwerin, yn ogystal ag ennill y gystadleuaeth Unawdydd 2001 yno hefyd. Yn sgil hynny daeth galwadau i ganu mewn cyngherddau fel unawdydd, gan gynnwys cyngerdd Nadolig y *Daily Post* ym Mhafiliwn Rhyngwladol Llangollen gyda Chôr Godre'r Aran yn ddiweddarach y flwyddyn honno. Rai misoedd wedyn dyma fi'n cael cyfle, drwy garedigrwydd Eirian Owen, i ymuno â Chôr Godre'r Aran yn eu cyngherddau ar draws y wlad. Hwn oedd y *big break* cynta i mi, oherwydd os oeddwn yn ddigon da i fynd i wneud cyngherddau gyda nhw, roedd rhaid fy mod yn gwneud rhywbeth yn iawn. Roedd nifer o gantorion amlwg yn y côr ac roedd hi'n anrhydedd cael rhannu llwyfan â nhw bob amser, gan ryfeddu bob tro at eu sain gyfoethog. Rhoddodd hyn dipyn o hyder i mi, a hefyd yn sgil fy mherfformiadau gyda Chôr Godre'r Aran, daeth galwadau pellach gan gymdeithasau eraill i mi berfformio iddyn nhw.

Yn hen neuadd bentref Llanrhaeadr-ym-Mochnant gwnes fy nghyngerdd cynta gyda Godre'r Aran, a ches groeso mawr gan bob un ohonynt, o'r eiliad y cerddais i mewn i'r neuadd. Roeddynt i gyd yn griw hapus a hwyliog, yn deall eu cerddoriaeth, ac roedd lot fawr o dynnu coes a chymdeithasu, fel sydd mewn llawer o'n corau meibion. Daeth mwy o alwadau gyda Godre'r Aran o hynny ymlaen gan gynnwys cyngherddau y tu allan i Gymru hefyd. Doeddwn i ddim wedi perfformio mewn gwlad arall fel unawdydd clasurol o'r blaen, a chan fod llawer o'r cyngherddau yn Lloegr roedd rhaid dysgu caneuon newydd yn yr iaith fain! 'Because' oedd y ffefryn bob tro, a'r unawd o'r sioe gerdd *South Pacific*, 'Some Enchanted Evening'. Bues gyda Godre'r Aran dros y ffin sawl tro, gan berfformio yn Chelmsford, Swindon, Poulton-le-Fylde, Stockport, Hull, Ripon a chastell Bromwich, cyn cael gwahoddiad yn ddiweddarach i ymuno â hwy dramor.

Er i mi ddysgu cymaint yng nghwmni Eirian, dwi wedi cael tipyn o hyfforddiant pellach gan gerddorion eraill dros y blynyddoedd hefyd. Es at Brian Hughes, Gresffordd, am gyfnod byr, ond er mor frwdfrydig oedd Brian yn y gwersi i lunio'r caneuon, roeddwn i yn y cyfnod hwnnw yn edrych mwy am rywun i hyfforddi'r llais i ganu'r unawdau, yn hytrach na lliwio'r caneuon fel mae Brian yn giamstar am ei wneud; felly penderfynais edrych am rywun arall. Dim bai Brian oedd hynny, mae o'n hyfforddwr arbennig, ond doedd pethe ddim cweit yn clicio. Mae techneg llais yn angenrheidiol i gantorion clasurol os am ganu'r caneuon operatig mawr yma, a hefyd yn diogelu'r llais am flynyddoedd i ddod. Mae angen techneg gadarn, yn enwedig yn y *passagio* uchaf lle mae'r llais yn newid wrth ganu drwy'r nodau F i fyny i'r A uchaf. Heb newid eich ffordd o ganu wrth nesáu at y *passagio* yma, mae'r nodau'n gallu chwalu a swnio'n llawer rhy agored, felly rhaid addasu eich ffordd o ganu trwy'r cymal yma gan beidio ei wneud yn amlwg i'r gwrandawyr. Wedi i chi gyrraedd y nodyn A uchaf ac i fyny i'r entrychion mae'n iawn, a gallwch ganu'r rheini yn agored ac yn hyderus.

Ychydig fisoedd wedyn, ar ddechrau 2004, ces gyngor i fynd i weld Colin Jones yn Rhosllannerchrugog am hyfforddiant, ac roedd Eirian hefyd yn fy argymell i fynd i'w weld. Mae Colin, fel Brian Hughes, yn feistr ar y grefft o hyfforddi cantorion, ond roeddwn yn tueddu i fod ar yr un donfedd â Colin o'r dechrau – yn siarad am snwcer, pêl-droed, a chantorion eraill ar ganol y wers. Roedd Colin yn giamstar ar ddatblygiad llais, a wnes i ddysgu cymaint ganddo dros y ddwy flynedd bues yn mynd ato yn achlysurol. Flynyddoedd yn ôl, roedd Colin yn gweithio yn y coleg cerdd ym Manceinion gyda'r hyfforddwr lleisiol Frederic Cox, a oedd yn enw mawr yng nghyswllt datblygiad y llais operatig. Roedd wedi hyfforddi enwogion o fri dros y blynyddoedd – ac roedd o ei hun wedi cael hyfforddiant gan y tenor enwog o'r Eidal, Aureliano Pertile. Wrth wrando ar wersi Frederic Cox, dysgodd Colin Jones y grefft o ganu'n hwylus drwy'r *passagio* uchaf, ac mae'r dechneg honno yn bendant i'w chlywed wrth i chi wrando ar hen recordiau o gorau meibion enwocaf Colin, sef Côr Meibion y Rhos, ac yn ddiweddarach Cantorion Colin Jones, gyda'r sain gyfoethog bur honno drwy'r côr cyfan.

Bues yn ffodus iawn o allu dysgu'r grefft yma gan Colin, ac mae'n dal genna i hyd heddiw, ac mi af yn ôl weithiau i wrando ar ambell i wers wnes i ei recordio gyda Colin flynyddoedd yn ôl i'm hatgoffa o'r dechneg. Roedd yn ddigon syml yn y diwedd, ond roedd rhaid gweithio a gweithio ar y dechneg i'w meistroli a'i chofio ym mhob cân, a hefyd y dechneg o anadlu'n gywir. Daeth pethe'n ddigon naturiol yn y diwedd, a dwi'n bendant yn credu bod fy llais wedi datblygu'n aruthrol wedi hyn, ac mae fy niolch yn fawr i Colin am hynny. Bu hyn yn drobwynt yn fy ngyrfa, oherwydd roeddwn yn teimlo dipyn yn fwy hyderus cyn mynd ar lwyfan. Roeddwn yn gallu taclo'r caneuon mawr operatig gydag egni. Roedd y llais fel petai'n dal yn hirach heb flino, ac roedd pethe ar i fyny eto.

Yn 2005 awgrymodd rhywun i mi gael gwers gan y cyfarwyddwr cerddorfa, John Pryce-Jones, gan ei fod yn hyfforddwr da iawn, a chanddo dipyn o gysylltiadau yn y byd cerddorol. Cymro o Benarth ydoedd, ond wedi byw ers blynyddoedd lawer ym mhentref Ripponden, Swydd Efrog – rhwng Manceinion a Leeds. Roedd yn perthyn i'r teulu Pryce-Jones o'r Drenewydd, sef yr arloeswyr busnes o'r bedwaredd ganrif ar bymtheg a ddechreuodd y gwasanaeth cynta yn y byd o archebu parseli drwy'r post – yr Amazon cynta erioed!

Roedd John Pryce-Jones yn byw ar dyddyn bach y tu allan i bentref Ripponden, ac yn cadw cwpl o geffylau a llond llaw o ddefaid. Wedi cael fy ngwers gynta ganddo a siarad am y ffarmio, dyma fo'n awgrymu i mi ddod â 'mheiriant cneifio efo fi'r tro nesa, ac os byddwn yn cneifio ei bum dafad iddo, bydde fo'n rhoi gwers ganu i mi am ddim! A dyna'r hyn a fu – cneifio'r defaid am ryw ddeg munud ac yna gwers ganu am awr a hanner yn y tŷ! Y fi gafodd y ddêl orau y diwrnod hwnnw! Roedd o wrth ei fodd, ac mae'n dal i adrodd y stori honno hyd heddiw wrth gantorion Cymreig.

Wedi ryw chwe mis, a finne wedi bod ato nifer o weithiau, dyma John yn awgrymu fy enw i gwmni Raymond Gubbay, sef cwmni mawr sy'n trefnu cyngherddau ac yn hyrwyddo cerddoriaeth glasurol ym Mhrydain. Ychydig wythnosau yn ddiweddarach, ces wahoddiad i ganu mewn pedwar cyngerdd arbennig mewn neuaddau mawr yn Lloegr – a'r rheini reit yng nghanol y tymor wyna! Roedd yn ormod o gyfle i'w wrthod, felly cytunais i fynd amdani.

'Last Night of the Spring Proms' oedd y daith gerddorol ac roedd pob cyngerdd gyda cherddorfa lawn efo dros 60 o bobl, gyda John yn eu harwain. Dyma'r tro cynta erioed i mi ganu gyda cherddorfa ond roedd y gwersi a'r ddealltwriaeth rhyngddo i a John wedi fy helpu i fod gyda'n gilydd ar y noson. Roedd y gerddorfa'n swnio'n fendigedig ac roedd hi'n bleser cael canu gyda nhw. Roedd o'n gyngerdd tebyg iawn i noson olaf y Proms yn Neuadd Albert yn Llundain, gyda'r ffefrynnau cerddorfaol i gyd, a finne wedyn yn canu'r clasuron, 'La donna è mobile', 'Nessun Dorma' ac 'O sole mio'.

Roedd y cyngerdd cynta un yn y Symphony Hall, Birmingham – un o neuaddau cerdd hyfryta'r wlad – ac roedd yr acwsteg yno'n fendigedig. Trefnodd Linda Gittins, un o arweinwyr Cwmni Theatr Maldwyn, a'i gŵr Geraint lond bws i ddod i'r cyngerdd – nifer ohonynt o gôr Meibion Llanfair Caereinion a nifer o fy nheulu a'm ffrindiau. Roedd hi'n bleser cael y gefnogaeth honno yn y cyngerdd gyda phawb wedi mwynhau'r profiad yn fawr.

Roedd dau unawdydd ym mhob cyngerdd, ac ar y noson gynta honno yn y Symphony Hall ces gwmni'r bariton hyfryd David Kempster o'r Waun, ger Wrecsam, canwr byd-enwog gyda llais o'r radd flaenaf – a Chymro arall! Roedd hi'n fraint cael canu gyda fo, yn enwedig gan mai'r noson honno y canais y ddeuawd enwog 'Y Pysgotwyr Perl' – y 'Pearl Fishers' – am y tro cynta erioed. Dyna wefr – canu yn un o brif neuaddau Prydain o flaen neuadd orlawn o 2,200 o bobl, a hynny gyda un o gantorion enwocaf ein gwlad gyda cherddorfa lawn tu cefn i ni! Alle bywyd fod ddim gwell – er bod y defaid newydd ddechrau wyna! Dwi'n Gymro i'r carn, ac roedd gweld y baneri Jac yr Undeb yn chwifio o'r gynulleidfa ychydig yn anghyfforddus, felly roeddwn wedi paratoi drwy wneud yn siŵr bod genna i faner fawr Cymru efo fi ar y llwyfan dan fy nghôt i'r *finale* gan ei rhoi dros fy ysgwyddau i'r gân olaf. Roedd pawb fel petaen nhw'n hoffi hynny a ches floedd a chymeradwyaeth fawr gan y Cymry am hyn!

Bythefnos yn ddiweddarach ces ganu yn yr hyfryd Bridgewater Hall, Manceinion, i neuadd orlawn eto o dros 2,000 o bobl, cyn symud ymlaen i ganu ym mhrif neuadd gyngerdd Leicester, y De Montfort Hall, cyn gorffen y daith ym mhafiliwn Southend-on-Sea. Dyna oedd taith wefreiddiol, ac mae'r diolch i John Pryce-Jones am roi'r cyfle i mi. Roedd o wrth ei fodd hefyd gyda sut aeth pethe.

Wedi i mi gystadlu yng Ngŵyl Fawr Aberteifi yn 2006 ac ennill cystadleuaeth y Rhuban Glas yno, dyma fi'n cysylltu ag un o feirniaid y gystadleuaeth, sef y tenor Ryland Davies. Roedd wedi fy nghanmol yn fawr o'r llwyfan, ac wedi awgrymu ambell i beth fydde'n help i mi yn y dyfodol. Mae Ryland yn enw cyfarwydd iawn yn y byd cerddorol, ac wedi canu yn y Tŷ Opera yn Covent Garden a'r Met yn Efrog Newydd niferoedd o weithiau, yn ogystal â pherfformiadau mawr ym myd canu oratorio. Mae hefyd yn un o hyfforddwyr lleisiol coleg cerdd yr Academi yn Llundain ac mae parch mawr tuag ato. Roedd yn llawn canmoliaeth am fy mherfformiadau yn Aberteifi ac wedi i mi gysylltu, roedd yn falch o allu helpu.

Bythefnos yn ddiweddarach gyrrais i lawr i Swydd Surrey i'w gartref, taith o dros bedair awr a chael sgwrs ddifyr am y canu ac ati. Dysgais nifer o bethe ganddo, yn enwedig ambell i dechneg newydd ar sut i gadw'r llais i droi drwy bob nodyn heb ddefnyddio gormod o egni. Roeddwn wedi mwynhau yn fawr, a defnyddiais ychydig o'i gyngor wrth gystadlu yn y Genedlaethol yr wythnos wedyn, pan enillais y Rhuban Glas. Es at Ryland tua pedair gwaith i gyd, ac roedd yn fy nghanmol i'r cymylau ar adegau. Ychydig gormod weithiau, oherwydd roedd yn deud pethe mawr wrtha i, fel fy llais i oedd y llais tenor gorau a'r mwya cynhyrfus iddo'i glywed ers blynyddoedd maith, ers dyddiau cynnar Dennis O'Neill! Ro'n i'n credu ei fod yn gor-ddeud, ond wedi'r drydedd wers roedd yn fy annog i fynd ymlaen i fod yn ganwr proffesiynol. Roedd eisoes wedi cael gair â rhywun amdana i yn Llundain ac yn awgrymu y gallwn gael cyfweliad ar frys i fynychu'r National Opera Studio yn Llundain, sef cwrs ôl-radd gyda lle i ddim ond llond llaw o'r goreuon. Roeddwn yn llawn edmygedd o'i hyder ynddo i ac yn cael breuddwydion falle y gallen i fynd ymlaen i fod yn rhyw brif unawdydd ar lwyfannau mwya Prydain...

Ond, roedd genna i lawer iawn o bethe i'w hystyried fel arall hefyd – y ffarm adre ym Mhentremawr, y bartneriaeth busnes gyda fy nhad, a hefyd roeddwn newydd briodi ac yn hapus fy myd yma yn Llanbryn-mair. Oeddwn i eisiau mynd yn ôl i goleg i astudio? Doeddwn i ddim yn rhy hapus yn gwneud gwaith ysgol i ddechrau, heb sôn am fynd yn ôl i fyd addysg eto. Bydde pawb arall ar y cwrs wedi bod drwy dair neu bedair blynedd o goleg cerdd cyn y cwrs yma, o bosib, hefyd ac yn medru ieithoedd eraill, ac yn canu'r piano – pethe nad oeddwn i'n gallu eu gwneud. Dim ond 'Hen Wlad fy Nhadau' efo un bys roeddwn i'n gallu ei chware! Pwy fydde'n rhedeg y ffarm am flwyddyn tra o'n i i ffwrdd? Bydde newidiadau mawr o fy mlaen a'r teulu i gyd, ac os bydden i'n mynychu'r cwrs, dim ond y dechrau fydde hynny – bydde'n rhaid elwa o'r cyfle wedyn fel unawdydd operatig, a bydde dod adre i ffarmio bron yn amhosib os oedd y canu'n mynd yn dda. Ai dyna oeddwn i am ei wneud?

Wrth bendroni, cofiais amdana i'n darllen y papur newydd *Ninnau*, sef papur newyddion Cymry Gogledd America, lle roedd erthygl yno amdana i wedi fy nghyngerdd cynta yng Nghapel Cymraeg Los Angeles yn 2003, gyda'r awdur David Evans yn fy nghanmol ac yn deud hyn: "It is my belief that Aled Wyn Davies has a voice, other assets and potential to take up a full-time career as a professional singer. He should certainly discuss the possibilities with his coaches and people associated with the National Opera companies. Aled has a close bond to the land and livestock farming and any decision he makes will be a difficult one. The EEC says there are too many farms in Europe. That may be so, but there are never too many fine tenors. To have a great singing voice is to have a gift from God and should never be wasted."

Meddyliais gryn dipyn am y geiriau yma, ond yn y bôn doedd dim angen meddwl rhyw lawer cyn penderfynu. Roedd fy nghalon yn rhy agos i'r tir a'r teulu adre a phenderfynais beidio â mynd ymlaen â'r cwrs. Cofiwch, mae 'na siawns uchel iawn na fydden i wedi cael fy nerbyn beth bynnag, ond mae'n braf meddwl bod rhywun mor uchel ei barch â Ryland Davies wedi gweld rhyw botensial ynddo i.

Wrth edrych yn ôl heddiw, dwi'n dal yn sicr fy marn fy mod wedi gwneud y penderfyniad cywir, er mae 'na ambell i ddiwrnod gwlyb ac oer pan dwi allan ar y mynyddoedd yma pan dwi'n ystyried newid fy meddwl, cofiwch. Ond unwaith mae'r haul 'nôl allan, mae'r atyniad at y bywyd gwledig adre yn cryfhau eto. Dwi ddim yn deud y dylai pob mab ffarm wneud yr un penderfyniad chwaith – i'r gwrthwyneb os rhywbeth, oherwydd mae sefyllfa pawb yn wahanol a rhaid i chi fynd gyda'ch greddf – rhywbeth dwi wedi'i neud drwy fy oes. Erbyn heddiw mae pethe wedi gweithio allan yn dda iawn i mi. Dwi wedi cael y gorau o'r ddau fyd – yr amaethu adre, a chael canu ar y penwythnosau i gynulleidfaoedd hyfryd gydag ambell i daith dramor bob yn hyn a hyn. Be well mae rhywun eisiau? Deudodd Tom Gwanas wrtha i un tro ei bod hi'n bwysig bod ambell gantor da yn aros yn agos at ei wreiddiau adre, neu pwy fydd ar ôl i ddiddanu cynulleidfaoedd ar draws Cymru yn ein heisteddfodau a'n cyngherddau os eith pawb sydd ag ychydig o botensial i'r coleg? Roedd yn llygad ei le, a rhaid cofio hynny.

11

Karina

MAE LLAWER WEDI holi dros y blynyddoedd ble nath y ddau ohonon ni gwrdd, ac mae'n stori draddodiadol, ramantus! Roedden ni'n dau yn aelodau o'r ffermwyr ifanc – y finne ym Mro Ddyfi a Karina yn aelod o glwb Pennant, Ceredigion. Adeg Eisteddfod Genedlaethol y mudiad oedd hi, yn y Drenewydd, gan mai ein tro ni ym Maldwyn oedd hi i gynnal yr eisteddfod, ac enillwyd nifer o wobrau drwy'r dydd. Un o fy nyletswyddau gyda'r nos oedd cael canu yn seremoni'r Cadeirio ac roeddwn yn edrych ymlaen at wneud hynny. Ann Fychan oedd Meistres y Seremoni, a'r Prifardd Cyril Jones oedd yn beirniadu. Roedd rhaid iddo draddodi beirniadaeth y cerddi a'r straeon byrion ar wahân, cyn dewis pa un fyddai'n haeddu'r Gadair. Dyfarnodd mai'r gerdd fuddugol oedd yn ennill, a honno ar y testun 'Twll yn y Wal'.

Pan ddaeth yr amser i ddatgelu'r enillydd, cododd merch ifanc ar ei thraed yng nghefn y theatr gyda nifer fawr yn ei hadnabod hi. Roedd ei hwyneb yn gyfarwydd i mi hefyd, ond doeddwn ddim yn siŵr o ble chwaith. Daeth i'r llwyfan a chyhoeddwyd mai Karina Perry o Giliau Aeron, Ceredigion oedd hi a dyma'r trydydd tro iddi ennill cadair genedlaethol y mudiad mewn pedair blynedd! Cofiais yn syth 'mod i wedi'i llongyfarch wedi'r seremoni flwyddyn ynghynt ym Mhorthaethwy. Es ymlaen i ganu 'Cân y Cadeirio' cyn mynd draw ati i'w llongyfarch gan roi sws iddi. Pwy fydde'n meddwl mai honno fydde'r sws gynta o lawer ac y bydden ni ble yden ni heddiw? Mae Cyril wedi deud wrthom yn aml ers hynny mai o'i achos o gafodd Karina gadair a gŵr y noson honno!

Athrawes Gymraeg yn Ysgol Uwchradd Morgan Llwyd, Wrecsam, oedd Karina ar y pryd. Rai wythnosau'n ddiweddarach roedd hi adre ar wyliau Nadolig gyda'r teulu yng Nghiliau Aeron ac yng nghlwb nos y Pier yn Aberystwyth dois ar ei thraws eto a chael sgwrs hir iawn â hi, ond dim byd mwy na hynny. Ddechrau'r flwyddyn, wedi'r mileniwm, roeddwn i lawr yng Nghaerdydd mewn gêm rygbi chwe gwlad a phwy welais i yno ond Nerys Groe o Lanerfyl, chwaer y ffarmwr a'r bardd Arwyn Groe. Roedd Nerys erbyn hynny'n byw ac yn gweithio yn Wrecsam ac yn rhannu tŷ gyda Karina ym Mhen-y-cae, ar gyrion Rhosllannerchrugog. Deudodd fod y ddwy wedi bod yn siarad amdana i ar ôl yr eisteddfod a bod Karina wedi dechrau holi cwestiynau di-ri amdana i. Wedi i mi holi Nerys dipyn amdani hi hefyd, cynigiodd rif ffôn Karina i mi gan ddeud wrtha i y bydde'n syniad i mi ei ffonio. Bues yn pendroni am ddeuddydd be i neud, gan ystyried bod Wrecsam yn bell o Lanbryn-mair, ond roeddwn wedi gweld rhywbeth yn ei llygaid ac roedd hi'n werth mynd amdani.

Ffoniais y rhif ar y nos Fawrth a Nerys atebodd, a dyma honno'n dechrau chwerthin cyn pasio'r ffôn i Karina. Buom yn siarad am dros awr ar y ffôn a chytunwyd i gwrdd y nos Sadwrn wedyn mewn tafarn yng Nghroesoswallt. Soniais wrth Berwyn am be oedd wedi digwydd a daeth hwnnw efo fi'r noson honno gyda'i chwaer, Eurgain, a'i gŵr, Hywel, oedd yn byw ger Llanfyllin, ac felly ddim yn rhy bell. Roedd y pedwar ohonom yn y dafarn yn aros, a dwi'n cofio Hywel yn holi i mi bob tro roedd rhywun yn dod mewn i'r dafarn ai honno oedd hi! Aeth popeth yn dda iawn y noson honno ac roeddwn yn bendant wedi gwneud y penderfyniad cywir i'w ffonio!

Yr wythnos wedyn roeddwn yn mynd dramor ar daith gyda'r grŵp Traed dan Bwrdd i Wlad y Basg, ac roedd Karina yn mynd adre i Geredigion dros hanner tymor. Cofiwch fod hyn cyn amser y ffonau symudol a'r we fyd-eang, a doedd dim sôn am Facetime a chyfryngau cymdeithasol fel Facebook. Ces rif ffôn ffarm ei rhieni ganddi ac addo ffonio pan fydde'n gyfleus i mi wneud hynny. Ar noson rydd yng Ngwlad y Basg aeth Peter, Fych a fi i'r dref yn Lekunberri am gêm o pŵl ac roeddwn wedi sôn 'mod i angen ffonio rhywun. Roedd rhaid mynd i'r ciosg dros y ffordd i ffonio. Dyma tad Karina yn ateb, gan weiddi arni bod rhyw foi diarth ar y ffôn iddi. Roedd 'na lot o foto-beics yn pasio'r ciosg pan ddoth hi i'r ffôn a deudodd Karina wrtha i fod lot o sŵn beics i'w glywed. Roedd Brian, ei thad, wedi clywed hyn ac wedi amau am yn hir mai beicar oeddwn i – ryw Hell's Angels o foi!

Rai misoedd yn ddiweddarach, ces wahoddiad i Goedybrenin i gwrdd â'i rhieni, a daeth atgofion am ganu'r gân 'Traed dan Bwrdd' i gyd yn ôl i mi, gan feddwl am yr hogyn nerfus, diniwed yn mynd i weld yr *in-laws* am y tro cynta. Ces groeso mawr o'r dechrau gan Brian a Janet a dwi wedi cael yr un croeso bob tro ers hynny, a chael llond fy mol o fwyd cyn dychwelyd adre. Mae Brian yn dipyn o gymeriad ac yn hoff o ddal i fyny gyda newyddion pawb. Mae'n dod yn wreiddiol o bentref Glanaman, a phan oedd yn hogyn ifanc bu yn y Welsh Guards, gan weithio yn un o'r bocsys yna y tu allan i Balas Buckingham. Mae ganddo sawl stori am y Dywysoges Margaret yn dod adre'n hwyr yn y nos! Symudodd i Geredigion ddechrau'r saithdegau, gan briodi Janet, merch o ardal Aberarth. Bu'n ddyn tân am flynyddoedd cyn prynu ffarm Coedybrenin rai blynyddoedd wedyn. Mae'r ffarm mewn lleoliad hyfryd yn Nyffryn Aeron, ac mae Brian a Gavin, y mab, yn cadw gwartheg a defaid yno.

Wedi i ni fod yn caru am flwyddyn a hanner, ymgeisiodd Karina am swydd dysgu Cymraeg yn Ysgol Uwchradd Llanfair Caereinion, ac wedi iddi dderbyn y swydd, penderfynom brynu tŷ gyda'n gilydd yma yn Llanbryn-mair. Symudais i mewn i Gwynfynydd fis o flaen Karina oherwydd roedd hi'n dal i weithio yn Wrecsam tan y Nadolig, ond buan aeth yr amser, a den ni wedi cael amser da iawn yma ers hynny.

Ar ddiwrnod hyfryd o haf yn 2002 aeth y ddau ohonom i

ben yr Wyddfa am dro – y tro cynta erioed i ni fod yno – ond cafodd Karina sioc fach bleserus arall ar ben y mynydd. Roedd copa'r mynydd yn llawn dop o bobl, llawer iawn o'r dwyrain pell gyda'u camerâu drudfawr, felly bu raid aros am dipyn ar y copa i'r rheini fynd o'r ffordd cyn gofyn y cwestiwn pwysig. Gofynnais i Karina fy mhriodi, a diolch byth mi dderbyniodd yn syth – wel, mi fydde hi, yn bydde?! Deudais wrthi ar y ffordd i lawr mai dros yr ochr bydde hi wedi mynd pe bai wedi gwrthod!

Aeth dwy flynedd arall heibio wedi'r diwrnod hwnnw cyn i ni briodi yn Eglwys Llanerchaeron ar ddiwrnod olaf mis Gorffennaf 2004. Cawsom ddiwrnod hyfryd dros ben, a braf oedd cael teulu a ffrindiau gyda ni i ddathlu'r diwrnod hwnnw. Holais Edryd Williams a Sara Meredydd i ganu yn y seremoni, fy ffrindiau drwy Gwmni Theatr Maldwyn, a chafodd Edryd swydd arall yn ogystal, sef gyrru'r ceir oedd yn ein cludo ni i gyd i'r briodas. Roedd Edryd yn berchen ar ddau hen gar priodas hyfryd ac roedd wrth ei fodd o gael bod yn *chauffeur* i ni, ac roedd o, a'i dad yn y car arall, yn hynod o smart! Ddim pawb sydd yn cael canu yn ei briodas ei hun, ond penderfynom i mi ganu deuawd gyda Sara yn yr eglwys – a finne'n canu'r gân 'Mae'r Gân yn ein Huno' i Karina! Cawsom wledd fendigedig yng ngwesty TyGlyn, sydd ond rhyw hanner milltir o gartref rhieni Karina, a gwrando ar areithiau bendigedig am bron i awr a phawb yn mwynhau.

Wini Goedol oedd fy ngwas priodas, ac un da oedd o hefyd. Gewch chi glywed mwy o'i hanes o yn nes ymlaen! Mi wnaeth edrych ar fy ôl ar y parti stag, pan oedd pawb arall yn trio fy meddwi'n rhacs ar noson allan yng Nghaernarfon, ac mi siaradodd yn dda yn y wledd hefyd er gwaetha'r ffaith ei bod hi'n ddau o'r gloch y bore ar y ddau ohonom yn dechrau ysgrifennu'n hareithiau yn Llanbryn-mair ar fore'r briodas, gan ein bod ni wedi mynd allan am *un* bach cyn y diwrnod mawr! Cawsom barti nos i'w gofio yng nghanol ffrindiau arbennig iawn yng nghwmni'r grŵp gwerin poblogaidd Jac-y-do, cyn cloi'r noson yn canu'r hen ffefrynnau. Be well oedd rhywun ei angen? Roedd hi'n ddiwrnod hyfryd dros ben!

Wythnos yn ddiweddarach, wedi'r Eisteddfod Genedlaethol yng Nghasnewydd, dechreuodd y ddau ohonom ar daith fythgofiadwy i Ganada ar ein mis mêl. Roedd nifer o'n ffrindiau wedi bod yno ar ôl iddyn nhw briodi, ac roedd y wlad yn apelio'n fawr aton ni'n dau hefyd.

Dechreuodd ein hantur yn Toronto, a chael diwrnod yn Niagara Falls, cyn trafaelio ar drên i Ottawa a Montreal. Wedi hynny dyma hedfan i ran orllewinol Canada gan aros cwpl o nosweithiau yn Calgary. Roedd hon yn ddinas hyfryd iawn, a chawsom gyfle i ymweld â meysydd y Calgary Stampede yn ogystal â'r Olympic Park lle bu Gêmau Olympaidd y Gaeaf yn 1988. Mae dwy ffilm enwog wedi cael eu rhyddhau yn seiliedig ar hanesion y gêmau yma, sef hanes Eddie the Eagle, y neidiwr sgio enwog, a'r ffilm *Cool Runnings* am hanes y tîm *bobsleigh* o Jamaica. Braf oedd cael ymweld â'r union fan lle dechreuodd eu teithiau. Roeddwn yn teimlo dros yr hen Eddie druan wrth i mi gael braw o weld pa mor uchel oedd o cyn dechrau neidio, a pha mor bell roedd o wedi glanio!

Rhentu car wedyn am wythnos a gyrru drwy ardal y Rockies gan ryfeddu at hyfrydwch y tirwedd dramatig. Dyma un o'r ardaloedd dwi wedi'i mwynhau fwya erioed, ac roedd hi'n braf cael aros yn nhrefi Banff, Lake Louise, Jasper a Kamloops wrth yrru yr holl ffordd i Vancouver. Ar y noson gyrhaeddon ni Jasper roedd hi'n ddiwrnod y rodeo mawr blynyddol ac roedd rhaid mynd iddo. Wel, am hwyl, a rhyfeddu at eu hyder wrth drio'u gorau i aros ar gefn y bustych gwyllt yn ogystal â thrio dal y lloi gyda'r lasŵs. Bues i'n dipyn o ffan o ganu gwlad Americanaidd wedi'r noson honno, er dwi ddim wedi mentro'u canu nhw'n gyhoeddus chwaith!

Wedi'r briodas aeth popeth yn ôl i'r arfer, gan fyw yma yn y pentref. Newidiodd Karina ei swydd yn 2006 gan fynd yn olygydd llawn-amser i Gyngor Llyfrau Cymru yn Aberystwyth, ac wedi pedair blynedd yno newidiodd ein bywydau am byth.

Roedd babi ar y ffordd yn 2010, a daeth hynny'n sioc i lawer gyda'r ddau ohonom yn caru ers deng mlynedd. Gewch chi fwy o'r hanes yn nes ymlaen.

Mae Karina yn dal i ymddiddori yn y pethe, ac erbyn hyn yn diwtor Cymraeg i ddysgwyr ym Mhowys dan adain Prifysgol Aberystwyth, ac yn mwynhau'r profiad yn fawr iawn. Mae hi hefyd yn dal i fwynhau ysgrifennu tipyn o lenyddiaeth a barddoniaeth ac mae wedi bod yn llwyddiannus dros ben yn ystod y pymtheng mlynedd diwetha mewn eisteddfodau bach a mawr. Mae Eisteddfod Powys wedi bod yn dda iawn wrthi, gan iddi ennill y Gadair ddwywaith a'r Goron deirgwaith dros y blynyddoedd. Yn 2018 creodd hanes drwy ennill Cadair a Choron Eisteddfod Powys yr un flwyddyn – y tro cynta erioed i rywun gyflawni'r dwbl yn hanes yr Eisteddfod, sydd yn dathlu ei deucanmlwyddiant eleni! Tipyn o gamp, a den ni i gyd yn falch iawn ohoni. Yn 2019 cipiodd y Fedal Lenyddiaeth yn Eisteddfod Llambed gan ennill medal hardd dros ben wedi'i chynllunio a'i gwneud gan gwmni Rhiannon, Tregaron. Mae hi'n werth ei gweld. Mae Karina wedi cael canmoliaeth am ei gwaith gan feirdd a llenorion enwocaf ein gwlad dros y blynyddoedd diwetha, a gobeithio cawn ei gweld ar lwyfan mawr y brifwyl rhyw ddiwrnod!

12

Cystadlu fel tenor clasurol

YN DILYN Y diwrnod llwyddiannus yn yr Eisteddfod Genedlaethol yn Ninbych 2001 pan ddois adre gyda dwy wobr gynta ar yr un diwrnod, penderfynais ehangu fy ngorwelion fel petai, gan feddwl am y cam nesaf. Roeddwn wedi cystadlu ar bopeth allwn i fel canwr gwerin ac wedi dod yn fuddugol yng Ngwobr Goffa y Fonesig Ruth Herbert Lewis, pinacl y canu gwerin yng Nghymru. Roeddwn hefyd wedi dod yn fuddugol yng nghystadleuaeth Unawdydd 2001, cystadleuaeth gan Gymdeithas Eisteddfodau Cymru sy'n hyrwyddo'n heisteddfodau bach, rhywbeth sydd mor bwysig i ni yma yng Nghymru os am weld artistiaid newydd yn y dyfodol. Dyma'r adeg pan feddyliais fod angen i mi weithio ar y llais fel canwr clasurol.

Roeddwn yn lwcus iawn o Karina yr adeg hon hefyd, oherwydd hebddi hi fydden i ddim wedi gallu cystadlu yng nghystadleuaeth Unawdydd 2001. Roedd y gystadleuaeth hon yn gofyn i bawb ganu un o dair cân newydd o'r llyfr *Dolen o Gân* ac roedd rhaid ennill mewn dwy eisteddfod leol i fod yn gymwys i gystadlu yn y rhagbrawf yn Ninbych. Roeddwn wedi dysgu 'Yr Elyrch' gan Eirian Jones rywbryd yn y gwanwyn ond heb gael cyfle i fynd i unrhyw eisteddfod. Roedd Karina yn dal i farddoni bob yn hyn a hyn ac yn trio ambell i beth llenyddol yn yr eisteddfodau. Ces alwad ffôn ganddi ryw noson, a hithe'n dal i fyw yn Wrecsam ar y pryd. Roedd hi wedi cyffroi i gyd gan fod Alwyn Siôn wedi'i ffonio hi i'w llongyfarch ar ennill y Gadair yn Eisteddfod Llanuwchllyn y nos Sadwrn dilynol. Deudodd wrtha i fod rhaid i fi fynd efo hi i gystadlu ar y canu fel alibi iddi hi. Mi weithiodd y cynllun i'r dim, a feddyliodd neb ddim byd pam fod Karina yno, a chafodd sawl un sioc o'i gweld yn codi. Bues yn ymarfer 'Yr Elyrch' drwy'r wythnos a chafodd Eirian Owen, a oedd yn cyfeilio'r noson honno, sioc o 'ngweld i yno! Es drwy'r gân yn rhyfeddol a thrwy lwc mi enillais y gystadleuaeth.

Ddeufis yn ddiweddarach digwyddodd yn union yr un peth eto, pan enillodd Karina y Gadair yng Nghastellnewydd Emlyn a finne'n mynd efo hi i gystadlu. Roedd hon eto yn eisteddfod reit fawr, ac yn ardal ddieithr i mi. Roedd rhagbrofion ar yr unawdau agored, gyda dros ugain o gystadleuwyr wrthi, a'r cyfeilydd oedd yr hoffus gymeriad, Bryan Davies. Enillais ar 'Yr Elyrch' eto gan sicrhau fy lle yn y Genedlaethol, cyn dod i'r llwyfan hefyd ar yr Unawd Gymraeg a'r Her Unawd. Cododd Karina ar ei thraed a phawb yn synnu o weld bod y ddau ohonom gyda'n gilydd, ac roeddynt hefyd yn falch o weld Cardi yn ennill y Gadair! Oni bai am lwyddiannau Karina yr haf hwnnw falle fydde cwrs fy ngyrfa gerddorol wedi bod ychydig yn wahanol!

Dechreuais ddysgu mwy o ddarnau Cymreig i denor yr adeg hon, fel 'O na byddai'n Haf o Hyd', 'Bugail Aberdyfi' a 'Gwlad y Delyn', ac ambell ddarn Eidaleg fel cân yr hufen iâ, 'O sole mio', a 'Mattinata', unawd hyfryd cyflym, llawn bywyd. Dechreuais hefyd ddysgu ambell i aria operatig, gan gynnwys aria fendigedig y cymeriad Alfredo o *La Traviata*, sef 'De' miei bollenti spiriti'.

Es i gystadlu ar yr Unawd Tenor agored yn Eisteddfod Genedlaethol Sir Benfro yn 2002, ac er roeddwn i'n dal braidd yn amrwd fel unawdydd, roeddwn am gael y profiad. Cyfieithiad Cymraeg o'r aria allan o *La Traviata* oedd un o'r darnau i'r tenoriaid, ac 'Ysbryd y Mynydd' – cân ofnadwy o anodd roedd rhaid i bawb ganu fel yr ail ddarn. Roeddwn yn ddigon hapus sut aeth hi'r diwrnod hwnnw, er bod y llais wedi blino ychydig erbyn diwedd y darn heriol Cymraeg. Er i mi beidio â chael llwyfan, ces feirniadaeth arbennig o dda gan y beirniad am iddo ddeud bod potensial mawr genna i a bod rhai o'r nodau uchaf i mi ganu yn sefyll allan yn y gystadleuaeth! Ces dipyn o ganmoliaeth hefyd gan gantorion oedd yn y gynulleidfa a phob un yn fy annog i gario ymlaen. Roedd mwy o waith i'w neud, ac roeddwn yn ymwybodol iawn o hynny.

Y diwrnod canlynol ces lwyfan ar gystadleuaeth Unawd yr Hen Ganiadau dros 25, gan ganu'r gân ddramatig, 'Llwybr yr Wyddfa'. Ces yr ail wobr y diwrnod hwnnw, ar yr un diwrnod ag y ces i'r anrhydedd o gael fy nerbyn i'r Orsedd yn sgil fy llwyddiant yn Ninbych y flwyddyn cynt. Braint yn wir oedd hynny, a dwi'n cofio cwrdd â'r enwog Ray Gravell, ceidwad y cledd, am y tro cynta a hwnnw'n gwasgu fy llaw yn dynn wrth fy llongyfarch.

Wnes i ddim cystadlu yn y Genedlaethol yn 2003 o gwbl, a hynny oherwydd fy ymrwymiad i'r sioe *Ann* gyda Chwmni Theatr Maldwyn. Doeddwn i ddim wedi bwriadu cystadlu ar yr Unawd Tenor yn 2004 chwaith, er 'mod i wedi hanner dysgu'r caneuon, ond mi wnes i ailfeddwl!

Roedd 2004 yn flwyddyn fawr yn ein tŷ ni oherwydd ar ddydd Sadwrn cynta Eisteddfod Genedlaethol Casnewydd roedd Karina a fi'n priodi, ac oherwydd bod cymaint o waith paratoi i'r diwrnod hwnnw, cafodd y caneuon eu hesgeuluso. Ond wedi'r briodas deudais wrth Karina bod genna i awydd mynd amdani wedi'r cyfan! Roeddwn wedi cael gwersi lleisiol gyda Colin Jones y misoedd cynt ac roeddwn yn gallu canu'r darnau yn weddol efo Eirian, ond heb eu meistroli chwaith. Es ati i edrych dros y darnau adre gyda recordiad o'r cyfeiliant ar dâp ac ar fore Iau'r Eisteddfod aeth y ddau ohonom i'r rhagbrawf yn Rhisga. Roedd y capel yn llawn ac roedd siŵr o fod deunaw o denoriaid yno yn disgwyl eu tro. Dyna'r adeg fwya nerfus, pan mae pawb yn aros eu tro a dim syniad gyda chi pryd y bydd y stiward yn eich galw chi ymlaen i ganu. Un o'r darnau ddewisais i ganu oedd 'É la solita storia del pastore' – galargan y bugail Federico, allan o'r opera *L'arlesiana* gan Cilea. Mae hon yn un o ganeuon hyfryta'r byd opera ac roeddwn wrth fy modd yn ei chanu hi, ac wedi penderfynu mynd am opsiwn y nodyn B uchaf ar y diwedd. Aeth pethe llawer gwell nag oeddwn wedi'i ddisgwyl ond ces sioc enfawr wrth gael fy enwi fel un o'r tri fydde ymlaen ar y prif lwyfan drannoeth! Roedd hi'n wyth o'r gloch y nos erbyn hynny ac roedd y gystadleuaeth ar y llwyfan tua amser cinio y diwrnod wedyn. Beth oedden ni'n mynd i neud? Mynd adre neu geisio dod o hyd i rywle i aros? Wrth fynd allan o'r capel roedd y stiward, sef menyw fach oedrannus, yn cloi'r drysau a dyma fi'n ei holi am lefydd i aros yn yr ardal.

"You are one of the tenors that are through, aren't you?" medde hi. "You can stay with us if you wish, there's plenty of room!"

Chware teg iddi, roedd hi'n garedig iawn ac yn mynnu'n bod ni'n aros. Cawsom groeso mawr ac roedd hi a'i gŵr yn annwyl dros ben. Doedd y gŵr ddim wedi bwriadu mynd i'r Eisteddfod o gwbl ond wedi i ni aros y noson honno, roedd am ddod i fy nghefnogi ar y llwyfan.

Aeth pethe'n rhyfeddol o dda ar y llwyfan ond doeddwn i erioed wedi dychmygu byddwn yn ennill chwaith. Pan ddoth y canlyniad a chlywed fy mod yn fuddugol, ces sioc aruthrol! Ces feirniadaeth arbennig gan y beirniaid, sef Mair Carrington Roberts a'r baswr enwog o Loegr, Robert Lloyd, ac roedd hwnnw wedi rhoi sylwadau da iawn am fy llais a bod genna i botensial mawr! Daeth y cyfryngau ar fy ôl wedyn a bu raid gwneud cyfweliad i'r radio a'r teledu, ac roedd y rheini eisiau pwysleisio fy llwyddiant a'r ffaith fy mod wedi priodi rai diwrnodau ynghynt, a finne'n deud 'mod i ffwrdd ar fy mis mêl mewn tridiau!

Daeth Eirian Owen i'm llongyfarch, ac roedd honno mewn sioc fel finne, er ei bod yn deud 'mod i'n haeddu ennill. Deudodd wrtha i fod rhaid i mi newid y gân Gymraeg rŵan a holodd be oeddwn am ganu ar y Rhuban Glas. O fflipin hec, meddyliais! Doeddwn i ddim wedi paratoi dim byd ar gyfer hynny. Wel, doeddwn i ddim yn mynd i baratoi, nag oeddwn – doeddwn i ddim yn siŵr a oeddwn am gystadlu o gwbl ddeuddydd ynghynt! Doedd genna i ddim cân gelf Gymraeg ddigon safonol i ganu ar y Rhuban Glas, felly meddyliais am 'Y Tân Cymreig'. Doedd hi ddim yn *ideal*, ond roedd yn gân dda, gyda digon o fynd ynddi ac yn wrthgyferbyniad i alargan Federico. Penderfynodd y ddau ohonom fynd adre am y noson i Lanbryn-mair gan ddod 'nôl drannoeth i gystadlu ar y Rhuban Glas.

Wedi cyrraedd yn ôl i'r Maes y diwrnod wedyn a chael ymarfer gydag Eirian, roedd criw da o ffrindiau wedi dod yno i wylio ac roeddwn mor falch o'u cefnogaeth, a hynny ar nos Sadwrn ola'r Eisteddfod. Aeth pethe'n weddol ar y llwyfan, ond ddim cystal â be oeddwn yn gallu neud, ond roedd yn brofiad a fydde'n help mawr i mi wrth gystadlu eto yn y dyfodol. Yn hwyrach ymlaen, wedi'r gystadleuaeth, ces y newyddion ofnadwy bod ffarmwr o Lanbryn-mair, un o ffrindiau fy nhad, wedi cael ei ladd mewn damwain drasig ar y ffarm. Roedd wedi digwydd yn y prynhawn wedi i ni a fy rhieni gychwyn am Gasnewydd ond roedd pawb wedi penderfynu peidio â deud wrtha i tan i'r gystadleuaeth orffen. Dwi'n falch fod neb wedi deud wrtha i ynghynt, ac wrth feddwl am y sefyllfa dwi'n falch hefyd nad fy niwrnod i oedd hi ar y Rhuban Glas, gan y bydde hi wedi bod yn amhosib dathlu yng nghanol y tristwch oedd yn y pentref.

Yn 2005 penderfynais fod angen i mi gystadlu mwy yn yr eisteddfodau lleol a rhanbarthol, gan elwa o'r profiad o ganu o flaen beirniaid profiadol a drwy wrando ar eu cyngor amhrisiadwy. Mae'n anodd coelio pan ewch i ragbrofion yn y Genedlaethol a gweld cantorion yno sydd heb ganu'n gyhoeddus ers y gystadleuaeth y flwyddyn cynt. Mae'n biti na fydden nhw'n mynd i ambell i eisteddfod leol, nid yn unig am feirniadaeth ond i gael profiad o ganu o flaen cynulleidfa.

Roeddwn i'n gweld hyn yn rhywbeth gwerthfawr a hefyd roeddwn i eisiau cefnogi'r eisteddfodau bach yma.

Roedd cystadleuaeth Unawdydd y Flwyddyn 2005 ar restr testunau Eisteddfod Ryngwladol Llangollen, ac wedi fy mhrofiadau hapus yno yn canu gwerin roeddwn am ddychwelyd i gystadlu fel tenor clasurol. Roedd gofynion y gystadleuaeth yn holi am raglen hyd at wyth munud ac roedd rhaid anfon tâp ohonoch yn canu i'r eisteddfod cyn derbyn llythyr i weld a oeddech wedi cael eich derbyn. Wedi anfon recordiad ohonof yn canu dwy aria mewn cyngerdd byw yn Swindon gyda Chôr Godre'r Aran, daeth gwahoddiad i mi fynychu'r rhagbrawf.

Roedd Eirian wedi dewis rhaglen o dair cân i mi, gydag un gân gelf Saesneg, un Gymreig fodern ac un aria oratorio. Doeddwn i'n bersonol ddim yn teimlo'n gyfforddus gyda'r rhaglen, a doedd y caneuon yma ddim yn apelio nac yn adlewyrchiad o'm steil i o ganu. Holais i Eirian a oedd posib newid y rhaglen, ac roeddwn yn awyddus i ganu'r aria am y bugail wnes i ganu yn y Genedlaethol yn 2004, ac yna 'Gwlad y Delyn' – un o'r Hen Ganiadau Cymreig oedd â digon o fynd iddi fel ail ddewis. Roeddwn yn hollol gyfforddus yn canu'r rheini, a deudais wrth Eirian bod well genna i golli pum marc am ddewis y rhaglen anghywir na cholli deg marc am ganu caneuon oedd ddim yn fy siwtio. Cytunodd Eirian yn y diwedd, a chysylltais â'r Eisteddfod i holi a oedden nhw'n fodlon i mi newid y rhaglen, ac er mai dim ond wythnos oedd i fynd ces y *go-ahead* i newid.

Roedd nifer fawr o gantorion yn y rhagbrawf, a'r rheini'n amrywio o fyfyrwyr colegau cerdd i ambell ganwr yn ei bumdegau o dramor. Ces lwyfan ar y gystadleuaeth gyda dau arall o Gymru, sef Alex Vearey-Roberts a Sioned Terry. Roedd y pafiliwn yn orlawn ar y pnawn Sadwrn olaf yn Llangollen oherwydd roedd cystadleuaeth y corau meibion ymlaen cyn ein cystadleuaeth ni. Roedd Côr Godre'r Aran yn canu'n olaf ac roedden nhw'n wych, gan ddod i'r brig y diwrnod hwnnw, ac yna chwara teg iddynt, arhosodd yr aelodau i gyd i mewn yn y pafiliwn i fy ngwylio i ar y llwyfan, gydag Eirian yn cyfeilio i mi fel cyfeilydd swyddogol yr eisteddfod! Aeth pethe'n arbennig o dda, yn enwedig y B uchaf yna ar ddiwedd aria Federico a ches gymeradwyaeth enfawr ar ddiwedd 'Gwlad y Delyn'! Roeddwn mor falch pan ddyfarnwyd y wobr gynta i mi, a hefyd yn falch 'mod i wedi newid y caneuon, achos fydden i byth wedi ennill fel arall. Mae'n dangos eto bod rhaid i chi fynd gyda'ch greddf bob tro. Roedd pawb wrth eu boddau 'mod i wedi ennill, ac yn dymuno'n dda i mi yn y Genedlaethol.

Bues yn gweithio'n galed gydag Eirian ar fy nghaneuon am y mis canlynol gan baratoi dwy gân ddewisedig a rhywbeth i'r Rhuban Glas, jyst rhag ofn. I ffwrdd â ni i Fangor i'r Eisteddfod a oedd ar stad y Faenol ac roeddwn yn edrych ymlaen yn fawr. Roedd y rhagbrawf mewn capel modern ar gyrion y dre ac eisteddais yn y rhes gefn gyda'r cerddor a'r *entrepreneur* Trystan Lewis, gan fwynhau ei gwmni a chael tipyn o gigls ar adegau! Mae Karina yn deud bod cael y ddau ohonom yn eistedd drws nesa i'n gilydd mewn rhagbrawf bob amser yn syniad gwael gan ein bod ni'n dau yn chwerthin am rywbeth drwy'r amser.

Roedd y caneuon yn fy siwtio yn 2005, yn enwedig yr aria operatig, sef 'Questa o quella' allan o *Rigoletto* gan Verdi – cân gyflym iawn gyda lot fawr o eiriau, a digon o le i gymeriadu. Dwi'n siŵr bod y canu gwerin wedi helpu cyn canu hon oherwydd roedd rhaid pwysleisio pob manylyn ond cadw safon y llais clasurol drwyddi ar yr un pryd. Dyna un o'r troeon gore i mi ganu mewn rhagbrawf, dwi'n credu. Aeth popeth fel roeddwn wedi gobeithio. Aeth pethe mor dda, ces ychydig o sioc wedi'r rhagbrawf, a hynny cyn cael y dyfarniad i weld pwy fydde ar y llwyfan, pan ddaeth Gareth Wyn Thomas, y cyfeilydd ata i i holi be oeddwn i'n bwriadu canu ar y Rhuban Glas! Roeddwn yn gyndyn o ddeud wrtho a finne heb gael llwyfan ar y tenor eto, ond roedd yn benderfynol o gael gwybod fel ei fod yn gallu ymarfer, felly rhois gopi o'r gerddoriaeth iddo'n dawel.

Aeth pethe'n dda iawn ar y llwyfan, ac roeddwn ymlaen i gystadlu ar y Rhuban Glas am yr eildro! Ces fy nhystysgrif a sylwadau gan y beirniaid, a synnu 'mod i wedi cael 98/100! Roeddwn ar i fyny ac es yn ôl i'r garafán yn hapus iawn.

Roedd nifer o gantorion amlwg ar y llwyfan y noson honno, gan gynnwys Siân Eirian, y soprano; Alun Jones, Cefnau, Y Foel yn cynrychioli'r baswyr; Eleri Owen, y mezzo ac Aeron Gwyn Jones, o Gaergeiliog, Môn fel y bariton. Roeddwn yn falch iawn ynglŷn â sut aeth pethe, ac roedd 'Questa o quella', neu 'Hon neu honno' yn yr iaith Gymraeg, a'r ail ddewis, 'Paradwys y Bardd', wedi mynd yn dda ac roeddwn yn wirioneddol feddwl falle bod cyfle y tro 'ma. Dyfarnwyd y Rhuban Glas y noson honno i'r bariton o Fôn, Aeron Gwyn, ac er 'mod i'n falch iawn drosto, yn dawel bach roeddwn yn teimlo ychydig yn *gutted* 'mod i heb ei gwneud hi.

Wrth edrych yn ôl, roeddwn mor falch mai Aeron aeth â hi, ac roedd ei berfformiad yn wefreiddiol wedi i mi edrych yn ôl ar y gystadleuaeth ar y teledu. Yn drist iawn, collodd Aeron ei fywyd i gancr yn 2008. Roedd yn gymeriad annwyl dros ben a ches gyfle i ganu gydag o ambell i dro mewn cyngerdd. Pan ddaeth fy niwrnod i i gipio'r Rhuban Glas, y llythyr cynta ges i drwy'r post oedd llongyfarchion gan Aeron Gwyn a'i deulu, a 'na i drysori'r llythyr hwnnw am byth. Rai blynyddoedd wedyn, trefnodd ei deulu a'i ffrindiau cerddorol ddau gyngerdd mawr i gofio amdano ac roedd yn fraint i mi fod yn rhan o'r cyngherddau hynny. Mae'r arian a godwyd yn y cyngherddau coffa erbyn hyn yn mynd i dalu am fedal Gwobr Goffa David Ellis, y Rhuban Glas, bob blwyddyn; sy'n ffordd arbennig i gofio amdano.

Wedi'r Eisteddfod yn y Faenol, roeddwn yn benderfynol o weithio'n galetach eto gan geisio mynychu'r eisteddfodau rhanbarthol hefyd – y *semi-Nationals* fel y'u gelwid flynyddoedd yn ôl. Es i gystadlu y flwyddyn honno yn Eisteddfod Pontrhydfendigaid gan ennill dwy wobr gynta. Yna i Ŵyl Fawr Aberteifi lle dois yn fuddugol ar yr Unawd Gymraeg a chael llwyfan ar yr Her Unawd. Ddiwedd mis Awst 2005 roedd eisteddfod fawr Llambed ac es yno am y tro cynta erioed. Dwi ddim yn siŵr os byddan nhw eisiau fy ngweld i eto ar ôl y penwythnos hwnnw chwaith gan i mi ddod adre â phedwar cwpan mawr, gan ennill pob cystadleuaeth – Yr Her Unawd, Yr Unawd Gymraeg, Yr Unawd Sioe Gerdd a'r Unawd Oratorio! Yn Llambed canais y gân enwog 'Arafa Don' am y tro cynta erioed. Dwi wedi ei chanu hi gannoedd o weithiau ers hynny!

Daeth tymor yr eisteddfodau eto yn 2006, ac roeddwn yn benderfynol o wneud fy ngore y flwyddyn yma. Roedd genna i gân arbennig o dda hefyd i'r tenor yn y Genedlaethol, sef 'Che Gelida Manina', yr aria fawr allan o *La Bohème* gan Puccini. Pan welais y rhestr testunau a gweld bod hon i lawr fel un o'r dewisiadau, roeddwn yn barod am yr her. Mae'r aria hyfryd yma yn cynnwys y nodyn C uchaf mawr ar y diwedd, ac roeddwn wedi meistroli hwnnw'n reit dda, yn y ddwy iaith – sef yn Eidaleg i'r eisteddfodau lleol a'r cyngherddau, ac yn Gymraeg i'r Eisteddfod Genedlaethol pan mae gofyn i ni ganu'n Gymraeg yn unig.

Ces dymor arbennig iawn gan ddod yn fuddugol arni yn eisteddfodau Llanbryn-mair; Y Fenni; yn ail yng Nghapel Uchaf, ac yna'r Rhuban Glas yng Ngŵyl Fawr Aberteifi. Roedd ennill yn Aberteifi yn anrhydedd fawr, a hynny mewn cystadleuaeth gref gyda'r tenor enwog Ryland Davies yn beirniadu.

Wrth gystadlu yn eisteddfod Llanbryn-mair y flwyddyn honno roedd y cymeriad hoffus Tom Ffriddfawr yn arwain y cystadlu o'r llwyfan. Canais 'Arafa Don' ar yr Unawd Gymraeg, ac mi aeth yn dda iawn. Dwi'n credu mai fi ganodd gynta yn y gystadleuaeth – a dyma Tom yn troi at y cystadleuwyr eraill gan ddeud, "Well, follow that!" Roeddwn yn teimlo'n hollol *embarrassed*! Roedd o bron fel gwylio'r hen Bruce Forsyth ar *Strictly Come Dancing* yn deud wrth rywun wedi'r perfformiad, "You're my favourite!"

13

Y Rhuban Glas

WRTH FEDDWL AM gystadleuaeth y Rhuban Glas, yr enwau mawr sydd yn sefyll allan dros y blynyddoedd i mi yw Richard Rees, Pennal, a Tom Evans, Gwanas – dau enillydd sydd wedi cipio Gwobr Goffa David Ellis ddwywaith, a dau ffarmwr o'r Canolbarth, nid nepell o Lanbryn-mair, sydd wedi gwneud enwau mawr iddyn nhw eu hunain ar lwyfan. Mae'r enwau Stuart Burrows, Rhys Meirion, Shân Cothi a Dai Jones Llanilar yn sefyll allan hefyd fel enillwyr poblogaidd sydd wedi gwneud gyrfaoedd i'w hunain mewn gwahanol feysydd wedi llwyddiant yn yr Eisteddfod. Mae ambell un wedyn wedi ennill ac wedi mynd yn ôl i'w gwaith arferol heb gymryd mantais o'u hymdrechion ers hynny. Roeddwn wedi edmygu llawer o'r enwau yma ond erioed wedi dychmygu y gallen i eu hefelychu chwaith.

Es i lawr i Abertawe yn 2006 i gystadlu ar yr Unawd Tenor ac er 'mod i'n teimlo tipyn o bwysau cyn cystadlu roedd y llais yn iawn, y caneuon yn barod ac roeddwn yn edrych ymlaen at yr her. Roedd y rhagbrawf mewn capel yn Nhreforys a phan gyrhaeddais i a Karina roedd gwaelod y capel yn orlawn, gyda nifer dda o gyn-gystadleuwyr yno'n gwylio hefyd. Mae llawer o'r rheini'n mynd i'r rhagbrofion i gyd bob blwyddyn ac yn mwynhau gwrando ar y cystadlaethau. Mae'r safon yn gallu amrywio, cofiwch. Ond mewn cystadlaethau amatur fel rhai'r Eisteddfod mae hynny'n mynd i ddigwydd ym mhobman, gyda rhwydd hynt i unrhyw un gystadlu.

Roeddwn yn ymwybodol hefyd bod tenoriaid eraill da iawn yn mynd i fod yno, gan gynnwys Robyn Lyn Evans o Bont-rhyd-y-groes. Dwi'n nabod Robyn ers blynyddoedd lawer, ond hwn oedd y tro cynta ers dwy flynedd bydde'r ddau ohonom yn dod benben â'n gilydd mewn cystadleuaeth. Roeddwn hefyd yn dychmygu bydde'r aria fawr 'Che Gelida Manina' allan o'r opera *La Bohème* yn ei siwtio fo hefyd fel finne, er bod ansawdd ei lais o yn eitha gwahanol i f'un i.

Wedi i ryw ddeunaw tenor gystadlu, daeth y cyhoeddiad mai Eilir Edwards, Rhuthun, Robyn Lyn Evans ac Aled Wyn Davies fydde'r tri ar y llwyfan ar fore Mercher yn y pafiliwn pinc, felly 'nôl â ni i'r maes carafannau a chael noson dawel a gwely cynnar. Deffro'r bore wedyn a thrio canu yn syth i weld a oedd y llais yn iawn. Ond dydi trio canu mewn carafán ar faes carafannau prysur ddim yn hawdd iawn heb ddeffro pawb o'ch amgylch, felly i ffwrdd â fi yn y car am Bontarddulais i ymarfer a diolch byth, roedd popeth yn iawn.

Mae'r rhai ohonoch chi a fynychodd yr Eisteddfod yn Abertawe yn 2006 yn cofio'r llwch ar y Maes. Roedd y Maes ar hen safle Gwaith Dur Felindre ac roedd lot fawr o gerrig yn ogystal â'r llwch. Roeddwn yn poeni am hyn yn syth ac yn ceisio osgoi bod allan ynddo rhag ofn iddo effeithio ar y llais.

Es ymlaen ar y llwyfan gan ganu'r aria operatig o *La Bohème* gynta, ac yna'r gân gan Gareth Glyn, 'Eirlysiau', i ddilyn. Aeth y gân gynta yn wyrthiol o dda, ac roedd y nodyn C uchaf ar y diwedd yn clecian. Aeth pethe mor dda bu raid i fi aros am dros funud rhwng y ddwy gân i'r gynulleidfa orffen cymeradwyo. Weles i erioed hynny o'r blaen ac wedi rhyw ugain eiliad dyma don arall o gymeradwyaeth, a dechreuodd y beirniaid glapio hefyd. Roeddwn yn teimlo'n reit emosiynol 'mod i wedi cael y fath dderbyniad, a hynny yng nghanol cystadleuaeth mor bwysig. Canodd Robyn ac Eilir yn dda iawn hefyd ac er fy mod yn gwybod bod siawns dda genna i, roeddwn yn ymwybodol y galle'r dyfarniad fynd unrhyw ffordd. Fel'na mae hi mewn steddfod, yndê! Bu raid stelcian am gwpl o oriau, ac yna

143

roeddwn yn hapus dros ben pan alwodd Gari Owen fy enw fel yr enillydd. Roeddwn hefyd yn falch o ddiwrnod i ffwrdd ar y dydd Iau cyn y bydde cystadleuaeth y Rhuban Glas ymlaen ar y nos Wener. Ie, nos Wener am ryw reswm. Rhyw newid yn nhrefniadau'r rhaglen yn 2006, a dyma'r unig dro erioed i'r gystadleuaeth beidio â bod ar y Sadwrn olaf.

Wedi siarad efo Karina a'r teulu penderfynais yn syth 'mod i ddim am fynd i'r maes llychlyd eto tan y gystadleuaeth, felly es i aros am ddwy noson ar ffarm cyfnither i Karina ym mhentref Llangyndeyrn, rhyw hanner awr o'r Maes. Ces gyfle i ymlacio'n llwyr yno gan fynd am dro ar hyd y caeau a mynd dros y caneuon tra bod Karina yn aros yn y garafán ac yn mwynhau'r Eisteddfod. Roeddwn yn cael osgoi'r llwch llethol a gorfod siarad yn ormodol gyda phawb ar y Maes sydd ddim yn helpu, er fy mod yn falch iawn o'r holl gefnogaeth a'r dymuniadau da.

Roedd y gystadleuaeth Rhuban Glas, Gwobr Goffa David Ellis, yn cloi'r rhaglen yn y pafiliwn ar y nos Wener. Ces ymarfer sydyn gyda'r cyfeilydd Stephen Rose gan bwysleisio wrtho i beidio ag arafu llawer yn fy ail ddewis, sef 'Tyrd Olau Mwyn' gan D. Pugh Evans gan ei bod yn gân heriol a bod angen digon o egni i gyrraedd y diweddglo cry', dramatig. Aeth popeth yn grêt, ac ar ôl derbyn y newyddion mai fi fyddai'r pedwerydd i berfformio o'r chwech, roeddwn yn edrych ymlaen.

Roedd hi'n gystadleuaeth gref iawn gyda nifer o gantorion amlwg yn cystadlu y noson honno. Roeddwn yng nghwmni'r soprano Kate Griffiths o Ruthun; Eleri Owen o Langernyw; Sioned Wyn o Ddolgellau, sef un arall o ddisgyblion Eirian Owen ar y pryd; y bariton Gwyn Morris o Aberteifi; a'r baswr o Gaerffili, Huw Euron, neu Darren o *Pobol y Cwm* i chi a fi! Mae'n braf sylwi rŵan bod pedwar o'r chwech y noson honno yn enillwyr y gystadleuaeth arbennig yma erbyn hyn.

Mi aeth yr aria operatig cystal ag y gallen ei chanu hi, a ches gymeradwyaeth dda iawn eto yn y pafiliwn. Dechreuais ar 'Tyrd Olau Mwyn', cân sydd yn bum munud o hyd ac mae ambell i frawddeg reit hir yn y canol sydd angen digon o anadl. Mi ddechreuodd pethe'n dda iawn, ond rhyw ddwy funud i mewn i'r gân mae'r tempo yn symud ymlaen gyda llinell fawr hir i ddilyn. Dechreuais newid y tempo ond doedd y cyfeilydd ddim efo fi. Bu raid defnyddio pob owns o egni yn fy nghorff i gyrraedd y nodyn olaf a dechreuais feddwl 'mod i wedi gwneud smonach ohoni. Es ymlaen wedyn i'r diwedd gan feddwl bod popeth ar ben arna i. Wrth wrando'n ôl ar y gystadleuaeth doedd dim byd i mi boeni amdano a fydde neb wedi sylwi, beth bynnag. Ces gymeradwyaeth arbennig o dda ar y diwedd a phawb yn deud pethe da iawn ar y Maes ac ar y teledu.

Bu'n rhaid aros yn eiddgar am y dyfarniad, felly es am beint bach sydyn cyn dychwelyd i weld pwy fyddai'n ennill. Daeth y beirniaid i'r llwyfan ac wedi'r traddodi dyfarnwyd y Rhuban Glas i'r tenor, Aled Wyn Davies o Lanbryn-mair! Roeddwn ar ben fy nigon, a daeth pawb oedd yn fy nghefnogi i gefn y llwyfan i fy llongyfarch. Roeddwn mor falch bod y teulu i gyd yno – Dad, Mam a'm chwaer Anwen, a rhieni Karina, yn ogystal â'r criw ifanc a fu'n gwrando arna i am y drydedd flwyddyn yn olynol ar y Rhuban Glas, a hynny pan ddylen nhw fod allan yn mwynhau nosweithiau olaf yr Eisteddfod. Dwi'n cofio Peter ac Owain, fy ffrindiau o'r grŵp Traed dan Bwrdd yn dod ata i, gan ddeud diolch i Dduw 'mod i wedi ennill – gallen nhw fynd 'nôl i fwynhau'r Eisteddfod o hyn ymlaen yn lle gorfod fy nghefnogi i ar benwythnos ola'r ŵyl! Roedd Eirian Owen ac Elfyn, ei gŵr, yna hefyd yn llawn canmoliaeth, a nifer o gyn-enillwyr y gystadleuaeth yn falch iawn o fy llwyddiant.

Wedi'r fuddugoliaeth, a siarad â'r cyfryngau, aethom am ddiod ar y Maes. Roedd Côrdydd mewn un bar yn dathlu eu buddugoliaeth gorawl hwythau a bues efo'r rheini am dipyn yn canu ac yn mwynhau gyda'r Rhuban rownd fy ngwddf. Bu raid dal bws wennol wedyn yn ôl i'r maes carafannau ac wrth ddod i ffwrdd o'r bws ar gyrion y maes roedd criw yn aros amdanom, yn barod i ddathlu. Rhai ohonynt o Fro Ddyfi, rhai eraill yn aelodau o Gwmni Theatr Maldwyn a Chôr Godre'r Aran. Daeth pawb i'n carafán ni a chawsom noson o ganu a chymdeithasu na welwyd ei thebyg erioed o'r blaen. Roeddwn wrth fy modd ac mor falch, ond hefyd mor ddiolchgar o'r gefnogaeth gan yr holl ffrindiau o bell ac agos.

Yng nghanol y dathlu, tua dau o'r gloch y bore, dyma gnoc ar ddrws yr adlen. Roedd cwpl oedrannus o Flaenannerch, ger Aberteifi, yn y garafán drws nesa, a'r rheini siŵr o fod yn eu nawdegau. Pâr oedd wedi bod yn mynychu'r Eisteddfod ers trigain mlynedd. Roedd y ddau ohonynt wedi dod draw yn eu dillad nos gan roi'u pennau i mewn i'r adlen yng nghanol y canu a'r chwerthin, ac roeddem yn barod am bregeth gennyn nhw am wneud yr holl sŵn. Ond dim o'r fath beth – dod draw i longyfarch oedden nhw. Roedden nhw wedi gwylio'r gystadleuaeth yn y garafán, wedi clywed y dathlu ac yn falch iawn o'm llwyddiant. Cynigiais ddiod iddynt ond gwrthod wnaethon nhw gan fynd yn ôl i gysgu, ond yn hapus iawn i'r dathlu fynd yn ei flaen. Chware teg, yndê! Dyna beth ydi cyfeillgarwch eisteddfodol.

Gan fod y gystadleuaeth ar y nos Wener, daeth cyfle i fynd i'r Maes ar y dydd Sadwrn ac roedd hynny'n braf iawn. Roedd pawb yn glên, yn mynnu dod draw i siarad, gyda llawer o'r rheini'n ddieithr i mi, a bu raid cael parti bach arall nos Sadwrn!

Aethom adre â'r garafán drwy Aberaeron gan alw gyda rhieni Karina yng Nghoedybrenin. Roedd Brian yn mynnu'n bod ni'n mynd i'r dref oherwydd roedd diwrnod mawr y cobiau ar y cae sgwâr. Ces groeso mawr yn fan'no a chael fy nghornelu i ganu cân ar y llwyfan cyn gadael! Roedd cystadleuaeth gneifio Bro Ddyfi ymlaen y diwrnod hwnnw hefyd yn Llanbryn-mair ac oni bai am yr Eisteddfod, yn fan'no bydden ni wedi bod yn helpu. Erbyn i ni gyrraedd tafarn y Wynnstay yn y pentref roedd pawb yno'n mwynhau ac yn aros amdanon ni, a ches barti arall eto gyda'm ffrindiau adre. Dwi ddim yn gwybod faint o gardiau a galwadau ffôn a dderbyniais yn ystod yr wythnosau wedyn ond roedd o'n gannoedd rhwng popeth, ac mae'n dangos bod pobl yn gallu bod yn garedig iawn.

Yn dilyn fy llwyddiant, penderfynais recordio albwm o fy hoff ganeuon a'i lansio yn y pentref. Roedd yr ysgol leol am i mi wneud noson o ganu gyda'r disgyblion, felly dyma benderfynu cael lansiad y CD yn rhan o'r noson honno ddiwedd mis Tachwedd. Yr hyn doeddwn i ddim yn gwybod oedd mai cynllun oedd hwn i gynnal noson arbennig i'm llongyfarch ar ennill y Rhuban Glas, ac roedd Karina a'r teulu i gyd yn rhan o'r cynllun! Cyrhaeddais y ganolfan gymdeithasol yn y pentref a chael sioc o weld y lle yn orlawn, gyda ffrindiau o bell ac agos. Roedd tipyn o baratoi wedi bod, a daeth amryw o bobl ymlaen i siarad ac i fy llongyfarch – gan gynnwys fy hen brifathro Meirion Jones; Hedd Bleddyn, a oedd yn rhan o'r dathlu yn yr Eisteddfod; Penri Roberts ar ran Cwmni Theatr Maldwyn (a soniodd am hanes y pwdin unwaith eto!); a Magwen Pughe ar ran Côr Gore Glas a'r Ffermwyr Ifanc. Roedd hi'n noson arbennig iawn, gyda Dilwyn Morgan yn arwain y cyfan. Mae 'niolch i'n fawr i bawb am drefnu'r syrpréis arbennig yma i mi. I orffen, cyflwynwyd anrheg arbennig i mi, sef englyn mewn ffrâm wedi'i ysgrifennu gan y bardd enwog o Fro Ddyfi, Dafydd Wyn Jones:

Aled Pentremawr
Aled Wyn, dy solo di – beri ias,
  Ddaeth i'r brig eleni.
  Yn y fro hon, mawr dy fri.
  Yr wyt ein Pavarotti.

Ces hefyd yr englynion arbennig yma gan Hedd Bleddyn:

O weled awr ein Aled Wyn – yn ein gŵyl,
  A'i gân ef yn esgyn
  I'r Rhuban Glas, daeth ias hin
  O haf dros fro'i gynefin.

Heno dywedwn ninnau – fod dy gamp,
    Fod dy gân a'th ddoniau
  Yn awr hud fydd yn parhau –
  Aled, rwyt seren olau.

Mae ennill y Rhuban Glas yn deimlad arbennig iawn, a dim ond yr enillwyr dros y blynyddoedd fydd yn gallu deall hyn. Mae'n glwb sbesial ac mae'n deimlad braf iawn cael eich cyflwyno ar ddechrau pob cyngerdd fel enillydd y Rhuban Glas yn 2006, hyd yn oed bymtheg mlynedd yn ddiweddarach. Y fi ydi'r trydydd o bentre Llanbryn-mair i ddod yn fuddugol, ac yn un o lawer o ddisgyblion Eirian Owen. Mae nifer wedi ennill dan ei hadain ers hynny hefyd, a braf iawn oedd cael llongyfarch ffrind da i mi o Gôr Meibion Machynlleth, Erfyl Tomos Jones, yn 2019 fel yr enillydd diweddaraf. Roeddwn mor falch drosto, ac yntau'n efelychu camp ei frawd Meirion Wyn Jones, Llangynhafal, sef y ddau frawd cynta i ennill y wobr.

Mae'n fraint fawr i ennill, a'r bri sydd yn dod gyda'r fedal, ac mi fydd am byth. Dwi'n gweld potensial yn rhengoedd Côr Meibion Machynlleth i weld rhagor o lwyddiant fel unawdwyr yn y Genedlaethol yn y blynyddoedd sydd i ddod. Mae 'na unawdwyr ifanc da iawn yno! Mae'n cymryd llawer o hyfforddiant, amynedd ac ymroddiad i gyrraedd yno, cofiwch, a rhaid gweithio'n galed, ond wedi'i gwneud hi does dim teimlad tebyg.

Dwi'n cofio'n ôl i'r flwyddyn 2001 pan ddeudodd Dai Jones Llanilar wrtha i ar raglen *Cefn Gwlad* wrth i ni siarad am y dyfodol ar lechweddau Nantcarfan: "Cer am y Rhuban Glas," medde fo, "achos dyna'r anrhydedd fwya allith unrhyw ganwr ei ga'l yng Nghymru. Cer amdani – 'nei di fyth ddifaru."

Arhosodd y geiriau gyda mi am flynyddoedd, a Dai oedd un o'r rhai cynta i ffonio wedi i mi ddod adre o'r Eisteddfod. Diolch iddo am yr anogaeth.

14

Teithio'r
wlad yn diddanu

WEDI'R FUDDUGOLIAETH YN Abertawe, dechreuodd pethe brysuro gyda'r canu, ac roeddwn yn cael galwadau yn fy ngwahodd i gyngherddau ym mhob cwr o Gymru a thipyn ymhellach. Un gwahoddiad arbennig oedd cael mynd yn ôl i'r Eisteddfod yn 2007 i ganu ar lwyfan y Genedlaethol mewn cyngerdd clasurol gyda Chôr yr Eisteddfod yn yr Wyddgrug. Roeddwn yn methu coelio 'mod i wedi gallu dod mor bell mewn ychydig flynyddoedd, ac erbyn hyn yn cael canu unawdau oratorio allan o'r *Requiem* gan Verdi, yn ogystal â pherfformiad o'r *Messe Solennelle* gan Gounod gydag Iwan Wyn Parry, Iona Jones, y côr a cherddorfa fawr. Ces hyd yn oed wahoddiad yn ddiweddarach yn y flwyddyn i ganu'r unawdau tenor mewn perfformiad o'r *Meseia* gan Handel yng Nghaerfyrddin. Ces hefyd wahoddiad gan yr Eisteddfod i ganu yn seremonïau'r orsedd, gan gyflwyno 'Gweddi'r Orsedd' ger y maen llog ac yn seremoni'r Coroni yn y Pafiliwn. Braint yn wir. Braint arall yn yr Eisteddfod yn yr Wyddgrug oedd cael canu rhai o ganeuon y cerddor Rhys Jones, a fynte'n cyfeilio i mi mewn sesiwn gerddorol yn y Babell Lên. Roedd yn wir yn anrhydedd cael bod yno'n gwrando arno'n siarad am ei fywyd efo'i gyfaill, Aled Lloyd Davies.

Mae 'na nifer o bobl amlwg yn trefnu digwyddiadau dros Gymru gyfan a dwi wedi bod yn lwcus iawn ohonynt gan eu bod wedi fy ngwadd yn ôl i'w hardaloedd droeon. Un o'r rheini ydi'r cymeriad hoffus, Evie Jones o Lannerch-y-medd. Dyma i chi ddyn sydd fel *encyclopedia* o gantorion Cymreig, a bydde'n gallu deud wrthoch nid yn unig pwy enillodd y Rhuban Glas bob blwyddyn, ond beth oedd y rhan fwya o'r cyn-enillwyr wedi'i berfformio yn y gystadleuaeth hefyd! Dwi ddim yn siŵr faint o weithiau dwi wedi perfformio ar y Fam Ynys erbyn hyn ond mae o'n ddegau o weithiau, beth bynnag, a thrwy gysylltiad ag Evie y bydde'r rhan fwya o'r cyngherddau yn dod i mewn, a chael croeso a gwledd cefn gwlad wedi'r perfformiad ym mhob un.

Un arall sydd wedi bod mewn cysylltiad droeon ydi'r ffarmwr o Fyddfai, ger Llanymddyfri, Emlyn Ty'n Garn. Mae Emlyn hefyd yn gymeriad a hanner ac yn drefnydd heb ei ail. Y fo ydi'r cysylltiad â chyngherddau blynyddol neuadd bentref Myddfai, a hefyd â chyngerdd blynyddol Côr Meibion Llanymddyfri. Mae Emlyn wedi fy ngwahodd droeon a dwi wedi cael y cyfle i gydganu gydag unawdwyr arbennig yno, sef y gantores Gwawr Edwards, y soprano Llio Evans, Rhys Meirion, Iwan Wyn Parry a'r baswr Trystan Lewis.

Mae Trystan a finne wedi canu gyda'n gilydd droeon dros y blynyddoedd a chan fod Trystan wedi bod yn arweinydd ar nifer o gorau gwahanol, mae yntau wedi fy ngwahodd nifer o weithiau hefyd i gyngherddau'r corau. Un ohonynt oedd perfformiad cyngerdd o'r Opera Gymreig *Blodwen* gan y cyfansoddwr enwog Joseph Parry, gyda geiriau'r opera gan y bardd enwog o Lanbryn-mair, Richard Davies, neu 'Mynyddog' fel y'i gelwid. Roedd hi'n hyfryd cael canu geiriau gan fardd o'r pentre yma sydd wedi cyfansoddi barddoniaeth i nifer o'n halawon enwocaf, megis 'Baner ein Gwlad', 'Myfanwy', 'Gwnewch bopeth yn Gymraeg' a phennill gwreiddiol 'Sosban Fach'! Gofynnodd Trystan i mi ganu rhan Hywel yn yr opera, ac roedd hi'n fraint aruthrol i gael gwneud hynny ar lwyfan Pafiliwn y Rhyl gydag unawdwyr o fri fel Mary Lloyd Davies, Iwan Wyn Parry, Sharon Evans a Marian Roberts, yng nghwmni

Cymdeithas Gorawl Dyffryn Conwy a cherddorfa fawr. Mae rôl y cymeriad Hywel yn heriol, gyda nifer o'r caneuon yn uchel iawn, ond maen nhw'n alawon bendigedig, yn enwedig y ddau unawd 'Tra byddo yr helwyr yn hela' a 'Fy Mlodwen F'anwylyd', a'r deuawdau enwog 'Mae Cymru'n Barod' a 'Hywel a Blodwen'. Dwi wedi canu'r ddwy droeon mewn cyngherddau dros y blynyddoedd, a dwi'n tybio mai Hyw a Blod ydi'r ddeuawd sydd wedi'i chanu fwya erioed mewn nosweithiau yng Nghymru!

Trystan Lewis berswadiodd fi i ddod allan o *retirement* o'r byd cystadleuol am un tro arall yn 2013 pan ychwanegodd yr Eisteddfod Genedlaethol gystadleuaeth Deuawd yr Hen Ganiadau at y rhestr testunau am y tro cynta ers blynyddoedd maith. Roedd Trystan awydd rhoi tro arni, ac eisiau fi fel ei bartner tenoraidd! Doeddwn i ddim wedi troedio llwyfan cystadleuol ers saith mlynedd, ond roeddwn yn barod i dderbyn yr her. Mae'r gân 'Mae Cymru'n Barod', allan o'r opera *Blodwen* yn ddeuawd a hanner ond roedd yn siwtio'r ddau ohonom i'r dim. Naethon ni gadw'n dawel am y ffaith ein bod am gystadlu a chafodd ambell un sioc 'mod i yno. Es i'r rhagbrawf ar y Maes yn Ninbych yn hynod o nerfus ond mi aeth popeth yn dda, ac yn rhyfeddol daethom i'r brig drannoeth ar y llwyfan mawr, yn yr union le ble dois yn fuddugol ddeuddeg mlynedd ynghynt. Roedd hi wedi bod yn gylchdro o gystadlu fel enillydd cenedlaethol ac roedd yn braf gorffen lle dechreuais i.

Ddechrau 2008 ces wahoddiad gan un o gorau Trystan Lewis, Côr Maelgwn, i ganu yn eu cyngerdd blynyddol Gŵyl Ddewi yn Llandudno, a hynny efo dau unawdydd o fri o'r byd opera, sef Gwyn Hughes Jones, y tenor o Fôn, a Jonathan Lemalu, bas-bariton o Seland Newydd. Mae'r ddau ganwr yma ar dop eu gêm ac wedi canu ym mhrif dai opera'r byd. Roedd yn anrhydedd cael rhannu llwyfan â nhw. Trefnodd y teulu lond bws i ddod i'n gwylio ac roedd pawb wedi mwynhau'r noson.

Trefnydd cyngherddol arall dwi wedi bod yn lwcus iawn o'i adnabod ydi Dennis Jones o Gorris, ac yntau'n un o drefnwyr cyngherddau yn y Tabernacl ym Machynlleth, ac ymhellach. Mae Dennis yn gwybod sut i drefnu cyngerdd yn iawn ac mae 'na ambell i noson sy'n aros yn y cof. Y fo feddyliodd am gael tri ohonom o Gwmni Theatr Maldwyn at ein gilydd i wneud cyngerdd o ganeuon o'r sioeau cerdd, a ches i, Sara Meredydd ac Edryd Williams gyngherddau lu ganddo pan benderfynodd, wedi llwyddiant y cyngerdd cynta, i fynd â'r sioe ar daith, gan berfformio yng Nghaernarfon, Dolgellau, Y Bala, Y Drenewydd a nifer o neuaddau eraill.

Dennis hefyd drefnodd cyngerdd cynta'r pedwarawd clasurol 3+2. Roedd Eirian Owen wedi bod yn siarad ag o am brosiect, cyn dod â phedwar llais at ei gilydd – Diana Palmerston, fy ffrind o'r mordeithiau; Sian Meinir, y mezzo sy'n wreiddiol o Ddolgellau; finne fel y tenor, a'r cymeriad hoffus Tom Gwanas fel y bariton. Dwi'n cofio geiriau Tom rŵan yn yr ymarfer cynta, "Peidiwch â rhoi gormod o waith dysgu i mi rŵan – cofiwch 'mod i bron yn *seventy*!"

Wnes i fwynhau'r nosweithiau hyn yn fawr iawn ac er bod Tom yn cwyno'i fod o'n mynd yn hen, roedd ei lais o fel cloch a chystal ag erioed. Noson hollol glasurol oedd hon gyda dim ond y pedwar ohonom, ac Eirian yn cyfeilio. Buom yn perfformio yng Ngŵyl Machynlleth yn y Tabernacl am y tro cynta, ac wedi'r ymateb bendigedig, trefnodd Dennis daith fach, gan fynd â ni mor bell â Neuadd y Dre yng Nghaer. Roedd hi'n noson arbennig o dda ac roedd yn fraint cael perfformio efo pawb, yn enwedig Tom Gwanas – un o'n heiconau canu clasurol yng Nghymru.

Bu Tom a'i frawd, Trebor, yn dda iawn i mi wedi fy llwyddiant yn y Genedlaethol ac yn rhoi cyngor i mi ynglŷn â threfniadau cyn cyngherddau ac ati. Dwi'n cofio Trebor yn deud wrtha i am gyngor gafodd o flynyddoedd ynghynt – bod angen i mi godi tâl teilwng am ganu mewn cyngherddau bob tro, ac i beidio â bod yn ofnus o roi'r pris. Deudodd fod rhoi pris uwch i drefnwyr fel arfer yn gwneud mwy o elw iddynt yn y diwedd na chostau isel. Maen nhw'n debygol o weithio'n galetach wedyn i werthu'r tocynnau a chael y neuadd yn llawn yn hytrach na dibynnu ar bobl i droi i fyny ar y noson. Roedd o yn llygad ei le, ond wedyn roeddwn yn ddrwgdybus o godi gormod ar bobl gan fod pawb angen i'r noson fod yn llwyddiant. Cododd fy nhelerau ar ôl i mi ymuno â'r Tri Tenor, a hynny oherwydd fy mod yn gweithio gyda chantorion proffesiynol oedd yn ddibynnol ar y gwaith, yn wahanol i mi fel ffarmwr – ond roedd rhaid i bawb gael yr un tâl yn naturiol, felly roeddwn yn ddigon hapus fy myd.

Ond dyw pethe ddim yn digwydd fel maen nhw i fod i'w gwneud weithiau. Dyw'r geiriau ddim yn dod allan bob tro fel sydd ar y copi, cofiwch. Mae 'na ambell i foment pan fydd hi'n mynd yn nos arna i, eiliadau cyn dechrau canu. Does dim byd gwaeth – a'r mwya mae rhywun yn trio cofio, y gwaetha mae pethe'n mynd. Diolch i Dduw dydi o ddim yn digwydd yn aml, ac erbyn hyn dwi wedi dod yn ddigon o giamstar i guddio'r peth. Dwi'n cadw ymlaen i ganu fel arfer ac yn rhoi geiriau gwahanol i mewn i'r gân, ac erbyn y llinell nesa mae popeth yn iawn – dim ond unwaith neu ddwy dwi wedi gorfod stopio ac ailddechrau erioed.

Yn anffodus, yn neuadd Llanbryn-mair ddigwyddodd hyn unwaith, a hynny mewn noson i gofio'r bardd Mynyddog – brodor o'r pentre. Penderfynais ganu'r gân enwog 'Baner ein Gwlad' gan Joseph Parry, a'r geiriau gan Mynyddog. Roeddwn wedi canu'r unawd droeon ac wedi bod drosti nifer o weithiau y diwrnod hwnnw, a phopeth yn ei le. Ond wrth i'r intro i'r ail bennill ddechrau dyma hi'n mynd yn nos arna i'n llwyr. Doedd genna i ddim syniad o gwbl be oedd yn dod nesa – a hynny o flaen neuadd yn llawn o wynebau cyfarwydd i mi oedd yn mwynhau'r dehongliad. Dyma ddechrau canu rhyw eiriau anghyfarwydd am ddwy linell ond roedd pethe mor wael bu raid stopio. Dechreuais y pennill eto ac wedi'r llinell gynta aeth hi'n nos arna i unwaith eto. Wel, am gywilydd! Dechreuais feddwl bod pobl Llanbryn-mair yn dychmygu 'mod i'n gwneud hyn ym mhob cyngerdd! Daeth un o athrawon yr ysgol â'r copi i mi ac es amdani o'r dechrau eto. Er bod y copi yn fy llaw daeth popeth yn ôl i mi a doedd dim rhaid edrych ar y copi o gwbl gan orffen y gân yn ddidrafferth gan fwrw'r C uchaf ar y nodyn olaf. Pawb wrth eu boddau wedyn a chawsom gyfle i chwerthin am y peth dros baned!

Yn y flwyddyn 2015 roedd Shân Cothi yn trefnu taith o gyngherddau drwy Gymru i hyrwyddo'i halbwm newydd, a chware teg iddi ces wahoddiad i fod yn rhan ohonynt. Roeddwn wedi perfformio gyda Shân sawl tro yn y gorffennol ond roedd hon yn daith gyda nifer o artistiaid amlwg, fel y soprano arbennig Rebecca Evans, y delynores Catrin Finch, y telynor Ieuan Jones a nifer o gorau amlwg. Roedd y noson hefyd yn cynnwys *ensemble* fechan dan arweinyddiaeth y cerddor John Quirke, ac roedd yn fraint canu gyda nhw i gyd. Roedd y noson fel arfer yn diweddu gyda threfniant arbennig Jeff Howard o 'Dros Gymru'n Gwlad' ac roedd y neuaddau'n clecian wrth i bawb fynd amdani ar y nodyn olaf!

Un tro ces wahoddiad i ymuno â Shân a'r *ensemble* mewn parti pen-blwydd preifat yng nghanolbarth Lloegr. Wedi'r holl ganu, diweddom y noson gyda Shân a finne'n perfformio'r gân hudolus 'You'll Never Walk Alone', ac roeddwn i wrth fy modd gan fy mod yn gefnogwr brwd o dîm pêl-droed Lerpwl, a hon yw ein hanthem! Recordiodd rhywun glip fideo o'r gân gan ei rannu â'r byd ar Facebook. Gwelodd rhywun o'r papur dyddiol *Liverpool Echo* y clip fideo ar y we a bu erthygl yn y papur ac ar y we drannoeth yn ein canmol i'r cymylau gan ddeud, "This remarkable version of 'You'll Never Walk Alone' will make your hair stand on end. This duo, accompanied by their classical ensemble, really hit the high notes!" Mae'n rhaid deud 'mod i wedi breuddwydio am wythnosau wedyn y byddwn yn cael cyfle i ganu'r gân ar y cae yn Anfield, ond doedd hi ddim i fod! Ond dyna fo, fydde fo ddim cystal â'r hen Gerry and the Pacemakers a'r dorf yn y Kop, beth bynnag!

Dwi wedi bod yn ffodus dros y ddegawd ddiwetha i fod yn rhan o gyngherddau Nadoligaidd yng Nghaer ac yn Wrecsam i godi arian i ddwy hosbis yn yr ardaloedd hynny. Dechreuodd hyn pan oeddwn yn rhannu llwyfan gyda Chôr Meibion Froncysyllte yn eu cyngherddau. Roedd y côr yma wedi dod yn boblogaidd iawn wedi eu llwyddiant yn y siartiau, a thrwy garedigrwydd ei harweinydd ar y pryd, Ann Atkinson, ces dipyn o waith gennyn nhw. Dwi wedi canu yn y Gadeirlan yng Nghaer ambell dro erbyn hyn, ond y tro cynta, 'nôl yn 2008, ces wahoddiad i ddod yno ynghynt i ganu yn y prynhawn. Roedd y trên eiconig yr Orient Express yn stopio yn y ddinas am rai oriau, a daeth y teithwyr i gyd i mewn i'r Gadeirlan hyfryd i wrando ar gyngerdd bach Nadoligaidd genna i! Roedd hynny'n braf iawn, ac yna yn y nos, cyngerdd mawreddog gyda'r actor William Roache yn cyflwyno, sef y cymeriad Ken Barlow o'r opera sebon *Coronation Street*! Mae'r cyngherddau yma'n dal i fynd ac mae'n braf cael taith fach flynyddol i fyny i Gaer ym mis Rhagfyr i roi pawb yn ysbryd y Nadolig.

Un lleoliad yn Lloegr lle rydw i wedi cael croeso mawr dros y blynyddoedd yw Chelmsford, yn Swydd Essex. Pwy fydde'n meddwl bod Cymdeithas Gymraeg yn Chelmsford? Ond mae cymdeithas lewyrchus yno, a chanddynt raglen fisol yn llawn gweithgareddau, gan gynnwys cyngerdd mawreddog bob blwyddyn yn y Gadeirlan. Dwi wedi rhannu'r llwyfan yno gyda Chôr Godre'r Aran ar bum achlysur ac roedd y côr, fel finne, yn cael gwerthfawrogiad a gwrandawiad arbennig gan drigolion y ddinas. Y tro diwetha bues yno roedd pencampwriaeth yr Ewros ymlaen yn Ffrainc, ac roedd Steffan Lloyd Owen, y bariton ifanc disglair o Fôn yn unawdydd gyda mi, ac roeddem yn rhannu ystafell yn y gwesty. Mae Steffan yn gefnogwr pêl-droed brwd fel finne ac roeddem yn gwylio gêm gynta erioed Cymru yn yr Ewros yn erbyn Slofacia yn ein hystafell wrth baratoi am y cyngerdd. Wel, am weiddi, ac roeddem wrth ein boddau bod Cymru wedi ennill. Bu canu hyderus yn y Gadeirlan, a pharti wedyn i'w gofio!

Mae'n rhyfedd iawn i ble gall y canu fynd â chi. Un penwythnos ces fynd i Wooton Bassett yn Wiltshire i ganu mewn cyngerdd i'r milwyr a gollwyd mewn rhyfel. Mae maes awyr RAF Lyneham rai milltiroedd i'r de, ac yn y dre arbennig yma mae llawer o seremonïau *repatriation* wedi bod dros y blynyddoedd i gofio am y milwyr. Roedd y cyngerdd arbennig yma'n cael ei gynnal i ddiolch i'r gymuned.

Ces ganu wedyn mewn priodas unigryw yn Academi Frenhinol y Fyddin yn Sandhurst. Roedd ffrind i ni drwy deulu Karina yn priodi yno, a ches y fraint o fynd yno ac aros y noson. Bu raid i Karina a finne fynd â'n pasborts i gael mynd i mewn ac roedd o'n lle crand iawn. Un peth dwi'n ei gofio yno oedd i mi dorri ffenest ein llofft! Un o'r hen ffenestri oedd yn llithro i fyny ac i lawr oedd hi, ac roedd hi'n hynod o gynnes yno cyn y briodas, felly dyma fi'n codi'r ffenest i'r top. Wrth i mi ollwng y ffenest dyma hi'n dod i lawr yn glep ac roedd gwydr ym mhobman. Roeddwn i'n ofni bydde milwyr a gynnau ar fy ôl – ond wedi i mi siarad â'r teulu dyma ni'n cael stafell arall! "Be nesa, Aled?" oedd geiriau Karina!

Un cyngerdd arbennig arall a gefais tua deng mlynedd yn ôl oedd canu i'r Land Girls yn Neuadd y Dre, Manceinion. Roedd Diana Palmerston, y soprano o'r fordaith, wedi fy ngwadd gydag Eirian Owen i ganu i 600 o'r merched arbennig yma i ddiolch amdanyn nhw. Wel, am brynhawn hyfryd – y fi a 602 o fenywod, er bod y rheini bron i gyd yn eu hwythdegau a'u nawdegau! Roeddem yn canu'r hen ffefrynnau o gyfnod y rhyfel – caneuon hiraethus, a llawer o ganeuon y Cymro Ivor Novello fel 'We'll Gather Lilacs' ac ati. Roeddwn yn browd iawn o gael bod yn rhan o'r fath ddigwyddiad.

Mae nifer fawr o atgofion am yr holl gyngherddau yma dwi wedi bod yn ffodus i fod yn rhan ohonyn nhw, ac mae'n anodd meddwl beth yw'r uchafbwyntiau. Mae'n siŵr bydd y cyngerdd mawr yn y Tabernacl, Machynlleth, pan ges gyfle i ganu deuawd gyda Bryn Terfel ei hun, yn aros yn y cof am byth, yn ogystal â chanu ym mhrif neuaddau Awstralia a Seland Newydd yn 2003. Ond mae'r croeso mawr den ni'r artistiaid yn ei dderbyn yn y pentrefi bach gwledig mor amhrisiadwy hefyd, fel y te parti mawr blynyddol yng Nghapel Smyrna, Llangain, wedi cyngerdd llwyddiannus. Dwi bob amser yn hoff o fynd yn ôl i fan'no, dim ond am y wledd oedd yn ein disgwyl ar y diwedd! Mae'n waith caled i drefnu cyngherddau, a phrofais hynny fy hun wrth drefnu cyngherddau yn Llanbryn-mair, a chyngherddau'r Hen Ganiadau yn y Tabernacl yn y dref rai blynyddoedd yn ôl. Mae o'n llawer o waith ond yn bleser pur i'r trefnwyr a'r artistiaid pan mae'r gymuned yn dod at ei gilydd i fwynhau noson o adloniant.

15

Colli llais!

MAE PAWB YN mynd trwy ryw brofiadau digon anodd ar adegau mewn bywyd, ond fel canwr yr unig beth sy'n bwysig ydi fod y llais yn iawn. Mae llawer wedi deud ei bod hi siŵr o fod yn haws i mi fel canwr am nad ydw i'n gorfod cario fy offeryn cerdd mewn bocs mawr i bobman ond dwi'n anghytuno oherwydd mae fy offeryn i, fy llais, efo fi bob eiliad o bob dydd, ac mae angen edrych ar ei ôl. Mae blinder yn achosi i'r llais fod yn gryg, neu weiddi ar y ci defaid, neu noson allan ar y cwrw gyda'r cogie. Felly mae fy nosweithiau allan i'n gorfod cael eu cynllunio rownd y cyngherddau. Mae 'na gyfnodau pan mae'r plant yn sâl yn y tŷ yma, a dwi'n ofni'r gwaetha 'mod i'n mynd i fod yr un peth â nhw.

Dwi'n berson sydd erioed wedi gorfod cynhesu fy llais am oriau cyn cyngherddau, fel mae ambell i ganwr yn ei wneud. Dwi wedi bod mewn cyngerdd a chlywed y canwr arall drws nesa yn cynhesu ei lais am oriau cyn y perfformiad, ond fydden i wedi blino'r llais cyn i'r cyngerdd ddechrau!

Ar fore cyngerdd, y peth cynta fydda i'n ei wneud ydi tsiecio ydi'r llais yno, gwneud cwpl o *scales* neu *arpeggios* ac os galla i gyrraedd y nodyn B fflat uchaf yn syth yn y bore, dyna hi, dwi'n gwybod y bydda i'n iawn, a fydd dim angen canu rhyw lawer wedyn cyn y perfformiad yn y nos. Dwi'n cofio rhywun yn deud un tro, "Pavarotti is not judged on how he sings in the shower. People wait until his performance on stage," ac mae hynny'n ddigon gwir. Gallwch ei gor-wneud hi yn yr ymarfer, ac erbyn y cyngerdd mae'r llais wedi dechrau blino.

Mae un cyfnod hunllefus yn aros yn y cof i mi am golli llais, a bu hwnnw'n brofiad hir ac anodd iawn. Pan mae'r llais yn iawn mae'r hwyliau'n dda, ond pan mae'r llais wedi mynd dwi'n berson digon annifyr i fod yn ei gwmni tan i bethe ddod yn ôl. Fis Awst 2007 oedd hi, ychydig dros flwyddyn wedi i mi ennill y Rhuban Glas pan wnes i gamgymeriad mawr adre ar y ffarm. Roeddem wedi hel y defaid o'r ddau fynydd ac wedi tynnu'r ŵyn benyw oddi wrth eu mamau cyn y bydden nhw'n mynd am Sir Benfro fis yn ddiweddarach. Dipio'r defaid i gyd wedyn mewn cemegyn o'r enw *organophosphate* sy'n atal y defaid i gael y clafr, neu'r *scab*. Trochi'r defaid yn y dŵr yn ofalus am hanner munud, ac yna'r un peth gyda'r ŵyn benyw. Y diwrnod wedyn roedd yr ŵyn wedi sychu a phenderfynais fynd ati i docio, neu gneifio cynffonnau'r ŵyn fel roeddem yn ei wneud bob blwyddyn cyn iddyn nhw fynd i borfa ffres. Ddeudodd Dad, "Well i ti beidio, achos mae'r rheina wedi'u dipio ddoe, gad nhw am rai diwrnode!" Ond cadw ymlaen wnes i i docio yn y sièd gan gwblhau rhyw ddau gant ohonynt mewn cwpl o oriau.

Mewn cwpl o ddiwrnodau roedd fy llais i wedi mynd yn gyfan gwbl! Roeddwn i'n ffaelu canu nodyn, ac yn cael trafferth siarad hyd yn oed. Roedd o'n hunllef llwyr, ac roedd pethe mor wael roeddwn i'n dechrau panicio am y cyngherddau oedd i ddod. Wellodd dim byd, ac yn y diwedd roeddwn yn canslo cyngherddau wythnosau o flaen llaw. Roeddwn yn gwybod y bydde'n cymryd amser i mi wella. Roedd trefnwyr ambell i gyngerdd yn deall yn iawn, ac yn fy nghefnogi, gan fynnu bydde gwahoddiad arall i mi ddychwelyd mewn blwyddyn, ond bu ambell un yn reit anhapus am y peth 'mod i'n gohirio ac yn eu gadael nhw i lawr. Petaen nhw wedi 'nghlywed i'n canu ar y pryd, byddent yn falch uffernol 'mod i wedi canslo!

Parhaodd y broblem am wyth mis i gyd, ac erbyn hynny roeddwn yn meddwl am bob math o resymau pam fy mod yn sâl, gan ddiystyru weithiau mai effaith y dip defaid oedd o wedi'r cyfan. Mi driodd Mam ei gorau hefyd i helpu, a hithe'n nyrs yn y feddygfa leol ym Machynlleth, ac roedd yn dod â rhywbeth gwahanol i mi drio yn aml.

Roedd y llais yn tueddu i fynd a dod, ac os bydden i'n penderfynu gwneud un cyngerdd, galla i'ch sicrhau chi fydde dim siâp arna i wedyn am wythnosau! Roeddwn i'n dewis a dethol y cyngherddau a'r caneuon roeddwn yn gallu'u meistroli ond roeddwn yn mynd i bob noson yn ddihyder iawn ac yn ofni'r gwaetha. Bu raid i mi ganslo dau ddeg dau o gyngherddau i gyd ac roeddwn bron â rhoi'r ffidil yn y to 'mod i'n mynd i wella.

Yng nghanol tymor wyna 2008 ces gyngor i fynd i Pontrilas, ger Henffordd, i weld rhyw ddyn a fydde'n gallu fy helpu. *Quack* oedd o, ddim doctor – rhywun sydd heb raddio ym myd meddygaeth ond wedi dysgu rhyw sgìl feddygol oedd yn gymorth iddo ddeud beth oedd yn bod efo chi drwy'r dechneg *magnet therapy*. Es i weld y dyn yn reit ofnus am beth oedd o am ei ddeud wrtha i. Roeddwn wedi mynd â samplau o'r gwellt roeddem yn eu defnyddio yn y siediau, yn ogystal â'r cêc defaid roeddem yn ei ddefnyddio ar y pryd. Dyma fo'n rhoi dwy roden yn fy nwylo, oedd yn anfon rhywfaint o drydan mewn cylchdro drwy fy nghorff, ac wedyn ar waelod y lein roedd ganddo'r bocs yma lle roedd yn gallu rhoi gwahanol *substances* ynddo i weld sut oedd fy nghorff yn ymateb iddynt ar fesurydd y cloc. Wedi iddo drio'r gwellt, y cêc a phob math o lwch gallen i fod ag alergedd iddynt, dyma fo'n trio'r cemegyn *organophosphate*, sef y dip defaid. Aeth y cloc i fyny'n syth i'r top! Roeddwn wedi cael *reaction* gwael iawn, medde fo, a finne'n deud bod bron i wyth mis ers i mi docio'r ŵyn yna yn y sièd. Roedd yn bendant mai hwnnw oedd o, a hefyd yn hyderus y bydde'n gallu gwella'r broblem mewn dim o dro. Dyma fo'n rhoi rhyw *tissue salts* i mi eu cymeryd a rhyw ddrops i'w llyncu mewn gwydraid o ddŵr yn ddyddiol. Roedd o'n deud bod y cemegyn cas wedi effeithio ar fy system imiwnedd a'i fod ar leinin fy stumog, a bydde'r moddion yma'n cael ei wared o.

Ymhen ychydig ddyddiau roedd y llais yn gwella rhywfaint

bob dydd, ac o fewn pythefnos roedd y llais yn ôl ar ei orau. Es yn ôl i ganu yn syth a dwi'n cofio'n dda y cyngerdd cynta 'nôl yn y Drenewydd gyda'r milfeddyg Iwan Parry, a'r llais fel cloch! Roeddwn mor hapus, a'r wên 'nôl ar fy wyneb. Roeddwn wedi dysgu fy ngwers a dyna'r tro diwetha i ni ddipio'r defaid acw ar y ffarm. Roedd arogl y dip yn ddigon i mi wedyn, ac mae cerdded drwy linellau ffair ddefaid os bydd y rheini wedi'u dipio yn ddigon i roi poen pen i mi. Ers hynny den ni wedi troi at ddefnyddio *pour-on* ar gefnau'r defaid i reoli'r cynrhon, ac yn chwistrellu rhag y clafr os oes angen, sydd yn dipyn saffach na'r dipio i mi, beth bynnag!

Dwi wedi cael cyfnodau byr o golli llais wedyn dros y blynyddoedd, a'r rheini fel arfer adeg yr haf pan mae'r tywydd yn gynnes, falle oherwydd effeithiau'r paill neu'r llwch. Ond dwi wedi dod i arfer erbyn hyn ar sut i reoli'r peth. Rhaid gorffwys y llais, peidio â chanu dim byd heriol a gadael i natur redeg ei chwrs. Mae'n dod yn ôl bob tro ond rhaid bod yn amyneddgar. Mae genna i *repertoire* o ganeuon sydd ychydig yn haws erbyn hyn rhag ofn, ac fel arfer dwi'n gallu goresgyn y broblem heb orfod canslo'r cyngherddau, ac mae hynny'n iawn. Ond dydi o ddim cweit yr un peth â phan mae pen uchaf y llais yn gweithio ar ei orau – does dim teimlad gwell na hynny.

16

L.A., Seland Newydd ac Awstralia

AR DDIWEDD 2002 roeddwn yn trafaelio adre ar y bws ar ôl cyngerdd yn Lavenham, Swydd Suffolk gyda Chôr Godre'r Aran pan ddaeth Eirian Owen ar y meicroffon. Diolchodd i bawb am fihafio dros y penwythnos, gan ganmol y côr a finne am ganu mor dda yn y cyngerdd. Yna ces sioc enfawr bleserus. Gofynnodd i mi ddod ati i flaen y bws, cyn holi a fydden i awydd ymuno â hi a'r côr ar daith gerddorol dair wythnos a hanner i Seland Newydd ac Awstralia y flwyddyn wedyn fel eu hunawdydd gwadd! Roeddwn i'n methu coelio'r peth. Y fi, yn cael mynd i ganu i ben draw'r byd, ac i Seland Newydd o bobman – gwlad roeddwn wedi breuddwydio cael mynd iddi ers dyddiau cneifio. Derbyniais yn syth cyn holi neb adre a gawn i fynd – doedd neb yn mynd i fy stopio i, beth bynnag. Roedd yn gyfle rhy fawr i'w golli.

Roeddwn yn edrych ymlaen yn eiddgar i gael mynd ar fy nhaith gerddorol dramor gynta fel unawdydd ddiwedd 2003 pan ges alwad ffôn annisgwyl gan Trebor Gwanas ryw noson ganol mis Ionawr.

"Aled, mae Rhiannon fy chwaer wedi bod ar y ffôn o America. Sut liciet ti fynd i Los Angeles i ganu dros Gŵyl Ddewi?"

Wel, am sioc! Dim ond rhyw fis oedd i fynd cyn hynny ac roedd y cyngerdd rai diwrnodau cyn dechrau wyna a phopeth. Be wna i? Soniais wrth Dad, a chware teg iddo mi adawodd fi i fynd yn syth – dim ond fy mod i'n ôl i wyna! Felly, fel ymarfer bach i'r daith i Seland Newydd ces fynd i Hollywood am wythnos.

Cysylltodd Rhiannon â fi drannoeth i gadarnhau'r gwahoddiad, a derbyniais yn syth. Mae Rhiannon yn byw yn Long Beach, Califfornia, gyda'i gŵr Larry ers blynyddoedd maith, wedi iddi symud i'r Unol Daleithiau fel nyrs ddeugain mlynedd yn ôl. Erbyn heddiw, mae hi'n berchen ar gwmni mawr Cambrian Homecare yng Nghaliffornia lle mae ei busnes yn cynnig gofalwyr i edrych ar ôl cleifion a'r henoed yn eu cartrefi. Ond mae ei gwreiddiau yn ddwfn iawn yn nhiroedd Meirionnydd, lle cafodd ei magu yn chwaer fach i'r brodyr enwog o'r Brithdir, Tom a Trebor Gwanas. Mae'r traddodiadau Cymreig yn bwysig iddi hefyd, a bu'n aelod allweddol o'r capel Cymraeg yn Los Angeles am flynyddoedd cyn i ddrysau'r addoldy gau yn 2012. Trwy'r brodyr roedd gan Rhiannon gysylltiadau lu â chantorion yng Nghymru, a hi oedd yng ngofal cael cantorion a cherddorion draw i ganu yn y cyngerdd Gŵyl Ddewi bob blwyddyn.

Holodd Rhiannon a oeddwn am ddod â Karina efo fi, ond yn anffodus roedd hi eisoes wedi sicrhau pythefnos i ffwrdd o'r ysgol, yn ddi-dâl, i ddod efo fi ar y daith i Seland Newydd ac Awstralia. Felly holais i Wini Goedol, un o fy ffrindiau agosaf, a oedd am ddod efo fi. Roedd Wini am ddod, er ei fod yntau hefyd ar fin dechrau wyna.

Cawsom amser arbennig yn Long Beach gyda Rhiannon a Larry, ac roedd mam Rhiannon hefyd wedi trafaelio draw am dipyn o wyliau gyda'r ferch – neu wintrin yn yr haul, fel nath hi ei alw o! Cawsom sgyrsiau difyr yn ei chwmni yn y tŷ, gan roi'r byd yn ei le sawl tro!

Roedd dau ddiwrnod yn sbâr cyn y penwythnos cerddorol, felly sortiodd Rhiannon dacsi i nôl y ddau ohonom i fynd i fwynhau, a chawsom amser bendigedig yn yr haul. Y diwrnod cynta aethom i ganol L.A., gan weld y tai crand lle mae'r enwogion o fyd y ffilmiau'n byw yn Beverly Hills, ac roedd y

163

gyrrwr yn gallu deud ble roedd pawb yn byw. Aethom i'r Kodak Theatre ar Hollywood Boulevard lle mae'r Oscars yn cael eu cynnal bob blwyddyn, a cherdded y strydoedd gerllaw lle mae enwau'r sêr mawr ar y palmant, cyn gyrru i lawr strydoedd enwoca Los Angeles – Rodeo Drive a Sunset Boulevard. Dyma ni wedyn yn gyrru heibio i'r arwydd enwog 'Hollywood' cyn cyrraedd un o uchafbwyntiau'r daith – sef ymweld ag Universal Studios am y prynhawn. Dyma le anhygoel, lle roeddem yn cerdded drwy'r setiau ffilm oedd yn dal yn cael eu defnyddio ar y pryd. Roedd digon i'w weld yma, gan gynnwys taith drwy hanes y cwmni a gweld cynhyrchiad *Jaws*, a chymeriadau *Psycho*, a'r ffilmiau *Jurassic Park* a *Waterworld*.

Y diwrnod wedyn aethom i Disneyworld Califfornia, gan ryfeddu eto at ehangder y lle, a'r holl weithgareddau roedd yn gallu eu cynnig.

Pan ddaeth y penwythnos roedd rhaid dechrau canolbwyntio ar y canu ac aethom i'r capel ar y pnawn Sadwrn i gael ymarfer gyda'r cyfeilydd. Roeddwn yn rhyfeddu at leoliad y capel, oherwydd roedd reit yng nghanol Downtown L.A., mewn ardal ddigon tlawd. Roedd y capel yng nghanol cymuned Fecsicanaidd ac roedd y capel Cymraeg wedi gwneud cytundeb i rannu'r capel gyda nhw, felly roeddynt i gyd yn addoli yn y capel ac yn edrych ar ei ôl, ac roedden ni'n teimlo'n reit saff yno. Mae geiriau Wini am y diwrnod hwnnw yn deud y cyfan. Deudodd wrtha i mai'r ymarfer hwn oedd un o'r pethe mwya swreal yn ei fywyd – Cymro glân gloyw o Lanbryn-mair yn canu yn Eidaleg mewn capel Cymraeg yn Downtown Los Angeles, gyda sŵn bît-bocsio yn dod o gar rhyw gangsters Mecsicanaidd yn y maes parcio!

Ar y dydd Sul roedd y cyngerdd, ac roeddwn yn edrych ymlaen yn fawr. Roedd Wini wedi cael ei dynnu i mewn i ganu hefyd oherwydd holodd Rhiannon a allen ni wneud rhywbeth ar y cyd. Roedd Cymry eraill yn byw'n gyfagos, sef Melvin Jones a'i wraig Paula, ac roedd gan Mel dipyn o lais hefyd. Roedd Mel wedi symud draw o Sir Fôn i weithio yno ers cwpl o flynyddoedd ac wrth ei fodd yno. Perswadiodd Rhiannon ni i ganu pedwarawd tri llais, gan ganu'r emyn adnabyddus, 'Mi Glywaf Dyner Lais'. Roeddwn i'n canu'r tenor, Rhiannon yr alto, a Mel a Wini yn canu'r alaw. Roedd o'n swnio'n grêt ond welais i neb yn edrych mor nerfus erioed cyn canu mewn cyngerdd ag yr oedd Wini y diwrnod hwnnw. Roedd o'n ein diawlio am ei orfodi i ganu, er roedd o'n neud job dda ohoni. Mi gofiaf y foment arbennig pan gyflwynodd Rhiannon yr eitem i'r gynulleidfa. Dyma hi'n deud, yn Saesneg, fod gennon ni syrpréis rŵan i bawb, a bod ffrind i Aled am ymuno â ni i ganu pedwarawd. Roedd pen yr hen Wini i lawr rhwng ei goesau o'r golwg yn rhywle. Deudodd Rhiannon, "Gareth, Aled's friend from Wales, will now join us to sing a quartet. Gareth comes from the town of Llanwrin in Mid Wales, and he's a very important member of his local choir at Seion Chapel."

Dechreuodd y gynulleidfa ddeud "Www" gan edrych ymlaen at y perfformiad, ond roedd yr hen Wini yn goch fel bitrwt! Petaen nhw ond yn gwybod mai rhyw hanner dwsin oedd yn mynychu capel Seion fel arfer, ac nad oedd côr yno, ac yn anaml fydde'r hen Gareth yno o gwbl! Ond fe aeth yr emyn yn fendigedig a chawsom *cheers* mawr wedi i ni orffen! Aeth fy unawdau i'n rhyfeddol hefyd, ac roedd caneuon sentimental fel 'Cartref', 'Unwaith Eto 'Nghymru Annwyl' a 'My Little Welsh Home' at eu dant. Canes i hefyd 'Delilah', cân enwog Tom Jones, a gwnes i ryw stori 'mod i wedi cwrdd ag o yn Hollywood y diwrnod cynt ac wedi ei holi'n garedig a fydde fo'n fodlon i mi ganu ei gân o yn y cyngerdd! Dwi ddim yn meddwl nath llawer fy nghoelio i chwaith. Wedi'r cyngerdd cawsom de parti yn y festri a oedd yn gyfle i ni siarad gyda'r Cymry. Roeddem yn rhyfeddu o wrando ar eu storïau a hanes eu teuluoedd o Gymru.

Bu'n daith arbennig, ac fel rhyw drît bach cyn wyna aeth y ddau ohonom i Las Vegas am ddwy noson ar y ffordd adre. Wel, am le ydi hwnnw! Roedd ambell i westy yno yn fwy na thre Machynlleth, a dros 5,500 o ystafelloedd cysgu ynddynt!

Ar ben ein gwesty ni roedd *rollercoaster* ac roedd rhyw thema wahanol i bob un gwesty ar y stryd fawr, sef y Strip enwog. Aethom i ambell i gasino am dro, ond doedd genna i ddim rhyw lawer o gliw sut i chware, felly cadwais fy arian yn saff. Ond roedd ambell un yn taflu arian ar hyd y lle fel conffeti ac yn colli miloedd pob munud – ond dim Wini oedd o, diolch byth! Doedd o ddim y lle i fi. Yn y Caesars Palace roedd paratoadau ar y gweill gogyfer â gornest focsio fawr y byd ac aethom ein dau un bore i ymchwilio lle roedd y ddau *heavyweight* yn ymarfer. Wedi pasio cwpl o fariyrs roedden ni i mewn yn yr arena lle roedd cyfweliad y wasg ar fin dechrau gyda'r ddau focsiwr – Roy Jones Jr a John Ruiz. Aethom yn agosach ac o fewn dim roeddem ein dau yn pwyso yn erbyn y *ring* gan siarad ychydig eiriau efo Ruiz a'r newyddiadurwyr oedd yno o draws y byd! Roeddem adre yng Nghymru pan gynhaliwyd yr ornest, ac yn rhyfeddu mai'r lleiaf o'r ddau, Roy Jones Jr, oedd wedi ennill.

Mae'n rhaid fy mod wedi gwneud job reit dda yn y capel oherwydd ces wahoddiad yn ôl eto y flwyddyn wedyn. Roedd Rhiannon wedi derbyn gwahoddiad i ddinas arall i arwain Cymanfa Gŵyl Ddewi ac wedi gofyn i Mel drefnu, a chware teg iddo, y fi gafodd y cynnig i ddychwelyd. Ces amser arbennig unwaith eto, er i mi fynd fy hun y tro 'ma am ychydig ddyddiau.

Yn 2010 cysylltodd Rhiannon â mi eto i holi a oeddwn am ddod draw i L.A., a chan fod 'na fygythiadau fod y capel am gau ei ddrysau am byth yn y dyfodol agos, meddyliais y bydde'n syniad i mi fynd, a Karina i ddod efo fi ar yr antur y tro hwn. Cawsom wythnos fendigedig yno, gyda'r canu yn mynd yn dda a chael croeso arbennig iawn. Roedd Cymru yn chware Ffrainc ym Mhencampwriaeth y Chwe Gwlad ar y nos Wener, a chan ein bod wyth awr ar ei hôl hi yng ngorllewin America roedd y gêm ymlaen yn y bore. Roedd cymeriad o Laguna Beach, sef Dai Evans – Cymro Cymraeg yn wreiddiol o Lambed – wedi cynnig lifft i ni i dafarn yn Santa Monica i wylio'r gêm. Wrth i ni aros i'r gêm ddechrau, pwy gerddodd i mewn i'r dafarn ond yr actor Matthew Rhys i ymuno yn yr hwyl. Roedd yn byw yno, ac yng nghanol ffilmio'r rhaglen deledu *Brothers and Sisters* ar y pryd. Mae teulu tad Matthew yn hanu o Fro Ddyfi yn wreiddiol, felly buom yn siarad am hydoedd am ei deulu, a'i atgofion hapus yntau o ddod i'r ffarm ym Marchlyn, ger Pennal, pan oedd yn ifanc. Canodd y ddau ohonom yr anthem gydag angerdd ond colli fu hanes Cymru y bore hwnnw. Yn anffodus, mae'r hen gapel yn L.A. wedi cau erbyn hyn oherwydd diffyg aelodau ond mae atgofion hapus iawn genna i o'r teithiau yno ac rwy'n ymfalchïo 'mod i wedi cael y cyfle i berfformio yno.

Ym mis Hydref 2003 roedd y ddau ohonom ar ein trafels eto, gan ddechrau ar ein taith hir o 36 awr o Lanbryn-mair i ddinas Auckland yn Seland Newydd. Roeddwn yn edrych ymlaen yn fawr oherwydd fy nghysylltiadau cneifio, ac roedd nifer fawr o'm ffrindiau wedi bod yno'n gweithio. Mae'n rhaid deud, roedd o'n ofnadwy o bell ond yn werth o bob tamed wedi i ni gyrraedd. Glaniodd yr awyren am chwech y bore, yn llawer rhy gynnar i fynd i'r gwesty, felly cawsom *city tour* am wyth y bore a ninne wedi blino'n rhacs. Un o'r llefydd cynta i ni ymweld ag o oedd One Tree Hill, un o leoliadau uchaf Auckland gyda golygfeydd godidog o'r ddinas. Reit oddi tanom roedd Eden Park, un o feysydd rygbi rhyngwladol enwocaf y byd. Does dim llawer o dimau wedi dod adre o fan'no gyda buddugoliaeth yn erbyn y Crysau Duon.

Roedden ni'n aros am bedair noson yn Auckland, gyda chyngerdd yno i'r Gymdeithas Gymraeg mewn eglwys arbennig o fodern a hardd. Roeddwn mewn cwmni da gyda chogie Godre'r Aran, ac edrychodd y criw ar ein holau! Roedd ein gwesty yn Auckland reit wrth yr harbwr ac yn lle delfrydol i fynd am dro. Roedd sgriniau mawr yn yr harbwr oherwydd roedd Cwpan Rygbi'r Byd newydd ddechrau yn Awstralia, ac roedd y gêmau ymlaen ar y rheini.

Es i a chriw bach o'r côr ar daith amaethyddol i'r gogledd o Auckland tuag at Whangarei, gan ymweld â dwy ffarm. Ces sioc bleserus ar y ffarm gynta o weld nifer fawr o wartheg duon Cymreig yno. Roedd y ffarmwr wedi ymweld â Chymru, ac wedi hoffi'r brid cymaint fel y bu iddo brynu *embryos* iddo gael sefydlu buches newydd sbon ei hun yn Seland Newydd. Roedden nhw'n werth eu gweld, ac roedd yn agos i gant ohonynt yno'n pori'n hapus. Aeth ein hail ymweliad â ni i ffarm odro ac roedd y ffarmwr yn siarad Cymraeg yn rhugl. Roedd o'n frawd i Ger Bach, Trawsfynydd, sef Geraint Roberts oedd yn canu gyda mi yng Nghwmni Theatr Maldwyn. Roedd wedi ymfudo yno ers blynyddoedd ac yn hapus iawn ei fyd. Ces ymweld â sièd gneifio fawr hefyd y diwrnod hwnnw ond yn anffodus roedd hi'n rhy fuan i dymor y cneifio, felly ches i ddim cyfle i gneifio dafad y tro hwn.

Roedd ein hail gyngerdd yn Hamilton, rhyw ddwy awr o Auckland, a phenderfynodd Karina y bydde hi'n cael noson i ffwrdd o'r canu i ymlacio yn y gwesty. Cerddais yn ôl o'r cyngerdd i'r gwesty yn hapus dros ben gyda sut aeth pethe ac roeddwn yn ysu i ddeud wrthi sut oedd fy mherfformiadau wedi mynd. Ces sioc farwol wrth gyrraedd yr ystafell a gweld Karina ar lawr y bathrwm mewn panig a'i phen yn rhywle o dan y sinc! Roedd dŵr ym mhobman ar lawr. Roedd hi wedi tynnu ei *chontact lenses* allan ac roedd un wedi mynd i lawr y sinc o'r golwg. Doedd ganddi ddim pâr arall, felly roedd rhaid dod o hyd i'r lens neu wisgo sbectol am weddill y daith. Roedd hi wedi datgysylltu'r *u-bend* o waelod y sinc ac wedi ffaelu'i roi o'n ôl. Doedd dal dim sôn am y lens chwaith! Am lanast. Yn lwcus iawn roeddem yn symud ymlaen i dre Rotorua y bore wedyn ac roedd optegydd ger y gwesty, a thrwy lwc cafodd Karina lygaid newydd a ddaliodd hyd ddiwedd y daith!

Roedd diwrnod i ffwrdd gyda ni cyn ein cyngerdd yn Rotorua, felly aeth criw ohonom i wneud gweithgareddau awyr agored. Aeth ambell un i wneud Skydive, ond doedd hwnnw ddim i fi, felly aethom i rafftio dŵr gwyn. Mae'r gweithgaredd yma yn boblogaidd iawn yn Seland Newydd, yn enwedig ar yr afon Kaituna lle aeth criw o ugain ohonom i fwynhau. Ar yr afon yma mae'r rhaeadr uchaf yn y byd lle gallwch fynd i lawr y rhaeadr ar rafft – a wnaeth o ddim siomi o gwbl. Es i mewn rafft gyda rhyw bump o'r criw ieuengaf o'r côr, ac aeth Karina gyda Gareth Pugh, Arfon 'Dalgety' a'i dad Eric, oedd yn ei saithdegau, dwi'n tybio. Ges i fraw ar ddiwedd yr antur wrth gyrraedd y rhaeadr saith metr a gweld y twll mawr yma oddi tanaf, ond doedd dim dewis ond dal yn dynn ac i lawr â ni – o dan y dŵr am rai eiliadau cyn dod i'r golwg yn wlyb socen! Roedd o'n brofiad anhygoel, cyffrous, ac yn werth yr aros. Y rafft olaf oedd un Karina, a dyma nhw'n dod i lawr gyda phawb yn eu gwylio ar waelod y rhaeadr. Aeth pawb o'r golwg dan y dŵr cyn i ni weld rhyw Victory V o'n blaenau! Roedd yr hen Eric wedi syrthio allan, a'r unig beth oedd i'w weld oedd dwy goes i fyny yn yr awyr a gweddill ei gorff yn y pwll dŵr dwfn! Cawsom i gyd fraw, a dyma'r stiward yn mynd i mewn yn syth i'r dŵr i'w achub, ond roedd Eric yn chwerthin yn braf o fewn cwpl o funudau ac wedi mwynhau'r profiad yn fawr.

Cawsom daith arbennig yn Seland Newydd gan ganu mewn neuaddau hyfryd dros ben. Cynhaliwyd cyngherddau eraill yn Tauranga, Rotorua, Palmerston North, a'r brifddinas Wellington cyn teithio i lawr i Ynys y De i ganu yn nhref Nelson, a gorffen ein taith yn Christchurch. Roedd y neuaddau yn Wellington a Christchurch yn enfawr ac roedd hi'n anrhydedd i gael canu ynddynt. Dwi'n cofio mynd i amgueddfa arbennig yn Wellington, drws nesa i'r neuadd gyngerdd, ac roedd arddangosfa yno ar gneifio. Roedd o'n ddiddorol tu hwnt, ac roedd yno hefyd dipyn o hanes am y cneifiwr David Fagan, un o gneifwyr gore'r byd. Roedd o wedi rhoi cwpl o gribau cneifio i'r arddangosfa a dwi ddim yn meddwl bod neb yno wedi gwneud dim gwaith ymchwil arnynt, oherwydd wedi'i lythrennu arnynt oedd dyddiad a'r nifer o ddefaid roedd o wedi'u cneifio y diwrnod hwnnw, sef 23/2/1994 a 702 *sheep*. Wel, i'r gwybodusion, roedd hynny'n record byd ar y pryd ac roedd o wedi rhoi'r cribau arbennig yma i'r amgueddfa, ond doedd neb wedi sylwi pa mor bwysig oedden nhw. Es draw i ddeud wrth ryw ddynes oedd yn gweithio yno mai Cymro bach oeddwn i oedd yn nabod David Fagan, a bod y cribau yma'n rhai hanesyddol. Doedd ganddi ddim cliw ond mi wnaeth nodiadau a deud y bydde hi'n tynnu sylw at y peth, medde hi!

Roedd Ynys y De yn wahanol iawn, gyda golygfeydd arbennig wrth i ni yrru i lawr ar hyd yr arfordir, ond un peth a gofia i oedd y plant yn chware rygbi mewn parc dros y ffordd i'r gwesty yn Nelson, a hynny ar fore Sul. Roeddem yn amcangyfri bod dros bedwar cant o blant yno, a'r rheini i gyd yn ysu i fynd ymlaen i gynrychioli'r All Blacks rhyw ddiwrnod – yr anrhydedd fwya allwch chi ei chael yn Seland Newydd.

Wedi pythefnos fendigedig yn y wlad hyfryd hon dyma ni'n hedfan drosodd i Sydney ar nos Sadwrn. Wrth lanio yn y maes awyr sylwais ar bosteri ym mhobman am docynnau i Gwpan y Byd a thaflen am sut i'w harchebu. Wel ar y nos Sul, sef y noson wedyn, roedd Cymru yn chware yn erbyn y Crysau Duon yn y Stadiwm Olympaidd yn Sydney, a bydden i wrth fy modd yn cael mynd yno. Dyma fachu'r daflen ac i ffwrdd â ni am y gwesty. Roedd rhyw hanner dwsin wedi cael tocynnau i'r gêm fisoedd yn gynt ond roedd llawer rhagor ag awydd mynd os oedd tocynnau ar gael. Dyma fi'n ffonio'r rhif a chael gafael ar bedwar tocyn yn syth, am hanner pris tocynnau'r chwech arall! Es i lawr i gyntedd y gwesty ac roedd nifer o'r criw yn dal i gofrestru, felly rhannais y rhif ffôn â phawb. O fewn hanner awr roedd tua hanner cant wedi cael tocynnau, a'r rheini yn y seddau gorau yng nghanol y cae!

Aethom fel criw mawr i'r gêm, yn gynhyrfus ond ddim yn ffyddiog o gwbl ein bod am drechu Seland Newydd chwaith. Roedd y ddau dîm wedi mynd drwodd i'r chwarteri eisoes ac roedd Steve Hansen, hyfforddwr Cymru, wedi gorffwys tipyn o'r chwaraewyr i'r gêm nesa yn erbyn Lloegr, tra bod y Crysau Duon wedi dewis tîm cryf. Wel, be dystiais i'r noson honno oedd un o'r gêmau gore erioed yng Nghwpan Rygbi'r Byd. Roedd hi'n gêm agored gyda nifer o geisiau, a chwaraeodd Cymru yn arbennig. Roeddent ar y blaen efo rhyw chwarter awr yn weddill, cyn i'r Crysau Duon ddod yn ôl ar y diwedd gyda chwpl o geisiau gwych i ennill y gêm. Roeddwn mor falch i fod yn Gymro y noson honno, a hon oedd y gêm a daniodd yrfa Shane Williams, gyda'i rediadau chwim clyfar a chais anhygoel ar ddechrau'r ail hanner. Cerddais allan o'r stadiwm a 'mhen yn uchel, ond doedd dim canu chwaith, oherwydd roedd diwrnod mawr i ddod drannoeth.

Mi gofia i'r penwythnos yna yn Sydney am amser hir iawn, ac yn enwedig y dydd Llun dilynol. Roedd trefnydd ein taith, y Cymro Roy Waterson, wedi bwcio Neuadd y Dre, Sydney i ni ganu ynddi ar fore Llun am un ar ddeg y bore, a ches sioc o glywed bod y tocynnau i gyd wedi'u gwerthu – ddwywaith! Perfformiodd y côr a finne i gynulleidfa o 2,300 y bore hwnnw, ac am hanner awr wedi un y prynhawn roedd y stryd y tu allan yn orlawn wrth i 2,300 o bobl fynd allan, a 2,300 o bobl ddod i mewn i'n hail gyngerdd am ddau y prynhawn. Weles i erioed ddim byd tebyg. Cawsom ddwy gynulleidfa ffantastig a'r rheini wedi dod yna i fwynhau a gwerthfawrogi. Dydw i erioed wedi gwneud dau gyngerdd cyn amser te o'r blaen a hynny i 4,600 o bobl, a dwi ddim yn meddwl wna i byth eto chwaith. Profiad bythgofiadwy!

Wedi'r cyngerdd roedd ychydig oriau yn rhydd i ni grwydro, oherwydd y bore wedyn roeddem yn dal awyren i Perth. Es i a Karina i weld y tŷ opera enwog, yna'r Sydney Harbour Bridge, cyn dal cwch bach i draeth Manly. Mae Sydney yn ddinas arbennig a bydden ni wedi hoffi treulio mwy o amser yno, ond doedd dim gorffwys i fod!

Diwrnod blinedig arall drannoeth. Roeddem yn y maes awyr yn gynnar yn y bore wrth i ni ddal awyren i Perth, ar ochr orllewinol y wlad. Taith o ryw bum awr ar yr awyren, cyn tsiecio i mewn yn reit sydyn yn y gwesty newydd ac yna i ffwrdd â ni i gyngerdd yn y Perth Concert Hall. Dyma'r acwsteg gorau i mi ei brofi erioed. Roedd hi'n neuadd arbennig iawn. Gwefr yng ngwir ystyr y gair oedd cael y fraint o berfformio yno, ac aeth pob cân i lawr yn fendigedig, a hynny ar ôl diwrnod hir iawn!

Y bore wedyn roedd adolygiad am y cyngerdd ym mhapur dyddiol y ddinas ac roedd yn deud pethe hyfryd iawn am y côr a finne, chware teg!

Doedd dim gorffwys i fod am ddeuddydd arall eto oherwydd roedd dau gyngerdd i fynd cyn y gallwn i gael peint go iawn. Trafaelio i'r de o Perth wedyn i ganu yn Mandurah, cyn mynd ymhellach i'r de gan orffen ein taith gerddorol yn Bunbury.

Roedd hi'n daith hynod o brysur i ni fel cantorion – wyth cyngerdd yn Seland Newydd a phump yn Awstralia o fewn pedwar diwrnod! Roeddwn wedi bihafio'n dda iawn ac roedd rhaid gwneud hynny, oherwydd dim ond fi oedd yno fel unawdydd, felly roedd pwysau arna i i fod yn iawn yn feddyliol ac yn lleisiol i bob un cyngerdd. Mi ddaliodd y llais yn dda iawn, ac os rhywbeth roedd y llais wedi gwella wrth fynd ymlaen!

Cawsom barti i'w gofio yn y gwesty ar y noson olaf, cyn ei throi hi am ynys Bali am dridiau ar y ffordd adre i ymlacio. Yn anffodus bu raid i Karina fynd adre i Gymru hebdda i, gyda rhyw ddeg o aelodau'r côr, gan fod rhaid iddi fynd yn ôl i'r ysgol. Byddwn i wedi mynd efo hi ond oherwydd yr holl ganu a rhedeg o gwmpas roeddwn yn haeddu ymlacio ryw ychydig, a ches amser hyfryd yno yn gorwedd ar draethau prydfertha'r byd dan yr haul tanbaid. Hywel Anwyl o Lanbryn-mair oedd fy *room-mate* am y tridiau olaf a chawsom amser da, er roedd o yn ei wely ambell i awr o 'mlaen i bob nos!

Un o'r atgofion pleserus am Bali oedd i griw ohonom fynd ar *jet-skis* ar y môr. Roeddwn wrth fy modd, ac roedd ei yrru yn ddigon tebyg i yrru beic cwad ar y ffarm. Bues arno am oesoedd gan fynd allan rhyw ddwy filltir o'r lan. Un peth doeddwn i ddim wedi deall oedd na ddylech agor y throtl wrth droi o gwmpas yn araf oherwydd wrth neud hynny roedd y beic yn plymio i'r dŵr gan droi drosodd. Ie, chi'n iawn – dyna ddigwyddodd, a finne'n bell oddi wrth bawb arall. Roedd y beic ben i waered a finne'n hongian ymlaen iddo gan obeithio y bydde cymorth yn dod o rywle. Mi ddoth rhywun yn y diwedd, diolch byth, ac o fewn dim roeddwn yn ôl yn rasio'r lleill eto! Dwi heb fod ar un ers hynny – bydd raid mynd eto rhywbryd.

Dyna oedd taith a hanner, a diolch i Eirian ac i'r côr am y gwahoddiad i ymuno â hwy, ac am ymddiried yndda i i fod yn unawdydd ym mhob cyngerdd. Bu 2003 yn flwyddyn fythgofiadwy i mi fel canwr ond doedd dim cliw genna i ble fydde'r canu yn mynd â fi nesa...

17

Mordeithio

PAN OEDDEN NI ar ein mis mêl yng Nghanada ym mis Awst 2004, rhyw bythefnos wedi i mi gystadlu ar y Rhuban Glas am y tro cynta yng Nghasnewydd, roeddwn i a Karina yn cerdded ger yr harbwr yn Vancouver. Hwn oedd diwrnod olaf ein gwyliau, felly aethom am dro o amgylch y parc ac ar hyd y glannau. Wedi i ni basio'r llongau bach a'r cychod hwylio dyma ni'n cyrraedd y dderbynfa fordeithiau, y Cruise Terminal, ac yno o'n blaenau roedd dwy long anferth yn cael eu llwytho yn barod i ddechrau ar fordaith i Alaska. Deudais wrth Karina y byddai mynd ar fwrdd llong bleser fel yna i ganu siŵr o fod yn dipyn o brofiad. Edrychom ar y llongau mewn syndod gan ryfeddu at eu maint, gan feddwl mai rhyw freuddwyd bell oedd hynny.

Ymhen llai na phythefnos wedi'r diwrnod hwnnw, dyma fi'n cael galwad ffôn gan Eirian Owen yn holi tybed a oedd genna i ddiddordeb i fynd i ganu ar long fordaith! Roeddwn i'n methu coelio'r peth, ac esboniais wrthi ar y ffôn be ddeudais wrth Karina yn Vancouver ddiwrnodau ynghynt. Roedd Eirian wedi cael galwad ffôn gan ei ffrind, Diana Palmerston – soprano o Gaer oedd wedi gweithio gyda hi yng ngholeg cerdd Chetham's ym Manceinion ers blynyddoedd. Deudodd Diana ei bod wedi cael cynnig y gwaith gan ffrind iddi ac roedden nhw'n edrych am dri unawdydd clasurol a chyfeilydd i wneud ychydig o gyngherddau ar y llong. Roedd Diana, a'i gŵr ar y pryd, y bariton David Palmer, am fynd, ac roedd hi am i Eirian ymuno â nhw fel eu cyfeilydd. Roedd Eirian wedi dotio, a hithe wrth gwrs yn hoff iawn o'r haul ac o drafaelio – roedd o jyst y peth iddi. Yna dyma Diana yn holi Eirian tybed beth oedd hanes y tenor ifanc 'na o Gymru oedd wedi canu gyda hi a Chôr Godre'r Aran mewn cyngerdd yn Poulton-le-Fylde ger Blackpool ychydig fisoedd ynghynt. Tybed fydde hwnnw'n addas fel y trydydd unawdydd? Ie, y fi oedd hwnnw, a phan holodd Eirian i mi doedd dim angen llawer o berswâd arna i i dderbyn y cynnig, a hynny hyd yn oed cyn clywed i ble roedden ni'n cael mynd.

Daeth cadarnhad am yr holl drefniadau gan y cwmni teithio Swan Hellenic ac roedd popeth wedi'i drefnu. Roeddem yn dechrau ar ein mordaith gynta ddechrau Ionawr 2005, a hynny i Gefnfor India, gan lanio yn India, Sri Lanka, Thailand a Malaysia.

A ninne yng nghanol dathliadau'r Nadolig yn 2004, deffrais ar fore dydd San Steffan i'r newyddion syfrdanol o drist ar y teledu am y swnami enfawr yna oedd wedi dinistrio'r glannau yn yr union ardal roeddem am fordeithio ynddi'r wythnos wedyn. Lladdwyd dros ddau gan mil o drigolion ar lannau arfordir Cefnfor India y diwrnod hwnnw, mewn pedair ar ddeg o wledydd. Doeddwn i erioed wedi clywed llawer am y gair *tsunami* cyn hyn ond roedd gweld y dinistr yn anghredadwy.

Wrth wylio'r teledu roedd hi'n amlwg fydde ddim mordaith i ni yr wythnos wedyn, ac roeddwn yn falch o hynny hefyd, wrth feddwl am y bobl oedd wedi dioddef. Ond mae'n rhaid i'r cwmnïau teithio yma ddal ati'n ariannol, felly bu aildrefnu sydyn ac ymhen pythefnos daeth cadarnhad gan Swan Hellenic y bydden ni'n cael mynd eto fis yn hwyrach, i Gefnfor India ond bydde newidiadau i'r lleoliadau.

Ym mis Chwefror 2005 cychwynnais ar fy nhaith, gan hedfan i Bangkok yng Ngwlad Thai i gwrdd â'r llong, *Minerva II* am y tro cynta. Roeddwn wedi cwrdd â Diana a David cwpl o weithiau yng nghartref Eirian yn Nolgellau i gael ymarfer ond yn y maes awyr cwrddais i â gweddill y criw cerddorol.

Martyn Harris, a'i bartner Mike, cwpl o Gaer, oedd wedi cael y gwaith o drefnu'r canu clasurol ar fwrdd y llong, ac mae'r hanes am sut dechreuodd ein mordeithiau yn stori ryfeddol. Roedd y ddau yn deithwyr rhyngwladol ers blynyddoedd, gan fynd hefyd ar deithiau cerddorol dros y byd i wylio operâu a chyngherddau clasurol, ac wedi dechrau mynd ar fordeithiau ers cwpl o flynyddoedd. Roeddent hefyd wedi tywys teithwyr i'r Eidal i wylio operâu awyr agored. Yn 2004, roedd y ddau'n hedfan adre wedi pythefnos ar fwrdd y llong gyda chwmni Swan Hellenic pan ddaeth dynes i eistedd wrth eu hochr ar yr awyren. Bu tipyn o sgwrsio, a Martyn yn deud wrthi eu bod yn drafaelwyr brwd, ac yn hoff iawn o gerddoriaeth glasurol ac operatig. Dyma'r ddynes yn eu holi am eu profiadau ar y llong a beth oedd eu barn am yr arlwy gerddorol. Deudodd Martyn wrthi'n onest nad oedd safon y gerddoriaeth cystal ag yr oedd wedi ei ddisgwyl, a hithe wedyn yn holi tybed sut fydde fo'n dymuno gwella'r safon. Dyma Martyn yn deud ei fod yn adnabod nifer o gantorion safonol a fydde wedi gwneud gwell job ohoni! Victoria Kennedy oedd y ddynes ar yr awyren, sef trefnydd adloniant cwmni Swan Hellenic, ac roedd wedi'i hudo gan frwdfrydedd Martyn tuag at gerddoriaeth, a holodd a fydde diddordeb ganddo i'w helpu hi i drefnu ambell i fordaith yn y dyfodol. Aeth i lawr i bencadlys y cwmni i gwrdd â Victoria rai wythnosau wedyn a chael cytundeb cychwynnol o dair mordaith pan fydde fo'n trefnu'r arlwy o gerddoriaeth glasurol. Wel, dyna lwc i ni i gyd, yndê!

Roedd angerdd cerddorol yn byrlymu drwy wythiennau Martyn a Mike, ac roeddynt yn gwmni da iawn ar y llong. Roeddynt hefyd wedi trefnu bod Amanda Holden yn ymuno â ni fel siaradwraig wadd yn y seminarau. Nid yr Amanda Holden den ni'n ei gweld ar ein sgriniau teledu ar nosweithiau Sadwrn oedd hon, ond Amanda Holden y cerddor – y libretydd a'r cyfieithydd sydd wedi trosi nifer fawr o operâu i'r iaith Saesneg. Roedd hi'n berson diddorol dros ben, yn gwmni da ac yn mwynhau teithio fel ninne.

Wedi cyrraedd Bangkok roedd taith hir drwy'r ddinas cyn cyrraedd yr harbwr. Roedd hi'n llethol o boeth ac roedd y golygfeydd yn hollol wahanol i gefn gwlad Cymru. Roedd tipyn o dlodi i'w weld ar y strydoedd prysur ac roedd yn hynod eironig ein bod ni'n mynd heibio i'r fath dlodi o'i gymharu â moethusrwydd y llong. Daethom i'r harbwr a gweld y llong fawr las am y tro cynta gyda'r alarch fawr wen yn disgleirio ar ran uchaf y llong.

Cyn cael mynd ar y llong rhaid mynd o flaen y camera i dynnu'ch llun, wedyn rhoi eich pasbort i'r criw a chael carden bersonol i gael mynd i mewn ac allan bob tro. Roedd y moethusrwydd yn anhygoel, gyda'r dodrefn a'r carpedi o'r safon uchaf ym mhob man. Doedd y llong yma ddim y fwya o'r llongau o bell ffordd. Rhyw 700 o deithwyr roedd hon yn ei dal, sydd yn weddol fach o'i chymharu â'r rhai mawr sy'n dal dros 5,000 o deithwyr! Ond roedd hi fel camu i mewn i ryw blasty moethus yn Lloegr. Roedd y rhan fwya o'r teithwyr yn hanu o Brydain, a nifer helaeth ohonyn nhw yn Saeson. Roedd chwe bwyty arni, a thri o'r rheini yn fwytai smart iawn lle roedd y bwyd o'r safon uchaf – rhaid gwisgo i fyny a bwcio'r bwrdd o flaen llaw i fynd i'r rheini, fel rheol. Roedd y tri arall yn fwy ymlaciol, lle gallech gael bwffe, neu farbeciw tu allan wrth y pwll mewn siorts a chrys-t. Roedd y rhain yn fy siwtio i i'r dim ond roedd yn bwysig ehangu fy ngorwelion weithiau a blasu'r bwyd safonol mewn moethusrwydd. Un fantais fawr pan ydych yn bwyta allan ar long, a'r bwyd am ddim, yw cael blasu pob math o fwydydd. Pan dwi'n bwyta allan, fel arfer dwi'n draddodiadol ac yn mynd am y stecen neu'r pethe cyfarwydd, rhag ofn i mi beidio â hoffi'r bwydydd gwahanol 'ma, ond pan mae'r pryd bwyd wedi'i dalu amdano a'r bwyd bob amser yn dda, rwy'n hoff o flasu cigoedd a bwydydd anghyfarwydd fel carw, cangarŵ, cimwch, cranc, a hyd yn oed octopws! Pa bynnag ran o'r byd roeddem ynddi ar y pryd, roedd y nosweithiau'n cynnig themâu gwahanol, a'r fwydlen yn cynnig bwydydd o'r rhan honno o'r byd, ac roedd yr amrywiaeth yn fendigedig.

Wedi i ni adael Bangkok ar ôl ymweld â nifer o demlau lliwgar, hwyliodd y llong i Singapore. Yno, cawsom gyfle i flasu'r coctel Singapore Sling yn y Long Bar yng ngwesty Raffles lle crëwyd y ddiod enwog am y tro cynta, cyn cael taith mewn car cebl dros y ddinas. Ein hymweliad nesaf oedd Kuala Lumpur, prifddinas Malaysia, lle gwelsom demlau di-ri unwaith eto, ymweld â'r trac rasio enwog Fformiwla Un, a'r ddau dŵr enwog, y Petronas Twin Towers – sef un o'r adeiladau uchaf yn y byd.

Dyma ni wedyn yn glanio yn Phuket yng ngorllewin Gwlad Thai, gan ddechrau gweld ardaloedd lle bu'r fath ddinistr ar ddydd San Steffan. Chawson ni ddim mynd yn agos i'r harbwr lle roedd y swnami wedi bod ar ei waethaf, ond cawsom weld y dinistr o bell, cyn ymweld â gwesty mawr ger traeth hyfryd arall ar ochr fwy cysgodol o'r ardal. Roedd y gwesty yma fel arfer yn cadw dros chwe chant o ymwelwyr ond roedd pawb wedi canslo. Dim ond chwech ohonon ni oedd yno, a ninne i gyd yn rhan o'r un criw cerddorol. Roedd pedwar yn gweini arnon ni ac roedden nhw'n deud bod y rhan honno o Phuket heb weld dim o'r swnami, a buon nhw'n pledio arnon ni i ddeud wrth bawb bod y lle'n saff a'u bod eisiau pethe i fynd yn ôl fel yr oedden nhw cyn gynted â phosib – tebyg iawn i sut mae wedi bod ym mhobman eleni wedi'r feirws Covid-19 yma. Roeddem yn teimlo trueni drostynt. Roedd y traeth islaw'r gwesty yn un o'r traethau hyfrytaf i mi'i weld erioed, ond eto doedd neb yno. Y noson honno roedden ni'n croesi'r cefnfor i gyfeiriad India gan hwylio heibio i ynysoedd yr Andaman. Bu'r swnami yn ddinistriol iawn yma hefyd, a lladdwyd miloedd ar yr ynysoedd, a chollodd dros 40,000 o drigolion eu cartrefi. Mae'n debyg bod hen ofergoelion y tywydd ar lafar wedi achub bywydau miloedd o bobl oherwydd iddyn nhw gael rhybudd mewn pryd.

Ymlaen wedyn a chyrraedd India, gan lanio mewn harbwr gwahanol i'r arfer, oherwydd y swnami – harbwr diwydiannol reit wrth ochr porthladd glofaol. Wel, pan ddaethom yn ôl at y llong y noson honno roedd y llong hardd wedi troi'n ddu. Roedd y llwch o'r glo wedi chwythu dros y llong ac roedd y dodrefn i gyd wedi'i chael hi. Bu'r gweithwyr ar y llong wrthi drwy'r nos yn glanhau'r llanast. Gorffennodd ein mordaith yn Chennai, neu Madras o roi iddo'i hen enw. Dyma le anferth, ac roedd yn addysg i deithio mewn bws ar hyd y strydoedd yma. Wel, am draffig, ac roedd llawer yn gyrru'r *tuk-tuks*, y ceir bach melyn, fel ffyliaid! Doedd dim *highway code* yn agos. Ac wedyn, reit yng nghanol stryd brysur, bydde ambell i fuwch yn cerdded yn gartrefol braf. Roedd gweld hyn braidd yn anghredadwy mewn dinas mor brysur ond mae'r fuwch yn anifail sanctaidd yn India ac roedd miloedd o wartheg strae ar hyd y lle.

Aethom i lawr ar hyd yr arfordir a gweld tai oedd tua milltir o'r môr gyda staen tri chwarter ffordd i fyny'r waliau yn dangos ble cyrhaeddodd y dŵr ei lefel uchaf adeg y swnami. Roedd pebyll bach glas ym mhob pentref, a fan'no roedd pawb yn byw ar hyn o bryd cyn ailadeiladu eu cartrefi newydd. Roedd hyn mor eironig o drist o feddwl amdanon ni ar y llong yng nghanol y fath foethusrwydd.

Gorffennodd ein mordaith yn yr India cyn hedfan adre i Gymru, a ninne wedi cael modd i fyw. Roedd y canu wedi mynd yn dda ac roedd penaethiaid y cwmni'n hapus hefyd gyda'r perfformiadau ac roedd addewid am fwy o fordeithiau i ni, oedd yn newyddion da iawn i bawb – heblaw am Dad adre, falle!

Doedd genna i ddim syniad be i'w ddisgwyl cyn mynd ar y fordaith gynta yna. Roedd yn brofiad reit swreal i mi, mae'n rhaid deud, ac roeddwn wedi fy hudo gan yr holl beth. Yn anffodus, ar y daith gynta un yn 2005, doedd Karina ddim yn gallu dod efo fi oherwydd ei bod yn dal i ddysgu yn Ysgol Uwchradd Caereinion, ond sylwodd yn reit sydyn ei bod yn colli allan, ac wedi'r ddwy fordaith gynta, cafodd swydd wahanol – a daeth hi gyda mi bob tro wedyn!

Roedd manteision di-ri o gael gwahoddiad i ganu ar long fel hyn. I ddechrau roedd popeth wedi'i dalu amdano, gan gynnwys y bwyd i gyd, y gwibdeithiau i wahanol ardaloedd pan oeddem yn glanio, disgownt mawr yn y siopau, a'r diodydd yn y bar i gyd am ddim! Mi ddois yn dipyn o giamstar ar ordro coctels ar y llong – Pina Colada Man ac Aled BBC roeddwn yn cael fy ngalw gan staff y bar oherwydd y coctels poblogaidd. Roedd y coctel BBC yn cynnwys y gwirodydd Baileys, hufen banana a hufen coconyt, ac roedd yn flasus tu hwnt! Roeddem yn cael rihyrsal bach o ganu ambell fore ar ôl brecwast, ac yna roedd rhaid cael coctel bach wrth y pwll i ymlacio. Roeddwn yn union fel y cymeriad Del Boy!

Mantais fawr arall oedd cael ein dillad i gyd wedi'u golchi am ddim. Roedd hyn yn cynnwys y *dry cleaning* i'r siwt ganu hefyd! Ddeuddydd cyn ei throi hi am adre, roedd y dillad i gyd yn mynd i'w golchi ac yn dod 'nôl wedi'u smwddio'n barod i'w rhoi i gadw wedi cyrraedd adre. Roedd Mam yn falch iawn o hynny!

O ran y cyngherddau, roedden ni'n lwcus iawn. O'u cymharu â chantorion a pherfformwyr sy'n gweithio'n gyson ar longau pleser pan maent yn gorfod canu bob nos, wyth gwaith yr wythnos, cawsom ein trin fel brenhinoedd. Dim ond tri chyngerdd o ryw ddeugain munud roedd rhaid i ni eu perfformio mewn pythefnos! Ie, dim ond tri. Roeddem yn cael rhai diwrnodau i ymlacio cyn ein cyngerdd cynta ac wedyn rhyw dri diwrnod i ffwrdd cyn pob perfformiad. Cawsom ddewis ar y dechrau a oeddem am gael ein talu am berfformio a byw yng ngwaelodion y llong gyda'r staff neu fynd yn ddi-dâl a chael yr holl wasanaethau am ddim, yn ogystal â chael ein trin fel y teithwyr eraill a chael ystafelloedd safonol. Penderfynom i gyd mai hynny fydde orau, yn enwedig gan ein bod yn cael dod â phartner neu ffrind yn y fargen. Gan ei bod yn llong eitha bach roedd y rhan fwya o'r teithwyr yn dod i bob cyngerdd, felly roedd pob un cyngerdd yn gorfod cael rhaglen wahanol. Bydde pawb yn mynd i gael swper yn gynta ar noson y cyngerdd, ac wedyn tua 9:45 yr hwyr byddem yn dechrau canu ac roedd rhaid gorffen cyn 10:30. Roeddem fel arfer yn gwneud cyngerdd o glasuron Mozart mewn un cyngerdd, noson Eidalaidd o ganeuon Verdi a Puccini yn yr ail, ac yna noson o ganeuon cariadus a phoblogaidd yn ein cyngerdd olaf. Ym mhob cyngerdd roedd disgwyl i mi ganu dwy neu dair aria a chwpl o ddeuawdau a thriawdau i orffen. Roedd y gwaith caled o ddysgu'r *repertoire* wedi'i wneud cyn dechrau'r daith, felly roedden ni'n gallu mwynhau'r profiad yn llwyr.

Penderfynodd Martyn y bydde'n syniad da i gynnwys rhai o'r teithwyr yn ein cyngherddau. Felly daeth y syniad o greu côr o'r teithwyr i gydganu gyda ni yn y cyngherddau. Cawsom dipyn o fraw pan ddaeth tua wyth deg i'r ymarfer cynta un! Doedd ambell un erioed wedi canu yn ei fywyd ac am fentro, a rhai eraill tipyn mwy profiadol ac wedi canu gyda chymdeithasau corawl mawr yn Lloegr. Roedd y rheini'n reit *keen*, mae'n rhaid deud, ac yn dangos eu gwybodaeth i gyd – ond roeddent yn gaffaeliad mawr i'r côr! Cawsom hwyl wrth lunio enw i'r côr, sef y Swan Hellenic Operatic Choral Society – y SHOCS! Roedd y teithwyr wrth eu boddau efo'r enw, ac roedd eu canu'n safonol iawn hefyd, chware teg – tipyn gwell na'r enw! Un peth wrth ffurfio'r côr oedd bod gennon ni gynulleidfa barod i'r cyngerdd cynta! Roeddynt yn dod â'u partneriaid gyda nhw ac wedi deud wrth nifer fawr o'r teithwyr eraill hefyd. Felly roedd y gynulleidfa o'n plaid o'r dechrau cynta un.

Roedd siarad â'r teithwyr yn gallu bod yn brofiad ynddo'i hun ambell dro hefyd. Roedd un neu ddau yn hoff o ddod draw i frolio eu bod yn berchen ar docyn tymor yn y Tŷ Opera Brenhinol yn Covent Garden ac yn dechrau holi ym mha goleg cerdd yn Llundain roeddwn i wedi astudio Cerddoriaeth, a finne'n deud yn fy Saesneg carpiog, "Oh, I've never been to any music college, you know. I'm just a sheep farmer from Mid Wales!"

Roedd eu hymateb yn syfrdanol bob tro. Roeddwn yn browd iawn o ddeud mai ffarmwr defaid oeddwn i o ganolbarth Cymru ac yn falch o allu siarad am adre gyda nhw. Y trafferth mwya wedi i mi sôn am fy nghefndir fel ffarmwr yn y cyngerdd oedd bod bron pob un oedd yno yn dod atoch yn ystod y diwrnode canlynol i holi am y ffarm, gan holi am y defaid, a phwy oedd yn edrych ar eu holau pan oeddwn ar y môr! Ges i'r cwestiwn hwnnw gannoedd o weithiau dros y blynyddoedd.

Roedd Cymry ar y llong weithiau ac roeddent yn dod am sgwrs wedi'r cyngerdd ac eisiau prynu diod i mi, a finne'n deud na, bydde'n well i fi brynu diod iddyn nhw oherwydd roedd ein diodydd ni am ddim! Mi gostiodd hynny gannoedd i'r cwmni, dwi'n siŵr. Roedd 'na ddoctor wedi ymddeol o Bont-y-clun, ger Pen-y-bont ar Ogwr a'i wraig ar y llong unwaith. Cwpl hyfryd dros ben. Roedd o wrth ei fodd bod Cymro ar y llong yn perfformio. Roedd yn dod draw am sgwrs ac roedd yn gyfle iddo siarad am rygbi. Roedd ei daid, Willie Llewellyn, yn enwog am fod yn gapten ar dîm rygbi Cymru pan drechwyd y Crysau Duon 'nôl yn 1905. Y tro cynta erioed i dîm Cymru guro Seland Newydd ac, yn wir, i unrhyw dîm rhyngwladol eu curo! Roedd o mor browd ohono a deudodd fod ganddo ystafell adre yn llawn *memorabilia* am ei daid. Rai misoedd yn ddiweddarach trefnodd fy mod i a Karina yn cael ei docynnau *debenture* am y dydd i fynd i wylio Cymru yn erbyn Awstralia yng Nghaerdydd, a fynte adre yn gwylio'r gêm ar y teledu. Bu raid galw i'w gweld wedyn ar y ffordd adre a chael croeso mawr gennyn nhw cyn cael gweld yr ystafell arbennig am hanes ei daid. Mae pobl hael fel yna'n brin iawn y dyddiau yma!

Dwi'n cofio menyw o Toronto a'i gŵr ar fordaith arall un tro, ac roedd hi'n dod draw wedi bob cyngerdd gan ganmol y noson, ac roedd yn deud pethe mawr amdana i fel canwr. Falle'i bod hi'n drwm ei chlyw! Deudodd ei bod yn gysylltiedig â'r celfyddydau yn Toronto, a bydde hi'n hoffi i mi ddod i ganu yn y ddinas rhywbryd yn y dyfodol. Beth bynnag, pan ges wahoddiad i berfformio mewn cyngerdd yn y capel Cymraeg ar gyrion Toronto rhyw flwyddyn yn ddiweddarach, mi gysylltais â'r ddau i'w hysbysu, a chware teg, daeth y ddau gyda nifer o'u teulu i'r cyngerdd gan fwynhau'n fawr iawn, er bod rhan helaeth y noson yn ganeuon Cymreig. Y diwrnod wedyn deudodd y ddynes wrthom i gwrdd â nhw yng nghanol Toronto. Roeddem wedi cael gwahoddiad i ginio mewn bwyty moethus drud lle roedd y ddau yn aelodau. Cawsom ystafell breifat i'r pedwar ohonom gael cinio pum cwrs, a ninne'n westeion iddynt. Licien i ddim meddwl faint oedd y bil ar y diwedd ond roedden nhw'n gwmni hyfryd ac yn falch iawn ein bod wedi gallu ymuno â nhw.

Roedd llawer o enwogion ar y mordeithiau yma hefyd ac roedd edrych ar y daflen oedd yn dangos enwau'r teithwyr yn agoriad llygad. Mi fyddai dros gant o ddoctoriaid ar y llong fel arfer, ac wedyn degau o *Sirs* a *Dames*. Un o'r siaradwyr gwadd un tro oedd Esther Rantzen, y newyddiadurwraig a'r cyn-gyflwynydd rhaglenni ar y BBC. Roedd ei hareithiau'n werth gwrando arnyn nhw, gan gynnwys hanes ei gwaith ymgyrchol i'r elusen Childline.

Es i'r llyfrgell ar y llong un tro wedi i ni lanio yn yr Eidal a deud wrth Karina, yn Gymraeg, 'mod i'n adnabod wyneb y ddynes oedd yn eistedd yno'n darllen llyfr, a sylwais fod y ddynes wedi dechrau chwerthin. Yr actores Siân Phillips oedd hi, a Karina yn deud wrtha i am dawelu oherwydd ei bod yn gwybod ei bod hi'n siarad Cymraeg yn rhugl! Roedd hi yno i berfformio cwpl o nosweithiau ar y llong a daethom yn ffrindiau da â hi wedyn am y pythefnos, ac roedd Siân yn falch o'r cwmni ac yn ymfalchïo o gael siarad Cymraeg gyda ni hefyd. Roedd artist preswyl ar fwrdd y llong o'r enw Peter Welton o Gaerlŷr. Roedd o yno i roi gwersi peintio i'r teithwyr ac roedd yn dipyn o gymeriad. Bu ar dair mordaith efo ni ac roedd yn gwmni da. Roedd o wedi dotio at y canu hefyd, cymaint fel y bu iddo'n gwahodd ni i gyd i'w bentref yn Arnesby ddwywaith i wneud cyngherddau iddo, a chawsom groeso mawr bob tro gan aros yn ei gartref.

Roedd un ddynes oedrannus wedi bod yn deithwraig ar y llong yn ddi-dor ers blwyddyn! Roedd wedi rhentu ei thŷ crand yng nghanol Llundain i rywun arall ac roedd yr arian hwnnw'n

183

ei galluogi i fyw ar y llong am faint bynnag roedd hi eisiau. Deudodd wrthom y bydde hi wedi gorfod mynd i gartre hen bobl os bydde hi'n ôl adre, ond fel hyn roedd yn cael gweld y byd am ddim, yn cael gweld y doctor yn syth os oedd raid, ac yn cael popeth wedi'i wneud drosti mewn awyrgylch hapus, braf. Dyna'r ffordd i weld y byd, yndê!

Daeth fy nghyfaill, Wini Goedol, gyda mi ar fy ail fordaith – a honno i ogledd America yn 2006. Roedd Karina'n gweithio fel athrawes ac yn methu cael amser i ffwrdd, felly oherwydd roedd y daith yn rhad ac am ddim i ddau, holais i Wini a oedd o am ddod efo fi. Cawsom lot o hwyl, ac roedd Elfyn, gŵr Eirian, a fo wedi mwynhau'n fawr iawn. Bu'n helpu i ddosbarthu cerddoriaeth i'r côr a daeth yn aelod o'r SHOCS, gan ganu ar y llwyfan gyda ni. Doedd o ddim mor nerfus ag yr oedd o yn y capel yn Los Angeles rai blynyddoedd ynghynt! Roedd yn mynd yn gynnar bob bore am dro ar y dec yn ei *dressing gown* a'i slipars ac yn yfed coffi a chymdeithasu gyda'r teithwyr boreuol! Dwi ddim yn siŵr ai oherwydd fy chwyrnu oedd o'n codi'n gynnar – ie, siŵr o fod – ond doedd byth sôn amdano yn y caban yn gynnar yn y boreau.

Mae un stori yn aros yn y cof am y daith pan ddaeth Wini efo fi, a dim ei fai o oedd o chwaith y tro 'ma. Roedd awyrgylch reit sidêt ar y llong weithiau ac roedd rhaid ymddwyn yn weddol o barchus, a ninne yno i berfformio. Y bore cynta un es i a Wini am frecwast i'r bwffe, a ninne ar y môr rhywle rhwng San Francisco a San Diego. Llenwais fy mhlât â brecwast llawn ac yna gafael yn y botel sos coch o'r cowntar. Fel rêl ffarmwr, dyma fi'n ysgwyd y botel yn reit ffyrnig ond yn ddiarwybod i mi roedd caead y botel wydr yn rhydd! Daeth y caead i ffwrdd a finne'n dal i ysgwyd, a dyna i chi lanast anferthol! Roedd y sos coch ar y llawr, dros y cownter i gyd, drosta i, a dros y to! Roedd genna i gymaint o gywilydd ac roedd Wini'n sefyll yno'n gegrwth. Gweithwyr o'r Philippines sy'n gweini ar y llongau yma ac roedden nhw i gyd mewn panig llwyr, yn trio clirio'r llanast ofnadwy roeddwn wedi'i greu ac yn siarad gyda'i gilydd mewn rhyw iaith arall. Es i fwyta mewn cornel fach dawel, cyn mynd i guddio i ben arall y llong am y diwrnod cyfan!

Roedd y daith gyda Wini yn dechrau yn San Francisco. Cawsom gyfle i grwydro tipyn o'r ddinas, gan fynd ar y tramiau enwog, neu'r Cable Cars fel y'u gelwir yno, oherwydd y ceblau tanddaearol sy'n llusgo'r trenau i fyny ac i lawr y strydoedd serth. Buom dros bont enwog y Golden Gate ac yna drosodd i ynys Alcatraz, lle mae'r carchar enwog ar ynys fechan nid nepell o'r ddinas. Roedd cael ymweld â'r celloedd lle carcharwyd troseddwyr fel Al Capone, George 'Machine-Gun' Kelly, a Robert Franklin Stroud, sef y Birdman of Alcatraz, yn dipyn o brofiad. Gwelsom hefyd ble dihangodd Frank Lee Morris yn 1962, sef seren y ffilm *Escape from Alcatraz*, ac un o'r ychydig bobl i ddianc o'r carchar, er does neb hyd heddiw'n gwybod a fu byw i ddeud yr hanes.

Wrth adael San Francisco roeddem yn hwylio o dan bont y Golden Gate ac roedd hynny'n anhygoel. Glanio wedyn yn San Diego am ddiwrnod cyn symud i lawr i gyfeiriad Mecsico. Yn La Paz, cawsom wibdaith ar gwch bach i weld morfilod i fyny bae penrhyn Califfornia. Roedd hwn yn ddiwrnod anhygoel a chawsom sioc enfawr pan ddaeth un o'r morfilod llwyd enfawr reit o dan ein cwch bach gan godi allan o'r dŵr o'n blaenau. Profiad syfrdanol, ac roeddem wedi synnu o weld pa mor enfawr oedd o. Mae morfilod llwyd yn mudo o Alaska i'r bae yma bob blwyddyn i baru a rhoi genedigaeth mewn morlynnoedd cyn dychwelyd i'r gogledd. Maent yn gallu bod dros 30 tunnell mewn pwysau a rhyw bymtheg metr o hyd. Felly doedden ni ddim yn disgwyl gweld un o'r rhain o fewn ychydig droedfeddi i ni!

Cawsom dipyn o hwyl ar y fordaith yma a chael ymweld â nifer o lefydd ar ochr orllewinol America na chlywais amdanyn nhw o'r blaen. Buom mewn coedwig law drofannol yng Nghosta Rica, lle newidiodd y tywydd o haul crasboeth i law dychrynllyd o fewn eiliadau, ac yna o fewn dim yr oedd hi'n ôl yn braf. Gorffennodd ein taith wrth geg Camlas Panama – un o ddatblygiadau peirianyddol mwya'r byd!

Ganol mis Awst 2006, bythefnos ar ôl i mi gipio'r Rhuban Glas yn Abertawe, daeth Karina gyda mi am y tro cynta ar fwrdd y llong. Ein cyrchfan y tro 'ma oedd mordaith yn amgylchynu'r Eidal. Dechrau'r daith drwy hedfan i Livorno ar arfordir gorllewinol y wlad, a chael diwrnod o deithio gan ymweld â dinasoedd Pisa a Florence. Gwelsom y tŵr enwog yn Pisa cyn ymweld â chartref y cyfansoddwr Puccini, cyfansoddwr operâu enwog a chyfansoddwr yr aria enwog 'Nessun Dorma'. Cawsom rai oriau wedyn yn ninas hyfryd Florence, ac ymweld â phont enwog y Ponte Vecchio, cadeirlan anferth y Duomo, ac Eglwys Santa Croce, sef gorffwysfan Eidalwyr enwog fel Rossini, Michaelangelo a Galileo. Gwelsom hefyd y cerflun noeth o *David* gan Michaelangelo. Roedd y merched wrth eu bodd, ond doeddwn i'n gweld dim byd ynddo!

Roedd y fordaith yma'n brysur iawn oherwydd roeddem yn glanio mewn dinas neu dref wahanol bob dydd. Dyma sydd mor braf mewn mordeithio – gallwch fynd i'r gwely yn ffarwelio ag un ddinas hyfryd a deffro mewn lleoliad hollol wahanol y bore wedyn. Cawsom gyfle i ymweld ag ynys Elba, lle alltudiwyd y gwladweinydd Napoleon yn 1814, cyn ymweld â Sardinia, Rhufain, y Fatican, Naples a Sicily yn yr wythnos gynta. Un o'r uchafbwyntiau oedd cael ymweld â Pompeii, y dref enwog ar gyrion Naples a gladdwyd gan lafa pan ffrwydrodd llosgfynydd Vesuvius yn y flwyddyn 79. Ni ddarganfuwyd olion dinistr Pompeii am 1,700 o flynyddoedd ond roedd yn agoriad llygad i ni wrth weld esgyrn cyrff y bobl yma a'r adeiladau hynafol. Mae'r amffitheatr sydd yno yn debygol o fod yr un hynaf yn y byd, wedi'i hadeiladu 80 mlynedd Cyn Crist, a phan ymwelom â'r lle roeddem newydd berfformio cyngerdd o glasuron Eidalaidd ar y llong y noson cynt. Gofynnodd un o'r teithwyr i mi ganu yn yr amffitheatr ac roedd yn brofiad swreal canu 'O Sole Mio' yno, ond roedd yr acwsteg yn fendigedig, a phawb wrth eu boddau! Dim pawb all ddeud eu bod nhw wedi canu yn fan'na!

Profiad arbennig arall oedd cael ymweld â thref Sorrento, nid nepell o Naples. Ro'n i wedi clywed llawer am y lle ac wedi canu'r gân 'Yn ôl i Sorrento' droeon, ond gallaf uniaethu mwy â'r geiriau wedi'r ymweliad ag un o leoliadau hyfrytaf y byd. Dwi'n cofio cael blasu'r gwirod Limoncello yng nghartref un o deuluoedd y dref oedd wedyn yn trio gwerthu'u cynnyrch i chi, ac roedd rhaid dod â photel fach adre i Gymru.

Croesi'r môr wedyn i lawr i Affrica ac i ddinas Tunis, yng ngwlad Tunisia. Dydw i ddim yn rhy awyddus i ddychwelyd i'r wlad yma ar hast. Roedd hi'n llethol o boeth yna, ac aethon ni i farchnad brysur yng nghanol y ddinas lle roedden nhw'n gwerthu pob math o gawl. Doedd dim llonydd i'w gael, roedd rhywun yn dod atoch drwy'r amser, neu'n gwneud rhyw sŵn *psst-psst* i drio cael eich sylw. Os byddech yn twtsh â rhywbeth roedden nhw ar eich pennau yn syth gan drio gwerthu rhywbeth i chi. Aethon nhw ddim yn gyfoethog iawn wedi i mi fod yno, alla i ddeud wrthoch chi rŵan! Roeddwn wedi colli 'mynedd efo nhw.

Un o uchafbwyntiau'r daith yma, a syndod o'r mwya i mi, oedd hwylio i mewn i Dubrovnic yng Nghroatia. Roeddwn i wedi clywed am y ddinas yma oherwydd y rhyfel mawr fu yno ddechrau'r nawdegau, ond dyma berl o le. Hwylio i mewn a gweld y ddinas hyfryd yn ei gogoniant, a chan bod y llong yn rhy fawr i fynd i mewn i'r harbwr bychan roedd rhaid parcio'r llong allan yn y môr a mynd i'r dref ar y llongau bach achub oedd ar ei hochr. Roedd y ddinas yma'n hyfryd, gyda hen ran y dref wedi'i chadw'n draddodiadol gyda'r wal uchel o'i hamgylch.

Cyn gorffen y daith aethom i Ancona, ar ochr ddwyreiniol yr Eidal, gan ymweld ag ogofâu enwog Frasassi, lle mae'r *stalactites* a'r *stalagmites* enfawr yma wedi'u ffurfio dros y canrifoedd, gan greu cerfluniau calchfaen naturiol, hudolus. Doeddwn i ddim wedi gweld y ffasiwn beth yn fy mywyd.

Yna, dyma ni'n hwylio i Fenis i orffen ein taith ar y môr. Roeddwn wedi clywed llawer am y ddinas arbennig yma ond roedd y profiad o gael hwylio i mewn i ganol Fenis ar long fawr foethus yn rhywbeth gallaf ei drysori am byth. Roedd y golygfeydd yn arbennig. Cawsom ddiwrnod hyfryd yn y ddinas a chael ymweld ag Eglwys St Marc, un o ryfeddodau'r byd, a honno wedi'i hadeiladu ar stilts! Roedd rhaid cael reid fach ramantus mewn gondola hefyd cyn dychwelyd adre wedi mwynhau'n fawr iawn.

Cysylltodd Martyn Harris, ein trefnydd cerdd, â mi yn 2006 i ddeud ei fod wedi cael cynnig mordaith ar ddechrau 2007 a fydde o ddiddordeb arbennig i ni'r Cymry oherwydd roedd hi'n glanio ym Mhorth Madryn, lle cyrhaeddodd y *Mimosa*, y llong a gludodd y Cymry cynta i Batagonia yn 1865. Roedd hon yn fordaith arbennig iawn – yn dechrau ar arfordir y Cefnfor Tawel yn Ne Chile gan orffen ym Mrasil. Doedd dim angen holi dwywaith ac roedd Karina wedi sicrhau ei lle i ymuno â mi hefyd. Yn anffodus, wedi gwaeledd byr, collodd Eirian ei gŵr i gancr ddechrau'r flwyddyn a bu raid iddi dynnu'n ôl, ac roedd angladd Elfyn y diwrnod roeddem yn gadael am Dde America. Roedd Elfyn wedi cefnogi Eirian ers blynyddoedd maith ac wedi mwynhau trafaelio gyda hi dros y byd drwy ganu gyda baswyr Godre'r Aran, a hefyd ar eu teithiau ar y môr. Ar ein mordaith gynta yn 2005 roeddwn yn mynd i giniawa gydag Elfyn ac Eirian yn aml gan fy mod ar ben fy hun ac roedd staff y bwytai ar y llong yn meddwl fy mod i'n fab iddyn nhw! Bu tipyn o chwerthin a thynnu coes.

Holodd Diana gyfeilydd arall arbennig i ymuno â ni ar y daith i Dde America, sef y cerddor John Wilson o Fanceinion. Doeddwn i erioed wedi cwrdd ag o tan i ni ddechrau ar y daith, ond roedd yn ddyn hyfryd ac yn gyfeilydd gwych. Y gantores arall oedd gyda ni y tro yma oedd Alexandra Tiffin, mezzo-soprano o Lerpwl, ac roedd llais arbennig o gyfoethog ganddi. Cliciodd pawb fel criw yn syth, ac aeth popeth yn esmwyth iawn. Yn fwy esmwyth na'r môr ar adegau, yn bendant! Mae llawer iawn wedi holi sut den ni'n gallu canu pan mae'r llong yn symud. Wel, roedd yn gallu bod yn her ar adegau. Roedd pob cyngerdd ymlaen fel arfer pan oeddem allan ar y môr, felly roedd rhaid dal ymlaen i'r piano yn reit dynn weithiau. Roedd y piano wedi'i folltio i'r llawr, rhag ofn. Y rhan fwya o'r amser roedd y môr yn dawel ond roedd rhaid bod yn ymwybodol y gallai pethe newid mewn eiliadau.

Cyrhaeddom Punta Arenas yn ne Chile ac o fewn dim roeddem yn hwylio i lawr y Beagle Channel, culfor yn ardal Tierra del Fuego ym mhen deheuol Patagonia. Aethom heibio i fynyddoedd a rhewlifoedd anhygoel a thirwedd dramatig iawn. Cyrhaeddom Ushuaia, sef tref fwya deheuol y ddaear ac roedd yn hynod o dlws, er mor bell o bob man. Roedd cryn edrych ymlaen wedyn o gael mynd rownd yr Horn, a phan ydych yn sôn am Cape Horn yn Ne America mae hi'n bendant yn mynd i fod yn arw. Es allan i'r dec uchaf wrth i ni agosáu at yr Horn, ac roeddwn i'n methu coelio pa mor arw oedd hi. Roeddwn yn cael trafferth sefyll ar fy nhraed yng nghanol y gwynt a'r glaw, ond roeddwn hefyd yn synnu gweld nifer fawr o'r henoed yn straffaglu allan wrth drio cael cip o'r Horn. Rhybuddiodd capten y llong bawb i fod yn ofalus iawn, oherwydd roedd llong fordaith wedi bod yno wythnos ynghynt ac roedd deugain o esgyrn wedi'u torri wrth i deithwyr lithro ar y dec!

Ddau ddiwrnod yn ddiweddarach dyma ni'n glanio ym Mhorth Stanley, ynys ddwyreiniol y Falklands – neu'r Malvinas fel y'u gelwir gan drigolion y Wladfa yn yr Ariannin. Dwi'n gwybod hynny oherwydd gwnes y camgymeriad o ddeud wrthyn nhw fy mod wedi bod yn y Falklands a chael fy atgoffa'n syth mai'r Malvinas den nhw! Soniais i ddim rhagor am y peth! Roedd y dref yn union fel petaech chi wedi cyrraedd rhyw bentref gwledig anghysbell yng ngogledd Lloegr. Yn y dafarn roedd y cwrw i gyd o Brydain, brasys gloyw ar hyd y distiau, a phryd traddodiadol o bysgod, sglodion a phys ar y fwydlen. Aethom i amgueddfa oedd yn adrodd hanes y rhyfel ffyrnig a fu yno yn 1982, cyn ymweld â Bluff Cove, lle suddwyd y llong

HMS Sir Galahad, sef y llong roedd y Cymro a'r cyn-filwr Simon Weston arni yn ystod y rhyfel. Roedd llawer iawn o gerrig ar y ddaear ar yr ynys, y *stone runs*. Mae'n debyg bod y cerrig yma mor galed does dim peiriannau'n ddigon cryf i'w torri.

Uchafbwynt y daith i'r Malvinas oedd cael ymweld â ffarm ddefaid. Er i mi fod ar nifer o deithiau tramor erioed, yn aml iawn dwi wedi cyrraedd adre heb weld yr un ddafad na buwch. Felly pan ddaeth cyfle i fynd ar dir amaethyddol roedd rhaid mynd yn syth. Roedd tri llond bws yn mynd i ffarm Long Island. Aeth ein bws ni i weld y defaid allan ar y caeau i ddechrau, gan weld tirwedd hyfryd y ffarm. Yna cawsom arddangosfa o dorri mawn gan Pat, dyn oedd yn gweithio ar y ffarm. Roedd ei raw yn dyllau i gyd! Roedd wedi drilio rhyw hanner cant o dyllau ynddi a oedd yn ei alluogi i beidio â chael dim *suction* wrth dorri'r mawn yn rhydd. Roedd Pat yn honni ei fod yn berchen ar record byd am dorri mawn a'i fod wedi tyrchu dros dri deg tunnell mewn diwrnod gyda'i raw! Chware teg iddo. Roedd yn sychu'r mawn wedyn ac yn ei ddefnyddio fel tanwydd.

Ein harddangosfa olaf ar y ffarm oedd gwylio Pat yn cneifio defaid yn y sièd. Aeth hanner cant ohonom i mewn i'w wylio a gwnaeth job dda ohoni chware teg, er roedd yn cymryd pwyll rhag ofn iddo wneud llanast o flaen y teithwyr. Ces air gydag o, gan holi os bydde fo'n fodlon i mi gneifio un ddafad. Doedd o ddim yn fodlon oherwydd rheolau iechyd a diogelwch, medde fo. Esboniais iddo mai ffarmwr oeddwn i a fy mod wedi cneifio degau o filoedd o ddefaid erioed, ac wedi ennill gwobrau am wneud – roeddwn yn trio popeth! Deudais hefyd fy mod yn perfformio ar y llong a doedd neb o'r teithwyr yn gwybod 'mod i'n ffarmwr. Mi adawodd fi i gneifio yn y diwedd ac roedd y teithwyr i gyd yn syfrdan. Sut oedd y tenor oedd yn canu yn y cyngerdd y noson cynt yn gallu gwneud hynna? Gorffennais y ddafad mewn cwta funud – deirgwaith yn gynt na'r hen Pat – ac roedd o wedi cael ychydig o sioc hefyd ond mi roedd o'n fy nghanmol am wneud job dda, chware teg! A dyna'r cwbl a ges i wedyn ar ddec y llong am ddyddiau oedd sgyrsiau am y cneifio, y ffarm adre, a'r canu, a chwestiynau am sut oeddwn i'n gallu ffitio popeth i mewn, rhwng y ffarmio a'r diddanu a phob dim. Dyna oedd un o uchafbwyntiau'r mordeithio i mi, sef gweld ymateb y teithwyr i'r cneifio, a honna ydi'r unig ddafad dwi wedi'i chneifio erioed y tu allan i ynysoedd Prydain!

Roedd dau ddiwrnod ar y môr wedyn cyn ein bod yn glanio ym Mhorth Madryn. Roeddwn yn edrych ymlaen yn fawr at hynny ond yn anffodus doedd arlwy'r gwibdeithiau ddim cystal â'r hyn roeddem wedi gobeithio amdano. Doedd dim llawer o sôn am y Cymry o gwbl, dim ond teithiau ar y môr i weld morfilod a phengwiniaid. Ond mi oedd un daith yn gorffen gyda the yn y Gaiman, un o gadarnleoedd y Cymry. Felly, dyna'r unig ddewis.

Es i a Karina am swper ond pan ddaethom yn ôl i'r caban roedd neges ar y gwely yn deud wrtha i am fod yn fy ystafell am ddeg y noson honno oherwydd bod dyn o'r Ariannin wedi trio cysylltu â mi, a bydde'n fy ffonio unwaith eto. Pwy oedd hwn tybed? Wel, Billy Hughes o'r Gaiman, ac roedd wedi cysylltu â'r llong i gael siarad â mi. Roedd wedi clywed oddi wrth ffrind iddo yng Nghymru, sef Aur Roberts o Lanuwchllyn, fy mod ar y llong ac roedd yn gwybod ein bod yn dod i mewn i Borth Madryn drannoeth. Cawsom sgwrs braf ar y ffôn a deudodd y bydde fo yn y porthladd am wyth y bore wedyn i gwrdd â Karina a fi. Doedd dim dewis. Deudodd wrthon ni am beidio â mynd efo'r hen Saeson yna, ond i fynd ar daith efo fo i'r ardaloedd Cymreig, a bydde fo'n dod â ni'n ôl i'r Gaiman i gwrdd â theithwyr eraill y llong am de ddiwedd y pnawn. Roedd hyn yn syrpréis braf ac roedd cryn edrych ymlaen i gael cwrdd ag o.

Roedd Billy yno ar y cei yn aros amdanom fore trannoeth ac roedd yn gwmni arbennig. Aeth â ni o gwmpas yr ardaloedd Cymreig, gan gynnwys tref Porth Madryn a'r cilfachau lle arhosodd y Cymry cynta am gyfnod 'nôl yn 1865 wedi iddynt sylwi nad oedd pethe fel y disgwyl pan gyrhaeddon nhw'r glannau. Mae Billy yn ddisgynnydd i'r Cymry cynta a ymfudodd i Batagonia ac mae ei Gymraeg yn hollol rugl ac roeddem wrth ein boddau yn sgwrsio gyda fo am bopeth, o gerddoriaeth ac amaethyddiaeth i rygbi. Mae'n meddu ar lais bariton hyfryd ac mae wedi cael y profiad o ganu'r anthemau mewn gêm ryngwladol pan chwaraeodd tîm rygbi Cymru yn erbyn yr Ariannin ym Mhatagonia rai blynyddoedd yn ôl.

Aethom i dref Rawson am ginio cyn cael ein tywys i fyny Dyffryn Camwy i Drelew a'r Gaiman. Dangosodd Billy'r gamlas enwog yn y dyffryn i ni, sef y system arloesol a greodd y Cymry yn 1867 pan dorrwyd milltiroedd lawer o gamlesi gan ddod â dŵr o afon Camwy i ddyfrhau'r tir. Yn dilyn hyn, ffrwythlonodd tir y dyffryn a chafwyd cynaeafu llwyddiannus. Dyna'r allwedd i ddatblygiad y Wladfa mewn cyfnod digon anodd ar y dechrau un.

Gwelsom y tŷ cynta erioed a adeiladwyd yn y Gaiman, a chapeli hardd Moriah a Bethel a adeiladodd y Cymry cynta. Roeddem hefyd yn rhyfeddu o weld yr holl enwau Cymreig ar y cerrig beddi yn y mynwentydd. Yng nghapel Bethel yn nhref y Gaiman ces gyfle i ganu deuawd gyda Billy yn y pulpud yno, a Karina'n gwrando! Roeddwn i'n methu coelio 'mod i erioed wedi cwrdd â'r person yma o'r blaen ac yna ychydig oriau'n ddiweddarach yn gallu cydganu emyn gyda fo gyda'r ddealltwriaeth Gymreig yno o'r nodyn cynta. Mae Billy wedi gweithio i'r diwydiant gwlân ers blynyddoedd ac yn mynd o amgylch ffermydd yn nhalaith Chubut i sicrhau cytundebau i'r cwmni brynu'r gwlân gan y ffermwyr. Aeth â ni i'r ffatri wlân yn Nhrelew ac roeddwn yn rhyfeddu bod ffermwyr yr Ariannin yn cael tipyn mwy am eu gwlân nag yr ydyn ni yma yng Nghymru. Roedd safon y gwlân yn dipyn uwch, cofiwch, a'r gwlân hwnnw oedd prif incwm y ffermwyr defaid yn hytrach na'r diwydiant cig oen fel mae adre gyda ni, lle dyw pris y gwlân erbyn hyn yn anffodus ddim hyd yn oed yn talu am gneifio'r defaid, sy'n siomedig iawn. Roedden nhw'n cael tua £6.50 y cilo am y gwlân

Tu allan i'r Winter Palace,
St Petersburg yn Rwsia

Ushuaia – tref fwya deheuol y byd

Cymdeithasu gyda
Martyn Harris, a
sicrhaodd gyfle i
ni berfformio ar
fordeithiau

Y criw cerddorol yn dathlu
wedi cyngerdd olaf mordaith
y Baltig gydag Eirian, Diana
a Sian Meinir

Karina gyda dau o hoelion wyth Dyffryn Camwy – Billy Hughes a Luned Gonzales

Parti ar fwrdd Minerva II *yn Ne America*

Poster taith gerddorol Côr Godre'r Aran i Batagonia, 2007

Canu mewn cyngerdd yn Esquel ar gyrion yr Andes

Perfformio gyda'r cyfaill annwyl
Billy Hughes yn Nhrelew

Asado mawr i'r côr ar fferm
Bryn Amlwg, Esquel

Dychwelyd i Batagonia yn 2019. Ger
y cerflun enwog ym Mhorth Madryn

Mwynhau'r olygfa hyfryd ym Mharc
Cenedlaethol Los Alerces yn yr Andes

Asado cig oen arbennig iawn gyda'r Rifleros ar gyrion Trevelin

Graig Goch, y mynydd gwastad ar y chwith, lle darganfuwyd Cwm Hyfryd am y tro cyntaf

Mwynhau'r olygfa anhygoel o Gwm Hyfryd ar ben Graig Goch, wedi taith flinedig i'r copa

Cyngerdd olaf taith Tra Bo Dau yn Esquel gyda'r brodyr talentog, Leonardo ac Alejandro Jones

Dathlu rhyddhau fy CD cyntaf yn 2006 gyda disgyblion Ysgol Gynradd Llanbryn-mair

*Perfformio gyda Chôr Meibion Cymru
De Affrica yn Johannesburg dan
arweiniad Dr Alwyn Humphreys*

Lansio fy ail CD, Erwau'r Daith, *yn
Eisteddfod Genedlaethol Maldwyn, 2015!*

*Ar ben Table Mountain yn Cape Town,
De Affrica*

Karina gyda'r Cymro, Tony Davies –
trefnydd ein taith i Dde Affrica

Perfformio mewn cyngerdd ar lwyfan
yr Eisteddfod Genedlaethol

Ger y cerflun enwog yn Langemark,
Gwlad Belg, i gofio'r Cymry a gollwyd
yn y Rhyfel Byd Cyntaf

Cyngerdd arbennig yng
Nghadeirlan Amiens, Ffrainc. Am
adeilad ac acwsteg hyfryd!

Profiad emosiynol
oedd cael canu gyda
Chôr Orffiws Treforys
o flaen bedd Hedd
Wyn a'r Cymry a
gollwyd yn y rhyfel

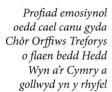

Dathlu diwedd y daith yn Brugge,
Gwlad Belg!

Wedi cyngerdd awyr agored gyda Tri
Tenor Cymru ac Elin Fflur ym Marbella,
de Sbaen

Braint oedd cael canu deuawd
gyda Syr Bryn Terfel yn y
Tabernacl ym Machynlleth

Cyngerdd arbennig
gyda Shân Cothi a
Rebecca Evans a'r
Nidum Ensemble

Gyda'r soprano, Fflur Wyn, a'r gyfeilyddes, Annabel Thwaithe, mewn cyngerdd yn Llundain, 2019

Dathlu buddugoliaeth Cymru yn yr Ewros yn 2016 gyda'r bariton, Steffan Lloyd Owen, cyn y cyngerdd yn Chelmsford

Perfformio mewn cyngerdd arbennig yn y Central Hall, San Steffan, yn Llundain, yn 2020

"Aled Wyn" yn canu yn Seremoni'r Cadeirio yn Eisteddfod Genedlaethol Maldwyn, 2015

*Cystadleuaeth
Deuawd yr Hen
Ganiadau gyda'r
cyfaill, Trystan Lewis,
yn Ninbych, 2013*

Cyngerdd cyn-enillwyr y Rhuban Glas yng Nghapel Dinmael, Sir Ddinbych

*Poster i'w gofio i'm cyfarch
wrth yrru i mewn i dref
Tavistock yn Nyfnaint!*

Mwynhau jôc fach gyda'r gynulleidfa yng Ngŵyl Machynlleth yn 2019

Canu 'Hen Wlad fy Nhadau' cyn ras geffylau'r Grand National Gymreig yng Nghas-gwent

Perfformio ar raglen deledu Heno *gyda'r gyfeilyddes ddawnus, Menna Griffiths*

Tri Tenor Cymru – Rhys Meirion, Aled Hall ac Aled Wyn Davies!

Perfformio un o fy nghyngherddau cynta Tri Tenor Cymru yn un o fy hoff neuaddau – Canolfan y Tabernacl ym Machynlleth

Cyngerdd y Deg Tenor Cymreig yn Llandudno i S4C, Nadolig 2015

Tri Tenor Cymru a'n cyfeilydd dawnus, Caradog Williams, yn ymlacio yn Indian Lake, Pennsylvania ar ein taith yn 2017

Cyngerdd y Deg Tenor yng Nghaerdydd

Perfformio ar fwrdd y llong HMS Sutherland *yn Melbourne, Awstralia ar Ddydd Gŵyl Dewi*

Taith sgwter i'w chofio ym Millwaukee, UDA yn ystod Gŵyl Gymreig Gogledd America, 2019

Perfformio ar lwyfan y Noson Lawen yn Eisteddfod Genedlaethol Maldwyn fel Tri Tenor Trefaldwyn

Dau De a Chothi!

Canu gyda Chôr Meibion Machynlleth yng Nghystadleuaeth Côr Cymru, 2017

Perfformio 'Hywel a Blodwen' gyda'r gantores Gwawr Edwards mewn cyngerdd gan Gôr Meibion Machynlleth

Teulu bach ni!

Aria Wyn ac Aron Wyn yn 2019 ar lan llyn Gwyddior ar gyrion Llanbryn-mair

Aria Wyn yn ennill cystadleuaeth sirol
am ganu yn yr Urdd!

Aria yn perfformio mewn
eisteddfod yn Aberteifi yn 2018

Aron Wyn yn cael dwy wobr gynta
am ganu ac adrodd yn 2019!

Aron a Cymro'r ci ar ben ffridd Pentremawr
gyda phentre Llanbryn-mair y tu ôl iddynt

Aria Wyn yn perfformio gyda Rhys Meirion a Dad mewn eitem syrpréis ym Machynlleth!

Aria ac Aron gyda Taid a Nain Pentremawr!

Aria ac Aron yng nghoedwig clychau'r gog, Pentremawr

Dau gefnogwr brwd Lerpwl yn dathlu'r fuddugoliaeth yn Ewrop yn 2019

Canolbwyntio mawr wrth chwarae pŵl ym Machynlleth

Aria Wyn fach ifanc yn cefnogi ei thad wrth ganu 'Hen Wlad fy Nhadau!'

Tîm pŵl y Wynnstay, Llanbryn-mair wedi tymor llwyddiannus 2011

Ar ben mynydd Blaen Hafren ger tarddiad afon Hafren gydag Aria ac Aron ym mis Medi 2020

gorau yno ar y pryd, sydd deg gwaith yn fwy na fydden ni'n ei gael am ein gwlân yng Nghymru.

Wedi i ni gael *maté*, un o ddiodydd enwog yr Ariannin, yng nghartref Billy a'i wraig Gladys, aeth â ni wedyn i'r amgueddfa Gymreig yn y Gaiman i gwrdd â Tegai Roberts a'i chwaer Luned Gonzalez, disgynyddion i'r Cymry cynta yn y Wladfa, cyn i ni ymuno â channoedd o deithwyr ein llong yn Nhŷ Te Tŷ Gwyn. Roedd côr o drigolion o dras Cymreig y Gaiman wedi dod yno i ddiddanu'r teithwyr wrth iddyn nhw gael paned Gymreig a bara brith, ac ar ddiwedd eu perfformiad ces wahoddiad i ymuno â nhw i ganu rhai o'r caneuon, ac roedd hynny'n deimlad emosiynol iawn i gael cydganu gyda'r côr yn iaith y nefoedd. Roedd nifer o'r teithwyr hefyd yn eu dagrau wrth wrando arnom yn perfformio. Roedd o'n ddiwrnod arbennig ac roedd cael cwrdd â hoelion wyth y gymdeithas Gymraeg yn y Dyffryn yn wefr, ac roeddem mor browd o fod yn Gymry wrth droedio ar fwrdd y llong y noson honno. Roedd y ddau ohonom mor ddiolchgar i Billy am gysylltu ac am ein tywys o gwmpas, a den ni wedi cadw mewn cysylltiad byth ers hynny. Braf iawn oedd cael croesawu Billy a Gladys i Lanbryn-mair a Bro Ddyfi ychydig o flynyddoedd yn ddiweddarach, a'u tywys o amgylch yr ardal.

Roedd y fordaith yma wedi ein plesio'n fawr ond roedd tair dinas fawr arall i ymweld â nhw eto cyn troi am adre. Aethom i Montevideo, prifddinas Wrwgwái, cyn hwylio i fyny cilfan afon Plata tuag at Buenos Aires, prifddinas yr Ariannin. Dyma eto ddinas hynod o brysur lle cawsom ddiwrnod yn gwylio arddangosfa dawns y tango, gweld stadiwm enwog Boca Juniors – un o dimau pêl-droed mwya De America – y tŷ opera Teatro Colón, a gweld bedd yr enwog Evita Peron.

Roedd y ddau ddiwrnod olaf ar y môr yn ymlaciol iawn a bu tipyn o bartïo wedi'r cyngerdd olaf ar y llong. Roedd y golygfeydd oedd yn ein disgwyl yn y bore olaf yn rhywbeth wneith aros yn y cof am byth. Diweddglo anhygoel oedd hwylio i mewn yn araf i ddinas Rio de Janeiro. Roedd y tirwedd yn anghredadwy wrth i ni nesáu at fynydd Sugar Loaf, ac wedyn wrth weld y cerflun enwog o Iesu Grist ar ben mynydd uchel Corcovado. Cawsom ddau ddiwrnod yn Rio i orffen y daith, gan ddringo'r ddau fynydd enwog yno, cyn cael diwrnod ymlaciol ar draeth hudolus Copacabana, un o draethau enwoca'r byd. Roeddem wir wedi mwynhau y pythefnos arbennig yma ac yn teimlo'n freintiedig iawn ein bod wedi cael y fath gyfle i weld y lleoliadau godidog, hanesyddol.

Mae llawer iawn o'r mordeithiau wedi bod mor wahanol i'w gilydd, gyda phob un â'i rhagoriaethau mewn rhyw ffordd neu'i gilydd. Wedi 2007 penderfynodd cwmni arall brynu Swan Hellenic, a phrynodd y cwmni newydd yr hen long *Minerva I* wreiddiol yn ôl. Roedd tipyn o sôn bod y llong wreiddiol yn well na'r *Minerva II*, a bod y cwmni wedi mynd yn rhy fawr gan golli'r agosatrwydd rhwng y staff a'r teithwyr. Felly pan aethon ni i lawr i Dover ar ein mordaith yn 2009, y *Minerva* wreiddiol oedd yn ein disgwyl. Tua 350 o deithwyr oedd ar hon, hanner maint y llall, ond roeddwn yn hoffi hon hefyd yn fawr iawn. Roedd safon y gwasanaeth yn dal yn uchel ac er bod llai o gyfleusterau, roedd y profiad yn dal yr un peth.

Roedd y ddwy fordaith olaf dipyn yn wahanol i'r lleill oherwydd roeddem yn mynd i'r gogledd o Brydain yn hytrach nag i'r gwres deheuol, felly roedd posibilrwydd y bydde'r tywydd yn fwy stormus. Dwi wedi bod yn iawn ar y môr erioed ond roedd 36 awr cynta ein mordaith i wledydd y Baltig, i fyny'r sianel, yn dipyn o her. Yn anffodus, gan fod y llong yn llai, doedd dim ystafelloedd i ni ar yr ochr allanol, felly roeddem yn cysgu yng nghrombil y llong ac yn methu gweld allan – a dwi'n credu bod hynny lawer gwaeth. Dechreuodd y tywydd droi ac roedd y llong yn siglo bob ffordd yn y tywydd garw – i fyny ac i lawr ac i'r ochr. Roedd hi'n *Gale Force 9*! Daethom drwyddi, er i mi weld fy mrecwast yn anffodus fwy nag unwaith y bore hwnnw! Siaradais â'r Cruise Director – y person sydd yn cyfarch pawb ar y tanoi bob dydd ac yng ngofal y digwyddiadau ar y llong, gan gynnwys ein cyngherddau ni – a deudodd hwnnw nad oedd o wedi gweld ffasiwn dywydd ers blynyddoedd lawer a'i fod ynte wedi bod yn sâl hefyd. Doedd hynny ddim yn arwydd da o gwbl, nag oedd! Gostegodd y gwynt ar ddiwedd yr ail ddiwrnod wrth i ni droi i mewn i Fôr y Baltig, a chynhesodd y tywydd hefyd, a welson ni ddim glaw wedyn drwy gydol y daith.

Uchafbwynt y daith yma'n bendant oedd ymweld â St Petersburg yn Rwsia. Er bod y Rwsiaid braidd yn swrth wrth i ni ddangos ein pasborts iddyn nhw ar y dechrau, cawsom groeso mawr a modd i fyw yn y ddinas. Roedd ein hymweliad â'r Winter Palace yn uchafbwynt, gyda'r amgueddfa Hermitage yn werth ei gweld. Dyma'r amgueddfa fwya yn y byd ar wahân i'r Louvre ym Mharis ac roedd dros dair miliwn o eitemau yno. Roedd y sgwâr anferthol y tu allan hefyd yn agoriad llygad. Ymweld wedyn â'r Peter and Paul Fortress, cyn gweld beddi'r enwogion Peter the Great, ac Anastasia, sef y Tsar olaf un.

Roedd y tywydd yn y ddinas yn annaturiol o boeth ac roedd pobl yn torheulo ar ochr y ffyrdd ym mhobman oherwydd doedden nhw byth yn cael llawer o haul braf yno. Ar y fordaith yma aethom i ddinasoedd Gdansk yng Ngwlad Pwyl, Copenhagen yn Nenmarc, a Stockholm yn Sweden. Gwelsom gerflun enwog y Little Mermaid yn Copenhagen ac ymweld â llong ryfel y *Vasa* yn Stockholm. Roedd y llong yma wedi suddo ychydig funudau i mewn i'w thaith gynta un yn harbwr y ddinas yn 1628 ond penderfynwyd ei chodi yn 1961 a'i hadfer. Cynlluniwyd adeilad modern o gwmpas y llong ac mae'n werth ei gweld. Wrth ddychwelyd i Dover daethom yn ôl i'r sianel drwy'r Kiel Canal, sy'n torri drwy diroedd yr Almaen, yn hytrach na mynd o gwmpas yr arfordir. Roedd hon yn daith hyfryd gyda golygfeydd godidog cefn gwlad!

Ein taith olaf gyda'r cwmni oedd mordaith o amgylch Gwlad yr Iâ. Dechrau eto yn Dover, cyn ymweld ag ynysoedd Orkney a Shetland ar y ffordd. Mwynheais y ddau ddiwrnod yma'n fawr iawn. Dyma lefydd fyddech chi byth yn dychmygu cael mynd iddynt fel arall, ond roedd tir amaethyddol arbennig o dda yn Orkney, gyda gwartheg o safon uchel ar y ffermydd. Roedd y farchnad anifeiliaid yn yr harbwr yn Kirkwall, sef tref bwysicaf Orkney, a hynny mae'n siŵr oherwydd bod y rhan fwya o'r anifeiliaid yn cael eu hallforio o'r ynysoedd i'r tir mawr. Roedd Shetland yn debycach i'r hyn oeddwn yn ei ddisgwyl. Tir mwy anial, mynyddig, a ddim o'r un safon ag Orkney. Roedd y tywydd yn waeth hefyd, a thipyn mwy gwyntog.

Wedi ein cyngerdd cynta ar y môr mawr yng nghanol Môr y Gogledd cyrhaeddom Wlad yr Iâ, a'r brifddinas, Reykjavik. Roedd tir ffarmio eitha da ar yr arfordir ar gyrion y ddinas, ond wedyn yn dirywio wrth i ni fynd i mewn i'r canoldir. Daethom at giser Strokkur lle mae dŵr berwedig yn cael ei chwistrellu'n uchel i'r awyr bob rhyw bum munud. Cawsom ddiwrnod bendigedig gyda golygfeydd godidog, cyn dychwelyd am Reykjavik ac i'r llong. Cyn cyrraedd yr harbwr, dyma gyfarwyddwr y fordaith yn codi ar ei draed gan ddeud bod rhywun arbennig ar y bws yn cael ei ben-blwydd, a dyma fo'n deud wrth bawb am ganu pen-blwydd hapus i Aled! Ces sioc a hanner, a doeddwn i ddim yn deall sut oedd o'n gwybod. Dwi'n credu bod rhywun o'r criw cerddorol wedi deud rhywbeth ond doedd neb am gyfadde. Wrth ddychwelyd i'r caban ar y llong dyma sioc arall – roedd cacen siocled a photel fawr o siampên ar y gwely i mi, a charden yn dymuno pen-blwydd hapus iawn gan y capten, y cyfarwyddwr, a staff y llong i gyd! Chwarae teg! Buom mewn pum lleoliad yng Ngwlad yr Iâ a gweld rhyfeddodau lu, cyn teithio'n ôl heibio i ynysoedd y Faroe. Daeth ein taith i ben drwy ymweld â Chaeredin am ddiwrnod, cyn ei throi hi am adre.

Yn anffodus, dyma oedd y fordaith olaf i mi fynd arni. Ces gynnig gwneud cwpl o rai eraill wedyn ond roedden nhw ar adegau prysur iawn yma ar y ffarm, ac roedd yn gallach i wrthod. Penderfynodd y cwmni werthu'r llong yn y diwedd ac erbyn hyn mae'r cwmni wedi dod i ben, sydd yn drist iawn. Gobeithio, rhyw ddydd, daw cyfle i fynd ar fordaith eto, falle ddim i ganu ond i fwynhau. Bu'n brofiad arbennig, cael ymweld â gwledydd a dinasoedd ym mhellafion byd a chael cymdeithasu gyda chriw o ffrindiau da. Wna i fyth anghofio'r profiadau, yn enwedig y botel sos coch, ein hymweliad â Phatagonia am y tro cynta, a'r cneifio yn y Falklands, ond rwyf yn bendant o un peth – roedd fy Saesneg carpiog wedi gwella'n aruthrol ar ôl pythefnos ar fwrdd llong fel hon wedi i mi siarad efo'r bobl 'ma! Mae fy niolch i'r criw cerddorol am y gwahoddiad cynta un yn fawr iawn ac am y cyfle i weld y byd.

18

Patagonia

Dwi wedi bod yn ffodus iawn o gael ymweld â'r Wladfa deirgwaith erbyn hyn, er mai dim ond am ychydig oriau oedd hi'r tro cynta, pan gafodd Karina a finne'r cyfle i fynd ar wibdaith sydyn o'r fordaith yna yn Ne America. Roedd hynny oherwydd caredigrwydd y cymeriad hoffus Billy Hughes o'r Gaiman, ac roeddem yn ysu i ddychwelyd i weld mwy.

Yn lwcus iawn cawsom y cyfle i ddychwelyd yr un flwyddyn, a hynny ddiwedd 2007 pan ges wahoddiad i ymuno â Chôr Godre'r Aran ar eu taith yno. Dyma ymweliad cynta'r côr â'r Wladfa ers deng mlynedd ar hugain ac roedd tipyn o edrych ymlaen ar ddwy ochr Cefnfor yr Iwerydd. Daeth criw mawr efo ni, dau lond bws i gyd, yn cynnwys nifer o wragedd cogie'r côr a thipyn o gyplau eraill oedd am weld tipyn o ddiwylliant y Wladfa Gymreig yn ogystal â'r canu.

Wedi deuddydd yn y brifddinas, Buenos Aires, a chanu yn stiwdio radio'r ddinas, hedfanodd y criw mawr i dref hyfryd Bariloche. Roedd y dref yma ar lan llyn Nahuel Huapi yng ngodre'r Andes ac roedd y golygfeydd yn odidog. Trafaelio am oriau wedyn i'r de, heibio i ffermydd enfawr – un ohonynt oedd *ranch* y brodyr Carlo a Luciano, perchenogion y cwmni dillad Benetton. Mae'r tirfeddianwyr yma yn berchen dros 900,000 hectar o dir gyda 280,000 o ddefaid ym Mhatagonia! Wedi taith hir, ddiddorol, ein harhosfan nesa oedd Esquel, a chyn pen dim roedd Cymry Patagonia wedi cyrraedd y gwesty i'n croesawu. Mae 'na gymeriadau hoffus yn byw yno ac roedd y sgyrsiau yn ddifyr tu hwnt. Diwrnod yn ddiweddarach aeth criw bach ohonom i ffarm anghysbell un o'r Cymry, sef Elfyn ac Amanda Evans, Mynydd Llwyd. Roedd hi'n braf cael bod ar ffarm a dysgu am eu ffordd o fyw. Oherwydd y tirwedd a'r tywydd, gwlân oedd eu prif incwm, ac roedden nhw'n cadw llawer o ddefaid Merino, a thipyn o wartheg. Mae'r piwma yn broblem fawr ar y ffermydd ac mae'r anifail ysglyfaethus yma'n lladd nifer o anifeiliaid y ffarm. Roedd Elfyn wedi gallu saethu ambell un dros y blynyddoedd ond roedd yn mynnu ei bod hi'n anodd iawn mynd yn ddigon agos ato i gael ergyd dda.

Aethom i ffarm arall gyfagos y diwrnod wedyn i gael *asado* oedd wedi'i drefnu i ni gan Gymry'r ardal yng nghartref Victor Ellis, Bryn Amlwg. Dim cig oen roeddent yn ei rostio'r tro yma, ond bustach cyfan! Roedd o'n werth ei weld ac yn dod â dŵr i'r dannedd. Roedd o'n flasus tu hwnt, yn ogystal â'r gwin coch oedd yn rhaid i ni'i yfed efo fo! Cawsom gyngerdd anffurfiol wedyn drwy ganu ar gefn hen bic-yp a phawb yn cymryd rhan, gan fwynhau a chymdeithasu.

Dwi'n cofio ein cyngerdd yn Esquel y noson wedyn am un rheswm penodol, a hynny pan oeddwn ar ganol perfformio fy unawdau. Roedd dros 800 yn y gynulleidfa'r noson honno mewn neuadd chwaraeon, a chyn i mi ganu'r gân werin 'Gwenno Penygelli' holais iddynt yn Gymraeg a oedden nhw am ymuno â mi yn y gytgan. Ces sioc fawr pan wnaeth pawb ganu yn y gytgan gynta, a dyna pryd sylweddolais cymaint o Gymraeg sydd yn y Wladfa. Wedi'r cyngerdd roedd gwledd wedi'i pharatoi i ni gan Gôr Cymraeg Esquel ac roeddynt yn gwybod ein caneuon i gyd. Dwi'n cofio canu'r caneuon 'Pedair Oed' ac 'Eryr Pengwern' ac roedd y côr yn gallu canu'r trefniant pedwar llais yn berffaith! Anhygoel, yn dydi?

Roedd hi'n ddathliad mawr yr wythnos honno yn Nhrevelin, rai milltiroedd i lawr Cwm Hyfryd. Mae'r trigolion lleol i gyd yn dod allan ar y diwrnod hwnnw i ddathlu diwrnod sefydlu Trevelin, a'r diwrnod pan ddarganfuwyd y cwm am y tro cynta yn y flwyddyn 1885. Roedd hwn yn ddiwrnod mawr yn y dyffryn a phan fues i draw yno eto yn 2019 ar daith Tra bo Dau, ces i a Rhys Meirion yr anrhydedd o ganu'r anthem Gymreig yn seremoni agoriadol y dathliad ym mhresenoldeb llywodraethwr talaith Chubut a'i westeion.

Wedi cyngerdd arall yn Nhrevelin gyda'r côr a'r canwr ifanc talentog, Alejandro Jones – ac *asado* arall i ddathlu – daeth yn amser i ni ddechrau ar ein taith hir ar draws y paith tuag at Ddyffryn Camwy. Roedd y daith hir dipyn mwy diddorol nag oeddwn wedi tybio oherwydd roedd y tirwedd yn anghredadwy, yn enwedig hanner cynta'r siwrne. Roeddem yn dilyn afon Camwy heibio i greigiau anferthol, gan ymweld â Dyffryn y Merthyron a'i hanes diddorol am ŵr ifanc o'r enw John Daniel Evans a gafodd ddihangfa wyrthiol yn 1884 pan ymosododd rhai o'r brodorion arno fo a'i dri chyfaill. Lladdwyd y tri arall ond dihangodd John Daniel Evans ar ben ei geffyl, Malacara. Mae'r hanes yn nodi bod y ceffyl wedi neidio dros graig fawr ac wedi iddo lwyddo, mi redodd y ceffyl yn ôl adre nerth ei draed. Mae Alejandro, sydd wedi bod i Gymru nifer o weithiau erbyn hyn, yn ddisgynnydd iddo.

Wedi taith o dros chwe chant o gilometrau cyrhaeddom Drelew, a sylwi'n syth ei bod hi'n gynhesach ac yn fwy trefol ei naws. Daeth Billy Hughes draw i'r gwesty ac roeddwn i yn fy ystafell, tua deg llawr i fyny. Mae Billy'n honni ei fod wedi 'nghlywed i'n canu o'i gar cyn iddo ddod allan ohono, a finne'n ymarfer y gân 'Granada'. Ces ychydig o wersi gan Billy ar sut i ynganu'r geiriau Sbaeneg oherwydd doeddwn i ddim wedi perfformio'r darn yn gyhoeddus o'r blaen, a doeddwn i ddim eisiau gwneud ffŵl o fi fy hun o flaen torf o siaradwyr Sbaeneg!

Cawsom gyngerdd arbennig o dda yn Nhrelew a ches gwmni Billy i ganu deuawdau efo fi ar y llwyfan. Roedd hi'n foment hyfryd, gan ddod â dau ganwr sy'n siarad Cymraeg yn rhugl at ei gilydd, er bod y ddau ohonom wedi cael ein magu mewn ardaloedd saith mil a hanner o filltiroedd i ffwrdd o'n gilydd! Roedd genna i ychydig o gywilydd oherwydd mae'r iaith Gymraeg mor bur yn y Wladfa. Dros y blynyddoedd mae tipyn o'n geiriau ni yng Nghymru wedi cael eu Seisnigeiddio, ond roedd trigolion hŷn y Wladfa yn dal i ddefnyddio'r geiriau hen ffasiwn Cymraeg roedd eu cyndeidiau'n eu defnyddio flynyddoedd yn ôl. Roedd yn hudolus.

Gorffennom ein taith yn y Wladfa gyda'r côr a finne'n canu mewn cyngerdd yn y Gaiman, y dref lle mae Billy a'i deulu'n byw. Roedd y neuadd yn orlawn, gyda nifer yn gorfod sefyll ar eu traed a phawb yn mwynhau'r arlwy o Gymru. Roedd y côr ar dop eu gêm ac roedd y trigolion lleol yn ei gweld hi'n fraint fawr i gael côr mor enwog yn canu ar eu patsh nhw.

Gorffennodd ein taith i Dde America drwy ymlacio ar draeth Copacabana yn Rio de Janeiro unwaith eto, cyn dychwelyd adre gydag atgofion i'w trysori.

Roeddwn yn ysu am gael mynd yn ôl i'r Wladfa eto, ac roeddwn wedi addo i'm ffrindiau draw yno y bydden yn ôl rhyw ddiwrnod. Daeth Billy a'i deulu draw i Gymru sawl tro gan ddod heibio i'n gweld ym Mhentremawr. Bu Alejandro acw hefyd yn gweithio am fis yn haf 2018 pan fu'n ffensio gyda chriw Ffenswyr Penllyn. Roedd yn braf ei gael o draw ac roedd hi'n hynod o gynnes, dwi'n cofio, felly ar ddiwrnodau chwilboeth roeddwn yn cadw'r criw ffensio'n hapus drwy gario hufen iâ iddynt. Roedd trefniadau ar y gweill yr adeg honno am daith arall i Batagonia, a chanol mis Tachwedd 2019 ces gyfle i ddychwelyd.

Wedi taith lwyddiannus dros Gymru gyfan fel y ddeuawd Tra bo Dau gyda Rhys Meirion, ces y syniad o fynd â chriw drosodd i wneud cyngherddau yno i'r ysgolion yn y Wladfa. Wedi sgwrs efo Aled Rees, cyfarwyddwr Teithiau Tango yn Aberystwyth – cwmni sy'n trefnu teithiau i Dde America – daeth y freuddwyd yn fyw. Ar 13 Tachwedd dechreuais i, Rhys Meirion, Menna Griffiths, ein cyfeilyddes arbennig, a deugain o Gymry ar ein taith i'r Ariannin. Roedd y criw oedd efo ni yn byw dros Gymru gyfan – rhai ohonynt o Sir Gaerfyrddin, ambell un o'r brifddinas, sawl un o Geredigion yn ogystal â chriw da o'r gogledd. Wel, mi gawson ni hwyl, ac roeddem yn griw clòs oedd yn deall ein gilydd i'r dim. Roedd ein taith yn mynd i gyfeiriad gwahanol i'r daith ddiwetha gyda'r côr, gan ddechrau'r tro yma ym Mhorth Madryn a dilyn taith y Cymry cynta i fyny Dyffryn Camwy, dros y paith gan orffen yng Nghwm Hyfryd.

Roedd tri chyngerdd ar y penwythnos cynta – tair noson ar ôl ei gilydd – felly roedd rhaid gorffwyso ar ôl y daith hir ac edrych ar ôl ein hunain tan y nos Sul, o leia! Gwahoddwyd Billy Hughes i ganu efo ni am y tair noson ac roedd yn braf iawn ei gael o yno. Roedd Rhys a finne'n canu tipyn o ddeuawdau, ambell i unawd, a hefyd yn cael cyfle i ganu deuawdau gyda Billy cyn gorffen y noson fel triawd yn canu'r emyn-dôn 'Lausanne'. Aeth popeth yn wych, a braf iawn hefyd oedd cael artistiaid lleol gyda ni ym mhob un. Daeth band offerynnol a chriw o ddawnswyr lleol atom ym Mhorth Madryn, yna ymunodd disgyblion Ysgol Gynradd yr Hendre â ni yng nghyngerdd Trelew, ac yna ambell unawdydd, Ysgol Gymraeg y Gaiman a chorau lleol o'r Gaiman ar y nos Sul. Aeth y cyngherddau yn arbennig o dda a phawb mor ddiolchgar i ni am fynd yno i'w diddanu yn ogystal â chodi arian sylweddol i'r ysgolion lleol.

Uchafbwynt y daith oedd cael gwahoddiad i'r ysgolion Cymraeg i weld sut oedd pethe'n gweithio yno. Bu hyn yn brofiad emosiynol i nifer dda o'r criw o Gymru, a phawb wrth eu boddau'n clywed y plant bach yma'n canu caneuon Cymraeg yn rhugl, ac o'r galon. Roedd hi'n fendigedig cael mynychu Ysgol yr Hendre yn Nhrelew, Ysgol Gynradd y Gaiman, ac Ysgol y Cwm yn Nhrevelin. Braint yn wir oedd cael bod yn eu mysg ac o'r hyn a welsom bydd yr iaith Gymraeg yn fyw ym Mhatagonia am flynyddoedd maith. Maent i gyd yn gweithio'n galed i gadw'r diwylliant yn fyw a gall nifer fawr o'n hysgolion yng Nghymru ddysgu llawer oddi wrthyn nhw. Roedd un ysgol yn canu anthem Cymru ddwywaith bob dydd wrth godi a thynnu baner yr ysgol, ac roedd ymuno â nhw yn brofiad arbennig i ni i gyd.

202

Un bore, cawsom wahoddiad i ffarm Ricardo Irianni i'r gorllewin o'r Gaiman, yn Nyffryn Camwy. Roedd hwn yn gyfle bendigedig i mi ac yn fraint o allu gweld â'm llygaid fy hun pa mor chwyldroadol oedd y gwaith o adeiladu'r camlesi cynta 'nôl yn y 1880au. Bu'r gwaith adeiladu ymlaen am bedair blynedd ac roedd yn waith caled iawn, heb yr un tractor yn agos! Mae'r system yn parhau hyd heddiw, ac yn dal i weithio, a heb y camlesi bydde'r dyffryn wedi marw, gan droi'n ddiffaith. Mae pob ffarm yn y dyffryn yn gilometr sgwâr, felly yn 247 erw o dir. Roedd ffordd yn mynd o amgylch pob ffarm fel system grid, yn ogystal â'r gamlas oedd yn mynd drwy bob un o'r ffermydd, a nentydd bach wedyn yn bwydo i mewn iddi.

Mae Ricardo yn cadw nifer fawr o wartheg ac yn pesgi dros 800 ohonynt bob blwyddyn! Roedd hyn yn anghredadwy o weld ansawdd y tir ond roedd ganddo system arbennig a oedd yn gweithio'n dda. Bydde'n symud un fuches o 650 o wartheg ddwywaith y dydd i ddarn newydd o dir, a hwnnw tua dwy erw. Ymhen ychydig oriau bydde'r gwartheg yma wedi plingo pob blewyn o'r borfa a bydde Ricardo yn symud y gwartheg unwaith eto i'r darn nesa. Roedd craciau anferth yn y tir oherwydd y sychder a byddech yn meddwl fydde dim byd yn gallu pori yno eto. Ond ar ôl iddo symud y fuches, bydde'n agor giât y ffosydd gan ddyfrio'r tir am wyth awr a bydde'r tir hwnnw'n cael ei foddi'n llwyr dan ddŵr. Ymhen rhai wythnosau, bydde'r tir wedi'i drawsnewid ac yn barod i'r gwartheg unwaith eto. Roedd yn system dda iawn ac roeddwn mor falch o allu gweld sut oedd popeth yn gweithio drwy ei helpu i symud y ffensys trydan. Roedd yn cadw'r brid Hereford o wartheg, ac roeddent fel petaen nhw'n pesgi'n dda, yn enwedig y rhai gorau oedd ar ddwysfwyd ger y tŷ am yr wythnosau olaf. Roedd lladd-dy ym mhob tref yn y dyffryn a'r rheini dim ond ychydig o filltiroedd oddi wrth ei gilydd. Sefyllfa wahanol iawn i ni yma oherwydd erbyn hyn, dim ond un lladd-dy mawr i ladd y gwartheg sydd gennon ni drwy Gymru gyfan! Mae hynny'n biti, ac yn siom i lawer fod rhaid mynd dros y ffin i Loegr i ladd ein hanifeiliaid.

Ychydig ddiwrnodau'n ddiweddarach roeddem wedi dilyn taith y Cymry cynta dros y paith i dref Esquel. Cawson ni groeso mawr eto fel y tro diwetha, a gwledd fawr i'r criw i gyd. Y bore wedyn aethom ar daith hynod o ddifyr i Barc Cenedlaethol Los Alerces yn yr Andes. Golygfeydd godidog a thirwedd o goed a llynnoedd arbennig o hardd.

Daeth y penwythnos a'r cyngherddau eto wedyn, a chael y fraint y tro 'ma o rannu llwyfan gydag Alejandro Jones a'i frawd, Leonardo. Mae lleisiau arbennig gan y ddau yma ac mae eu caneuon yn hudolus. Braint oedd i Rhys a finne ymuno â'r brodyr ar ddiwedd y cyngherddau yn Esquel a Threvelin i ganu'r emyn-dôn 'Gorfoledd', cyn perfformio'r hen ffefryn 'Calon Lân' ar y dôn 'Deio Bach', sef y fersiwn mae'r brodyr wedi'i gwneud yn enwog yma yng Nghymru yn dilyn eu hymweliad diwetha yn 2015. Braint hefyd oedd cael rhannu'r llwyfan â phlant Ysgol y Cwm, Trevelin. Mae'r ysgol yn mynd o nerth i nerth yn flynyddol.

Un o uchafbwyntiau'r daith i mi oedd y dydd Sul olaf pan benderfynodd rai ohonom ddringo Graig Goch, sef y mynydd enwog lle darganfuwyd Cwm Hyfryd am y tro cynta erioed ym mis Tachwedd 1885. Wedi parti hwyr iawn y noson cynt yn dilyn ein cyngerdd olaf, roeddem yn ddrwgdybus o fynd ar y daith, yn enwedig ar ôl mynd i weld yr hen gymeriad Vincente Evans y diwrnod cynt, a hwnnw'n chwerthin yn braf gan ddeud ein bod ni'n cario tamed bach gormod o bwysau i ddringo'r mynydd! Ond roeddem yn benderfynol o fynd.

Cawsom asado i ddechrau ar waelod y dyffryn yng nghwmni'r Rifleros, sef disgynyddion y criw a gynorthwyodd y Cymry cynta i ddod o hyd i'r cwm. Roedd criw mawr o ryw gant o'r Rifleros yn mynd i fyny'r mynydd ar eu ceffylau, rhywbeth yr oedden nhw'n ei wneud yn flynyddol ar 25 Tachwedd. Cawsom newyddion da y bydde'r bws yn mynd â ni ychydig yn agosach i'r graig cyn dechrau cerdded ond, yn anffodus, bu raid i'r bws mini droi'n ôl filltir a hanner yn gynt na'r disgwyl, felly roedd tipyn mwy o waith cerdded. Bues yn lwcus iawn o bastwn bambŵ a ffeindiais ger llynnoedd y Parc Cenedlaethol rai diwrnodau ynghynt i'm cynorthwyo. Wrth gyrraedd gwaelod y graig, penderfynom mai'r ffordd orau fydde mynd yn syth i fyny'r llechwedd ac o gwmpas y graig uchaf i'r copa. Dyna oedd y camgymeriad mawr. Yn ddiarwybod i ni, roedd llwybr gwell yn mynd o amgylch y mynydd drwy'r coed a bydde wedi bod o fudd i ni pe bydden ni wedi dilyn llwybr y ceffylau. Roedd tipyn o waith dringo, roedd y dŵr yfed yn prinhau, ac roedd ambell un yn cael trafferth oherwydd y llechwedd serth a'r cerrig rhydd. Ond fel un penderfynol, doedd troi'n ôl ddim yn opsiwn i mi.

Wedi dwy awr o ddringo cyrhaeddes y copa, ac roedd y seremoni wedi dechrau'n barod! Cyrhaeddodd Rhys ryw ddwy funud yn ddiweddarach a chafodd y ddau ohonom sioc pan holodd arweinydd y ddefod i ni ganu 'Hen Wlad fy Nhadau' yn syth bìn! Roeddwn yn dal allan o wynt! Deudais wrth Rhys fod rhaid dewis cyweirnod isel rhag ofn fydde ddim siâp arnom, ond mi aeth popeth yn grêt, diolch byth. Roedd hi'n anrhydedd fawr cael canu ar y copa ac yn brofiad emosiynol. Roedd y golygfeydd o'n cwmpas yn anghredadwy ac yn werth yr holl bwffian i gyrraedd yno. Mae'r pastwn a'm helpodd i'r copa yma yn Llanbryn-mair erbyn hyn. Cynigiodd Adrian, partner Menna ein cyfeilyddes, y bydde'n ei dorri yn ei hanner i'w roi yn y cês, gan fynd â fo adre i Gymru a rhoi sglein arno er mwyn cofio'r achlysur. Mae o'n werth ei weld, chware teg iddo, gyda lliwiau baner yr Ariannin i'w gweld yn glir yn y canol. Mae o'n sicr yn dod ag atgofion arbennig yn ôl.

Cawsom groeso gwresog ar y daith yma a phawb wedi gwneud eu gorau i'n plesio ni a'n croesawu i'w cartrefi. Mae'r *asados* yn draddodiad unigryw i'r Ariannin ac yn ffordd hyfryd o gymdeithasu gyda'r nos. Does neb yn hoffi cig yn fwy na fi, ond wedi sawl *asado* ar y teithiau yma roeddwn *i* hyd yn oed yn falch o allu cael salad am newid bach! Fydden i ddim yn gallu byw yno am gyfnod hir, chwaith – er mor ymlaciol yw eu bywyd o'i gymharu â ni – mae'n fywyd hollol wahanol a dwi'n hoff iawn o 'nghynefin. Y trigolion hoffus a'u cynhesrwydd sy'n fy nenu yn ôl i'r Wladfa bob tro – does dim croeso tebyg iddo yn y byd. Dwi wedi gwneud ffrindiau lu yno dros y blynyddoedd a gobeithio y caf gyfle i ddychwelyd yno gyda'r teulu ryw ddydd – bydde hynny'n braf iawn. Ac fel maen nhw'n ei ddeud yn y Wladfa – tan tro nesa!

19

Teithiau tramor bythgofiadwy

Dwi wedi bod yn ffodus iawn o gael fy ngwahodd i ganu dros y wlad ond mae cael mynd ar daith gerddorol dramor yn rhywbeth cyffrous bob amser. Bydde hi wedi costio lot fawr o arian i mi gael ymweld â'r lleoliadau arbennig yma dwi wedi cael y fraint o fynd iddyn nhw ers y daith gynta un ar ddechrau 2003. Ond dwi wedi cael mynd i bron pob un yn rhad ac am ddim, a hynny oherwydd rhyw dalent fach a thamaid o lais dwi'n ffodus o allu'i gynhyrchu! Mae llawer wedi holi i mi pa deithiau a lleoliadau dwi wedi'u mwynhau fwya, ond mae mor anodd ateb hynny oherwydd mae yna uchafbwyntiau bythgofiadwy wedi bod ym mhob un. Mae'r mordeithiau'n sicr am aros yn y cof oherwydd y moethusrwydd a'r cyfle i gael blas ar wahanol leoliadau ar bob taith. Ac roedd fy nhaith i Seland Newydd ac Awstralia gyda Chôr Godre'r Aran yn uchafbwynt mawr mewn bywyd oherwydd fy nghysylltiad â'r byd cneifio ac amaethyddiaeth yn Seland Newydd, yn ogystal â'r cyngherddau cofiadwy yno, ond mae rhai o'r teithiau a ddaeth wedyn wedi plesio'n fawr hefyd.

De Affrica 2008

Roeddwn wrthi'n recordio fy albwm cynta yng nghanolfan y Tabernacl ym Machynlleth pan ges alwad gan Tecwyn Owen o Ddolgellau, sef tad y gantores Siân Meinir. Roedd Tecwyn mewn cysylltiad agos â Tony Davies, dyn sy'n wreiddiol o Groes-goch, Sir Benfro, ond erbyn hyn yn byw yn Johannesburg, De Affrica. Roedd wedi cael sgwrs â Tecwyn oedd wedi byw yn yr un ardal â fo flynyddoedd ynghynt pan oedd y ddau yn byw yng nghyffiniau Sandbach yn Swydd Gaer. Roedd Tony yn awyddus i gael unawdydd o Gymru i ganu yn nathliadau Gŵyl Ddewi yn Ne Affrica, a chware teg i Tecwyn, fe awgrymodd fy enw i iddo, a chynnig fy holi i weld a oedd genna i ddiddordeb. Er bod De Affrica erioed wedi croesi fy meddwl o'r blaen fel lleoliad i deithio iddo, roedd cael mynd yno'n swnio'n brofiad arbennig. Doedd dim angen treulio gormod o amser yn meddwl am y cynnig ac o fewn dim o dro ro'n i wedi trefnu popeth adre gyda Dad gan ein bod ar drothwy tymor yr wyna – ac wedi llwyddo i ddwyn perswâd ar Karina i ddod gyda mi, roeddem yn edrych ymlaen yn fawr.

Ddiwedd Chwefror 2008 dyma ni'n dechrau ar ein taith o Lanbryn-mair i Johannesburg, ac wedi taith un ar ddeg awr mewn awyren dyma gwrdd â Tony Davies a'i wên lydan yn y maes awyr pan welodd Gymry Cymraeg yn dod i'w gyfarfod. Yr hyn dwi'n ei gofio fwya oedd bod y ddau ohonom wedi blino'n lân wedi'r daith hir ond roedd Tony yn ysu am fynd â ni o amgylch y ddinas yn syth, y funud honno.

Aeth â ni drwy ganol y ddinas fawr, gan adrodd storïau am sut oedd y wlad wedi newid ers iddo ymfudo yno ryw dri deg mlynedd ynghynt. Dangosodd westy mawr i ni yn y ddinas, nid nepell o Ellis Park, y stadiwm rygbi genedlaethol, ac roedd yr adeilad yma wedi gorfod cau oherwydd lladrata a throsedd, ac erbyn hyn roedd yn llawn *squatters*! Er bod y siwrne yn ddiddorol tu hwnt, cawsom berswâd arno i fynd â ni i'w gartref i gael cwpl o oriau o gwsg cyn cael cawod i ddeffro a mynd am dro eto'n hwyrach.

Roedd cartref hyfryd dros ben gan Tony a Wendy ar gyrion y ddinas, ac roedd pwll nofio anferth y tu allan i'r tŷ. Ond yr hyn wnaeth daro'r ddau ohonom yn syth oedd y ffensys diogelwch uchel gyda gwifrau pigog ar y top i stopio lladron rhag mynd i mewn. Roedd gatiau trydan yn agor a chau'n sydyn i adael y car i mewn, ac roedd Tony'n wyliadwrus iawn bod neb o gwmpas cyn iddo wasgu'r botwm i agor y gatiau. Dwi'n cofio Tony'n deud bod problemau mawr yn Ne Affrica gyda chyflenwyr trydan y wlad ar y pryd ac roedd y trydan yn diffodd am ychydig yn ddyddiol. Diffoddodd y trydan y pnawn cynta wedi i ni gyrraedd a dwi'n cofio'r panig ar wyneb Tony cyn iddo sgathru i'r garej i danio'r *generator* er mwyn adfer y cyflenwad trydan yn syth. Dyna oedd y peth gwaethaf am Dde Affrica – roedd rhaid cadw golwg ar bawb a phopeth. Fydden i byth yn gallu byw fel yna drwy'r amser. Den ni'n lwcus iawn o gael ein dwyn i fyny a byw ble yden ni, heb unrhyw ofid fel hyn.

Roedd Tony a Wendy wedi byw yn Ne Affrica ers 1975, pan ymfudodd y ddau oherwydd i Tony dderbyn swydd newydd yno. Roedd Tony wedi gweithio cyn hynny i'r cwmni lorïau Foden, neu ERF, cyn iddo gael dyrchafiad, gan ddod yn gyfarwyddwr ar y cwmni yn Ne Affrica, ac yn ddiweddarach yn gyfarwyddwr i ERF dros hemisffer y de. Roedd gwreiddiau Tony'n dal yn ddwfn yng Nghymru ac mae ganddo gartref hyd heddiw yng Nghroes-goch, cwta filltir o ffarm Treglemais lle mae ein defaid yn mynd i bori dros y gaeaf! Mae'r byd yn fach, yn dydi, oherwydd roedd Wyn Treglemais yn ffrind da iddo, a bu yntau a chriw Bois y Wlad i Johannesburg i ganu rai blynyddoedd ynghynt.

Drannoeth ces gyfle i gwrdd â'r côr roeddwn yn mynd i ganu gyda nhw y penwythnos wedyn, a braf iawn oedd eu cyfarfod. Dim ond un ohonynt oedd yn siarad Cymraeg ond roedd nifer yn Gymry ac wedi ymfudo yno, a rhai wedyn wedi'u geni yn Ne Affrica ar ôl i'w rhieni symud yno flynyddoedd yn ôl. Roeddent yn Gymry i'r carn ac roedd gweddill y côr yn Dde Affricanwyr pur oedd yn hoff o ganu. Yr hyn synnodd fi fwya oedd gweld bod nifer o'u caneuon yn yr iaith Gymraeg ac roedd eu hynganiad o'r geiriau'n rhyfeddol o feddwl mai dim ond un oedd yn gallu siarad yr iaith. Roedd Dr Alwyn Humphreys wedi cael ei wahodd i arwain y côr yn y cyngerdd, ac roedd y côr wedi bod yn ymarfer am ddeuddydd gydag Alwyn. Ces gyfle i sgwrsio gyda'r cogie, a phob un â diddordeb mawr yn fy hanes, ac yn fy holi am y ffarmio a'r canu.

Wedi'r ymarfer roedd gan Karina a finne rai diwrnodau'n rhydd, felly dyma gymryd mantais o hynny drwy hedfan i Cape Town am ddwy noson. Wel, am ddinas arbennig oedd honno! Cawsom gyfle i fynd i ben Table Mountain, a gweld golygfeydd hudolus o'r ddinas. Roedd yn fraint cael bod yno, a chael ymweld â Robben Island, lle mae'r carchar enwog roedd Nelson Mandela yn garcharor yno am ddegawdau, cyn iddo gael ei ryddhau a dod yn arlywydd y wlad. Roeddem yn cael ein tywys o amgylch gan gyn-garcharorion, ac roedd yn agoriad llygad i fod yno, a gweld pa mor fach oedd cell Mandela. Gwelsom hefyd y chwareli calch ar yr ynys lle bu'r carcharorion yn gweithio – a lle anafwyd a dallwyd nifer fawr ohonynt oherwydd effaith y calch a'r haul tanbaid, disglair ar eu llygaid.

Hedfan wedyn yn ôl i Johannesburg a chael cyngerdd ardderchog yno ar Ddydd Gŵyl Dewi mewn neuadd gyngerdd bren foethus, orlawn. Roedd Tony wrth ei fodd yn y cyngerdd ac roedd dagrau'n powlio i lawr ei ruddiau wrth iddo wrando ar yr hen ffefrynnau o'i famwlad. Roedd Alwyn Humphreys hefyd wedi cael trefn ar y côr, ac ar ôl tipyn bach o weiddi – yn ôl y sôn! – canodd Côr Meibion Cymry De Affrica yn wych, ac roedd cael gorffen y cyngerdd drwy gydganu'r gân olaf, 'Gwahoddiad' ac yna'r anthem Gymraeg yn wefr!

Er i ni fwynhau'r daith yn enfawr, a chael ymweld â nifer o'r dinasoedd mawr, dwi ddim yn meddwl y gallen i feddwl am fyw yno. Aeth Tony â ni i Soweto un prynhawn ac roedd gweld yr ardal yma yn agoriad llygad. Roedd nifer o bobl yn byw mewn cartrefi tlawd iawn a doedd dim byd o werth gyda nhw. Roedd y tŷ lle ymgartrefodd Mandela am flynyddoedd gyda'i deulu pan oedd yn ifanc ychydig yn fwy moethus, ond eto dipyn yn wahanol i fryniau bendigedig Llanbryn-mair.

Adroddodd Tony stori arall pan oedd yn ein tywys i Pretoria am y peryglon diddiwedd yn y wlad. Deudodd ei fod yn gyrru un noson i gyfeiriad Pretoria pan ddaeth i stop yn sydyn oherwydd iddo ddod wyneb yn wyneb â cherrig enfawr yn blocio'r ffordd. Cyn iddo gael amser i feddwl, daeth golau llachar o'r tu ôl iddo a'r peth olaf mae'n ei gofio yw iddo gael ei gloi yn ei gar ei hun. Roedd y lladron wedi mynd â phopeth oedd ganddo yn y car – arian, dillad a phob dim oedd ganddo yn y *glove compartment*. Deudodd mai'r siom fwya oedd eu bod nhw wedi mynd â'i gryno-ddisgiau John ac Alun oedd yn ffefrynnau mawr iddo yn y car!

Wrth edrych yn ôl ar y daith, y lladrata oedd yn sefyll yn y cof, a'r panig mawr pan ddiffoddodd trydan y tŷ, ac mae hynny'n ddigon o reswm pam na fydden i'n gallu teimlo'n saff yn byw yno.

Yr Unol Daleithiau

Roedd fy mhrofiadau yn Los Angeles ddechrau'r ganrif yn fendigedig ac mae genna i atgofion hapus iawn o ganu yn y capel Cymreig yn Downtown L.A.! Ond ym mis Awst 2008, ces wahoddiad i ganu fel unawdydd yng Ngŵyl Gymreig Gogledd America am y tro cynta. Mae'r ŵyl arbennig yma yn cael ei chynnal yn flynyddol mewn gwahanol ddinasoedd ar draws yr Unol Daleithiau a Chanada, ac yn denu Cymry ar wasgar Gogledd America o bell ac agos.

Roedd yr ŵyl y tro yma yn Chicago, Illinois, ac roedd Côr CF1 o Gaerdydd yno hefyd fel y côr gwadd. Ces i a Karina dipyn o sbort yn eu cwmni a bu tipyn o ddathlu yn y gwesty wedi'r perfformiadau, fel y gallwch chi ddychmygu. Roeddwn i wedi cael gwahoddiad i ganu yn y *banquet* ar y nos Wener, sef y cinio mawreddog pan maent yn anrhydeddu rhywun am ei waith caled i gadw'r diwylliant Cymreig i fynd. Roeddwn i wedyn yn canu tua deg o ganeuon – cymysgedd o'r hen ffefrynnau Cymraeg, ychydig o opera, cân neu ddwy gan y

211

Cymro Ivor Novello, ac fel arfer rhywbeth o fyd y sioeau cerdd fel 'Anthem' o *Chess*. Roedden nhw wrth eu bodd gyda'r arlwy a ches *standing ovation* ddwywaith! Dwi wedi bod yn ffodus i gael gwahoddiad i gymryd rhan yn yr ŵyl yma eto hefyd. Roedd fy nghyfeilydd, Alan Thomas, yn byw yn Ottawa, ond yn wreiddiol o dde Cymru. Roedd yn fy nghanmol yn fawr, chwarae teg iddo, a ches gymaint o hwyl yn ei gwmni fel iddo yntau fy ngwahodd i Ganada y flwyddyn wedyn i berfformio mewn cyngherddau iddo.

Dau beth sy'n dda ynglŷn â chael mynd ar deithiau cerddorol fel hyn ydi'r cyfle i ymweld â lleoliadau diddorol, a hefyd i gwrdd â Chymry newydd. Roeddwn wrth fy modd yn Chicago, a ches i a Karina gwmni dyn arbennig iawn ar y daith, sef yr hanesydd a'r athro Gareth Williams o Bontypridd a oedd yno'n darlithio yn yr ŵyl. Roedd yn gymeriad hoffus tu hwnt a gwnaethom ddysgu llawer iawn ganddo am hanes y Cymry yn America. Roedd o fel *encyclopedia*, yn llawn gwybodaeth, ond y peth mwya doniol oedd ei anwybodaeth wrth ddefnyddio'r peiriant coffi yn ei ystafell! Roedd ei ystafell gyferbyn â'n hun ni, a wnes i golli cownt faint o weithiau ces alwad i fynd draw i wneud coffi iddo! Aeth Karina ar daith o gwmpas Chicago gyda Gareth un diwrnod pan oedd genna i ymarfer wedi'i drefnu, ac roedd hithe hefyd wedi mwynhau ei gwmni'n fawr.

Roedd y Cymry yn yr ŵyl yn groesawgar tu hwnt. Doedd y rhan fwya ohonyn nhw ddim yn gallu coelio fy mod yn dal i ffarmio, a sut oedd genna i amser i fynd i ffwrdd dros y dŵr a gadael y ffarm. Finne wedyn yn esbonio bod popeth dan reolaeth adre, a bod Dad *in charge*! Dwi wedi bod yn lwcus o fy nhad a'r teulu adre erioed am fy ngadael i fynd ar y teithiau yma, gyda finne'n rhyw brofi'r dŵr i ddechrau drwy ddeud bod y daith yng nghanol wyna. Bydde ynte'n rhegi wedyn gan ddeud bod dim gobaith i mi fynd, cyn i mi roi'r dyddiade cywir iddo. Bydde'n teimlo'n well wedyn, a fydde ddim rhagor o sôn am y peth. Mi weithiodd y dacteg honno lawer tro! Dwi'n credu bod Dad yn deall hefyd y gallen i fod i ffwrdd drwy'r amser petawn i wedi dilyn canu fel gyrfa, a fydde neb adre i gadw'r genhedlaeth ffarmio i fynd, ond trwy adael i mi fynd ar ambell i daith, roeddwn yn cael y gorau o'r ddau fyd.

Ces i a Karina fodd i fyw yn cwrdd â'r Cymry yn Chicago, ac mae llawer wedi cadw mewn cysylltiad drwy dudalen Facebook, lle mae pawb yn gallu dal i fyny â bywydau prysur ei gilydd. Dwi hefyd mewn cysylltiad ag ambell un o Gôr CF1 ers hynny, oherwydd i ni gydganu yn y cyngerdd mawreddog, a hefyd yn y Gymanfa Ganu ar y dydd Sul. Be oedd yn fy synnu oedd gweld cymaint o frwdfrydedd i ganu'r hen emynau. Bydde dwy gymanfa ar y dydd Sul – un yn y prynhawn am ddwyawr, ac yna'r un peth eto ar ôl swper. Bydde pawb wedyn yn mynd i'r bar ac yn dechrau canu'r emynau i gyd eto tan berfeddion! Ces i sioc o weld hyn, ond hon yw eu heisteddfod nhw, mewn ffordd, a dim ond unwaith neu ddwy y flwyddyn y byddan nhw'n gweld ei gilydd. Braf gweld y traddodiad yn parhau, er bod y criw'n mynd yn llai bob blwyddyn a dim llawer o ddiddordeb gan y bobl ifanc, yn anffodus.

Wedi'r penwythnos prysur yn Chicago, aethom ein dau i Efrog Newydd am bedair noson. Dyma'r tro cynta i'r ddau ohonon ni ymweld â'r 'Afal Mawr', a dyma ddinas sydd bendant ddim yn cysgu! Roedd yr uchafbwyntiau'n cynnwys ymweld â Times Square, Madison Square Gardens, yr Empire State Building ac, wrth gwrs, cael ein sobri wrth fynd i Ground Zero, sef lleoliad y World Trade Centre gynt. Mae pobl yn gallu cofio'n union ble oedden nhw pan ddigwyddodd y drychineb hon, ac mae digwyddiad 9/11 yn Efrog Newydd yn mynd i aros yn y cof am byth. Roeddwn i newydd orffen diwrnod o ddipio defaid ym Mlaentafolog pan es i'r Land Rover i ddechrau am adre a chlywed ar y radio bod awyren newydd fynd i mewn i'r tŵr cynta, a dyma glywed yn fyw ar y radio bod yr ail dŵr wedi'i daro hefyd. Roeddwn i'n methu coelio'r peth, a phan gyrhaeddes adre i Bentremawr gwelais y ddau dŵr yn syrthio, yn fyw ar y teledu. Roedd o'n hollol anghrediniol. Roedd yn union fel gwylio ffilm, ac roedd meddwl am y trueiniaid a gollwyd yn y fath gyflafan yn hunllef. Felly roeddwn am weld y man lle digwyddodd hyn a bu'r ddau ohonom yn sefyll yno am dipyn mewn distawrwydd.

Roeddwn wedi archebu tocynnau i wylio'r sioe gerdd *Hairspray* ar Broadway un noson, ac ar ôl eistedd yn ein seddi dyma fi'n clywed rhywun tu ôl yn deud, "Drycha, mae Aled Pentremawr a Karina yn fan'na!" Wrth i mi droi rownd, ces sioc o weld Menna Ystrad Fawr, merch o Lanbryn-mair yn eistedd yno gyda'i gŵr newydd, Iwan! Roedd y ddau wedi priodi y penwythnos cynt yn Llanbryn-mair, ac ar eu mis mêl yn Efrog Newydd. Er mor fawr ydi'r hen fyd yma, dydi o ddim mor fawr yn y diwedd, nac'di! Allwch chi ddim mynd i unman heb gael eich gweld!

Y noson wedyn roedd Karina a finne'n cerdded strydoedd Broadway pan ddaethom ar draws y theatr lle roedd y sioe gerdd *Wicked* ymlaen bob nos, ac roedd hi'n brysur ofnadwy yno gyda phawb yn ciwio i fynd i mewn. Dois ar draws dyn mewn siwt smart yn trio gwerthu tocynnau, a ches sgwrs efo fo. Roedd o wedi trefnu mynd i'r sioe ond roedd ei bartner wedi gorfod tynnu'n ôl ac roedd yn awyddus i werthu'r tocynnau. Dyma fi'n cynnig arian iddo a derbyniodd fy nghynnig yn syth, ond wrth i mi fynd i fy mhoced i'w dalu, dyma gofio bod y waled yn y gwesty a dim ond rhyw 30 doler oedd genna i. Doedd dim amser cyn y sioe i fynd yn ôl i'r gwesty, felly dyma drio perswadio'r boi i'w dalu yn y bore. Mae'n rhaid iddo weld rhyw onestrwydd ynddo i oherwydd mi dderbyniodd, a deud wrtha i am fod yn yr union fan am naw y bore wedyn i'w dalu. Cynigiais y 30 doler iddo fel blaendal, ond chware teg iddo, deudodd wrtha i am gadw'r arian i gael diod hanner amser! A dyna ddigwyddodd. Cawsom sioe arbennig, un o'r perfformiadau byw gore i ni ei weld erioed. Roeddwn mor falch fod y dyn wedi fy nhrystio i ddod yn ôl i'w dalu yn y bore. Es yn ôl yno'r bore wedyn, a dod wyneb yn wyneb â gwên lydan y dyn busnes a'i friff-cês! Mae'n bwysig bod yn onest yn yr hen fyd yma!

Yng ngwanwyn 2011 ces wahoddiad gan Ilid Anne Jones,

arweinyddes Hogia'r Ddwylan, i fynd ar daith gerddorol i'r ŵyl Gymreig yn Cleveland, yn nhalaith Ohio, a chyngerdd yn Chicago. Roedd y côr wedi cael pwyllgor bach ac yn awyddus i mi ymuno â nhw fel eu hunawdydd gwadd. Roeddwn wrth fy modd oherwydd rhan gynta'r daith oedd i Ŵyl Gymreig Gogledd America unwaith eto, ac wedi'r croeso mawr a dderbyniais dair blynedd ynghynt roeddwn yn edrych ymlaen at ddychwelyd. Cawsom amser arbennig ac mae'n rhaid deud roedd criw ieuengaf y côr yn sicr yn gwybod sut i fwynhau eu hunain! Roeddwn yn gwybod eu henwau i gyd o fewn deuddydd gan eu bod i gyd yn dod draw am sgwrs bron bob dydd i weld sut oeddwn yn mwynhau. Cawsom ambell noson hwyr a bu lot fawr o chwerthin a thynnu coes, ond roeddwn wrth fy modd, a finne'n mynd yn fwy hyderus bob dydd wrth gael hwyl gyda nhw.

Diwrnod cyn y cyngerdd mawreddog yn Cleveland, roedd yr Ŵyl Gymreig yn cynnal eisteddfod fach i'r mynychwyr. Perswadiodd Ilid fi i gydfeirniadu'r cystadlaethau cerddorol gyda hi – hi'n beirniadu dwy gystadleuaeth, a finne dwy arall, a'r ddau ohonom wedyn yn beirniadu'r gystadleuaeth fawr, lle roedd yr enillydd yn cael taith i Gymru i gystadlu yn yr Eisteddfod Genedlaethol yn 2012. Cytunais i feirniadu'r gystadleuaeth canu emyn, oherwydd roedd Ilid wedi perswadio rhai o'r côr i gystadlu, a doedd hi ddim am feirniadu'r cogie. Ces dipyn o sioc pan ddaeth dwsin o fois y côr i'r ystafell i gystadlu, ac ambell un yn tynnu fy nghoes y bydde cwrw am ddim i mi drwy'r nos os bydden nhw'n ennill! Wel, roedd hi'n gystadleuaeth wirioneddol dda, a wna i gofio perfformiad Gareth Owen, neu 'Gareth Tanc' fel y'i gelwir yn Sir Fôn, am yn hir iawn. Roedd o'n berfformiad arbennig.

Mi wnes fistêc o fynd i chwilio'r we cyn y gystadleuaeth fawr i ennill y wobr a'r daith i Gymru, oherwydd roeddwn wedi gweld y rhestr enwau o bwy oedd yn cystadlu'r noson cynt. Roedd un cystadleuydd wedi cystadlu droeon o'r blaen, ac roedd ambell i glip ar y we o'r person yma'n canu. Doedd pethe ddim yn swnio'n rhy dda, i fod yn boléit, a bues i'n ddigon dwl i ddeud hyn wrth Ilid Anne cyn y gystadleuaeth. Pan ddaeth y person i'r llwyfan dyma fi'n deud, "Here we go," wrth fy nghyd-feirniad yn dawel, a dyma ni'n dechrau chwerthin. Wel, roedd y perfformiad yn waeth nag oeddwn yn ei ddisgwyl, a bu raid pinsio fy hun yn galed sawl tro rhag chwerthin. Roedd hi'n anodd, ac roedd Ilid wedi troi'i chefn arna i fel nad oedd hi'n dechrau chwerthin hefyd. Dyna'r wyth munud hiraf ges i erioed, dwi'n credu, ac roeddwn yn trio sobri fy hun drwy feddwl am y pethe gwaethaf posib alle ddigwydd i mi. Diolch i Dduw daeth pethe i ben, a daeth perfformwraig arbennig o dda yn syth wedyn, ac roedd y perfformiad hwnnw'n llawn haeddu'r wobr, a'r daith i Gymru, lle cafodd lwyfan yn Eisteddfod Genedlaethol Bro Morgannwg!

Cawsom gyngerdd gwych ar y nos Sadwrn ac roedd y neuadd yn orlawn. Roedd Ilid wedi paratoi ambell i ddarn i ni ganu ar y cyd ac roedd hynny'n grêt, yn enwedig y ffefryn gan Rhys Jones, 'O Gymru'. Aeth hi'n noson lawen hwyr iawn wedyn wedi'r cyngerdd, ac roedd yn dipyn o job deffro'r bore wedyn i ganu unawd yn y gymanfa ar y dydd Sul, a'r blinder yn ein taro cyn y cwrdd nos. Ond cadw i fynd wnaethon ni, a mynd drwy'r llyfr emynau eto yn y bar tan berfeddion! Ond roedd trefnwyr yr ŵyl wrth eu boddau, ac roeddynt yn arbennig o falch o weld y côr yn cymysgu gyda mynychwyr yr ŵyl, ac mae hynny'n hynod bwysig.

Canada 2009

Wedi'r daith i'r Ŵyl Gymreig yn Chicago yn 2008 dois yn dipyn o ffrindiau gydag Alan Thomas, fy nghyfeilydd yn yr ŵyl, ac roedd yn awyddus i mi fynd draw i Ganada i wneud cyngherddau gydag o. Penderfynom ar y cyd mai wythnos gynta mis Hydref oedd yr amser gorau, felly bu tipyn o baratoi pob dim ar y ffarm cyn mynd. Mae'n amser prysur yr adeg honno o'r flwyddyn ond bu Dad a fi wrthi fel lladd nadroedd yn didoli'r defaid i gyd cyn mynd er mwyn gwneud yn siŵr y bydden nhw'n barod i fynd at yr hyrddod wedi i mi ddod yn ôl. Roedd hi hefyd yn wythnos pan oedd 500 o ŵyn benyw yn mynd i Sir Benfro i bori dros y gaeaf, ac yn wythnos o werthu defaid magu yn sêl Llanidloes, felly roedd tipyn o waith paratoi.

Gwnes ddêl gydag Alan y bydden ni'n rhannu arian y cyngherddau rhyngom, a bydde fy nghostau i gyrraedd Canada yn dod allan o'r elw. Roedd wedi sicrhau y bydden ni'n gallu aros gydag o pan oedden ni yn Ottawa, a gyda ffrind iddo, Betty Cullingworth, yn Toronto am un noson, ac yna mewn fflat moethus, neu *condiminium* fel y'i gelwid, reit wrth y llyn yng nghanol y ddinas. Roeddwn eisiau i Karina ddod efo fi hefyd, gan i'r ddau ohonom fwynhau ugain niwrnod arbennig iawn yng Nghanada ar ein mis mêl bum mlynedd ynghynt.

Roeddwn yn teimlo fel rhyw *superstar* oherwydd cawsom y fath groeso, ac roedd pawb wedi gwirioni fy mod wedi dod i berfformio. Cawsom gyngerdd arbennig iawn yn Ottawa, lle roedd cartref Alan, ac roedd y capel yn llawn. Roedd genna i dipyn o waith canu, rhyw bymtheg unawd ym mhob cyngerdd, dwi'n credu, gydag Alan yn chware unawdau ar y piano bob yn ail â mi. Gwerthais yr hanner cant CD oedd genna i i gyd yn Ottawa, cyn cyrraedd Toronto! Bu raid mynd i nôl llyfr archebu yn Toronto gan werthu nifer o rai eto, gan dderbyn yr arian, a phostio'r cryno-ddisgiau i weinidog y capel wedi i mi ddod adre!

Roedd Alan yn byw mewn *fflat* i bobl hŷn yn y ddinas. Roedd pawb yn gallu parcio'u ceir dan ddaear oherwydd y tywydd garw sy'n gallu bod yno yn y gaeaf. Roedd Alan wedi bwcio fflat ymwelwyr i ni yn yr un adeilad, gan ein gwahodd yn achlysurol am fwyd yn ei gartref.

Wedi taith hir ar drên aeth y tri ohonom i Toronto. Dwi'n hoff iawn o'r ddinas yma. Mae digon i'w wneud os wnewch chi aros yn yr ardal gywir. Roedd gan Deian Evans, gweinidog Capel Cymraeg Toronto ar y pryd, ddau fflat ar lan llyn Ontario, ac roedd yn cadw un yn sbâr ar gyfer ymwelwyr o Gymru.

Roedd yn hyfryd dros ben, i fyny ar un o'r lloriau uchaf, gyda golygfeydd godidog o'r llyn a'r ddinas. Roedd hi'n fraint cael aros yno. Roedd Capel Cymraeg Toronto allan o'r ddinas ryw dipyn, ond yn gapel pren uchel gyda acwsteg i'w thrysori. Dwi'n cofio Cymro o Sir Fôn, y tenor Gwyndaf Jones, yn cysylltu â mi i ddeud ei fod yn gobeithio dod i'r cyngerdd y diwrnod wedyn, ond roedd ei wraig yn agos iawn i eni babi. Ond chware teg iddo, daeth y tenor o Fôn i'r cyngerdd y pnawn hwnnw, gan ddeud ei fod wedi cael modd i fyw yn gwrando arna i'n canu. Dyma fi'n cael neges ganddo'r bore wedyn i ddeud ei fod o'n dad, a bod merch fach wedi'i geni yn y nos – a'i henw oedd Aria! Dyna'r tro cynta erioed i mi glywed yr enw hyfryd yma, a dwi'n cofio deud wrth Karina petaen ni'n cael merch fach yn y dyfodol, mai Aria Wyn fydde ei henw hi!

Mae'r Cymry yng Nghanada yn agos iawn at fy nghalon a dwi'n cadw mewn cysylltiad â nhw'n aml. Cefais gwmni un ohonynt – y cyn-gigydd John Griffiths, sy'n wreiddiol o Ystradgynlais, ac yn byw yn Ottawa – yma ym Mhentremawr ychydig o ddiwrnodau'n ddiweddarach i weld y ffarm. Dwi wedi bod yn ddigon ffodus i gael dychwelyd i Ganada ddwywaith wedyn i Ŵyl Gymreig Ontario, unwaith gyda Thri Tenor Cymru, ac yna gyda Chôr Meibion Machynlleth. Ond mwy am hynny yn nes ymlaen!

Gwlad Belg a Ffrainc 2015

Wythnos cyn Eisteddfod Genedlaethol Maldwyn yn 2015 cefais wahoddiad gan Gôr Meibion Treforys i ymuno â nhw ar daith arbennig i ogledd Ffrainc a Gwlad Belg i'r meysydd rhyfel yno, ac er 'mod i'n rhagdybio y bydde hyn yn brofiad emosiynol, roeddwn yn ysu am fynd. Roeddwn yn gyfarwydd iawn ag aelodau'r côr oherwydd i Karina a mi ymuno â nhw ar daith gerddorol i dde Iwerddon yn 2011 pan fues yn unawdydd gwadd efo nhw yn eglwysi Kilkenny a Kinsale, gan fwynhau'n fawr iawn yng nghwmni'r cogie a'u harweinyddes, Joy Amman Davies. Roedd honno'n daith dda hefyd gyda thipyn o dynnu coes, canu gwych a dathlu mawr wedi'r cyngherddau.

Cyn teithio i Ffrainc cawsom gyngerdd yng Nghaergaint ar y ffordd draw, gan berfformio yn theatr y Marlowe yng nghanol y ddinas. Roedd hwn yn adeilad hyfryd ac roedd y theatr yn orlawn. Roedd yr olygfa o'r ystafell newid hefyd yn anhygoel oherwydd roedd Cadeirlan Caergaint reit o'm blaen i. Wedi'r cyngerdd, y bore wedyn dechreuom deithio dros y sianel tuag at Wlad Belg. Roedd trafaelio drwy'r ardaloedd yma'n brofiad teimladwy dros ben wrth i ni gyrraedd Pilkem a Langemark, yr ardaloedd lle collodd cymaint o Gymry eu bywydau yn y Rhyfel Byd Cyntaf yn 1917. Braint, yn wir, oedd cael ymweld â'r gofeb newydd arbennig yno, gyda'r Ddraig Goch yn edrych yn fendigedig ar ben y llechen fawr Gymreig. Roedd amgueddfa fach ar draws y ffordd yn adrodd yr hanes erchyll.

Gyrrodd y bysys wedyn tuag at fynwent Artillery Wood lle mae dros 1,300 o filwyr ifanc wedi'u claddu, dros 500 ohonynt heb gael eu hadnabod. Roedd y tawelwch yn y fynwent yn hudol, gyda llawer o'r côr yn eu dagrau. Un o'r arwyr sydd wedi'i gladdu yno, wrth gwrs, ydi Ellis Humphrey Evans, sef yr enwog Hedd Wyn, bardd buddugol y Gadair Ddu yn 1917, a gollodd ei fywyd ym mrwydr Passchendaele ar 31 Gorffennaf, wythnosau cyn yr Eisteddfod Genedlaethol ym Mhenbedw. Casglodd Joy'r côr at ei gilydd o flaen bedd y prifardd, a dechreuais inne ganu'r geiriau 'Y bardd trwm dan bridd tramor' gyda'r cogie'n hymian y tu ôl i mi. Dyma un o brofiadau mwya emosiynol bywyd, yn sicr, a bydd y pum munud arbennig yma'n aros yn y cof i bob un oedd yn y fynwent y pnawn hwnnw.

Yn nes ymlaen yn y dydd aethom i weld nifer eraill o feysydd y gad, gan orffen yn ninas Ypres. Dyma le arbennig iawn, ac mae'r enwog Menin Gate yn tynnu anadl o'ch ysgyfaint. Mae'r gofeb anferth yma yn cofio'r milwyr na ddarganfuwyd yn y rhyfel, ac mae dros 54,000 o enwau wedi'u llythrennu ar y garreg dros y waliau. Ces gynnig i ymuno â Chôr Meibion Treforys i ganu dwy gân yn y Last Post, y gwasanaeth dyddiol sydd yn cael ei gynnal yno am wyth y nos i gofio amdanynt. Mae nifer o gorau wedi canu yma, ac mae'r acwsteg yn hollol anhygoel. Gallwch glywed pìn yn cwympo yn y tawelwch hudol. Profiad arbennig arall wna i ei gofio am byth.

Y diwrnod wedyn aethom dros y ffin i ogledd Ffrainc gan ymweld ag ardaloedd y Somme, lle anafwyd neu gollwyd dros filiwn o filwyr yn 1916. Allwn i ddim dychmygu'r fath hunllef wrth edrych ar yr ardal hyfryd, tawel y diwrnod hwnnw. Un o'r lleoliadau aethom iddo oedd Coedwig Mametz, lle mae cofeb arbennig wedi'i hadeiladu i gofio'r Cymry a laddwyd yno ym mis Gorffennaf 1916. Rhyw ddau ganllath sydd rhwng y gofeb a'r coed, ac yn ôl yr hanes lladdwyd dros 400 o filwyr Cymreig byddin y Ddraig Goch yno cyn iddynt hyd yn oed gyrraedd y goedwig, ar ôl cael gorchymyn i ymosod. Doedd gennyn nhw ddim gobaith, a chollodd yr adran Gymreig o gwmpas 4,000 o filwyr ifanc. Cyn mynd, canodd y côr a finne'r emyn bendigedig 'Iesu, Cyfaill F'enaid I', ar y dôn 'Aberystwyth' gan Joseph Parry, oherwydd yr emyn hwn, yn ôl y sôn, a ganodd y Cymry ar y diwrnod hunllefus hwnnw eiliadau cyn mynd i frwydr. Roedd y canu'n emosiynol iawn ac roedd y lle'n codi ias.

Ymlaen wedyn i'r gofeb fawr yn Thiepval, a dyma le arall i sobri dyn. Roedd y gofeb enfawr yma'n cynnwys dros 72,000 o enwau a laddwyd yn y rhyfel rhwng 1915 a 1918, pob un ohonynt yn filwyr na chafwyd hyd iddynt o gwbl. Roedd gweld y safleoedd yma wedi ein cyffwrdd, pob un ohonom, ac roedd gan nifer o aelodau'r côr gysylltiad personol â'r hanes.

Aethom ymlaen y prynhawn hwnnw i ddinas hyfryd Amiens, rhyw ddeugain munud o daith, ac anelu tuag at y gadeirlan enfawr yno. Dyma'r tro cynta ers amser maith i unrhyw gôr meibion ganu yno. Roedd yr acwsteg unwaith eto'n anghredadwy, un o'r goreuon dwi wedi'i phrofi erioed, ac roedd cael canu'r gân 'Gweddi Daer' yno'n dipyn o wefr. Roeddwn yn falch bod rhywun o'r criw wedi recordio'r eitem, ac mae'r perfformiad hwnnw ar wefan YouTube erbyn hyn i mi gael cofio'r achlysur. Roedd ein cyngerdd ymlaen yn y prynhawn, ac roedd ymwelwyr yn dal i ddod i mewn i'r gadeirlan yn ystod y cyngerdd ac yn cerdded o gwmpas yr adeilad anferth – a lleisiau'r côr yn atseinio ym mhob cornel.

Cyn ei throi hi am adre aethom yn ôl dros y ffin i Wlad Belg gan ymweld â dinas Brugge, ac am le hyfryd eto – strydoedd hen ffasiwn gyda'u palmentydd cerrig traddodiadol, a sgwâr mawr yn y canol. Dyma un o'r dinasoedd hyfrytaf i mi ymweld â hi erioed, a ffordd dda i orffen taith fythgofiadwy arall.

20

Tri Tenor Cymru

HELA DEFAID OEDDWN i yn Nantcarfan ar fy meic cwad pan ddaeth galwad annisgwyl ar fy ffôn symudol. Rhys Meirion oedd yno! Tybed beth oedd hwn isie, meddyliais. Gobeithio nad oedd o isie i fi fynd ar ryw daith gerdded hir, wir Dduw! Atebais yr alwad a chael tipyn o sioc pan gynigiodd i mi ddod yn aelod o Dri Tenor Cymru gyda fo ac Aled Hall. Dow, y fi, meddyliais, pam oedden nhw'n holi fi? Mae'r ddau yma wedi treulio blynyddoedd mewn colegau cerdd yn Llundain ac yn gantorion proffesiynol, amlwg. Beth maen nhw'n ei neud yn cynnig hyn i ryw ffarmwr oedd heb fod yn agos i goleg cerdd erioed? Dyna oedd yn mynd drwy fy meddwl i ddechrau'r diwrnod hwnnw.

Roedd y trydydd tenor, Alun Rhys Jenkins, wedi penderfynu rhoi'r gorau iddi oherwydd ei ymrwymiad i'r byd opera ac roedd yn cael trafferth cael amser i ffwrdd i ganu gyda'r tenoriaid, felly roeddynt yn edrych am aelod newydd. Wnes i ddim derbyn yn syth oherwydd roedd o'n dipyn o ymrwymiad a bydde hyn yn gyfrifoldeb arall i'w ychwanegu at fy ngwaith canu unawdol a'r gwaith ffarm adre. Os bydde cyngerdd yn dod ar amser anghyfleus ar y ffarm, bydde pwysau arna i i ganu neu bydde'r tenoriaid i gyd yn colli allan. Wedi pendroni am ychydig meddyliais y bydde'n gyfle da i mi, ac os bydden i'n gwrthod ac yn gweld rhywun arall yn canu efo nhw, bydden i'n siŵr o ddifaru. Felly, derbyniais y cynnig. Roedd hynny wythnos cyn y Sioe Fawr yn Llanelwedd yn 2014 ond roedd

Alun am ddal ati am bum mis arall gyda'r cyngherddau yn y dyddiadur ac yna bydden i'n dechrau'n swyddogol ar ddechrau mis Rhagfyr. Roedd rhaid cadw'n dawel felly, er parch i bawb, a wnes i ddim ond deud wrth ambell un, gan adael popeth fel syrpréis i bawb arall.

Ces bentwr o ganeuon i'w dysgu, tua deugain i gyd, rhwng y medlis, y caneuon Eidaleg a'r trefniannau newydd. Cysylltais yn syth ag Eirian Owen a bues yn lwcus iawn ohoni i gael popeth yn ei le erbyn y cyngerdd cynta ddechrau mis Mawrth 2015.

Trefnwyd gyda chynhyrchwyr rhaglen *Heno* ar S4C i ni'n tri ddod i lawr ar y cynta o Ragfyr pan fyddwn yn cael fy nghyflwyno'n swyddogol i'r genedl. Siaradodd Aled Hall a Rhys Meirion ar y rhaglen i ddechrau, gan esbonio'r newid i'r *line-up* cyn i mi gerdded ymlaen fel y tenor newydd a chael cyfweliad hwyliog ar y soffa felen. Recordiom ddwy gân y diwrnod hwnnw yn y stiwdio – 'O Sanctaidd Nos' a gafodd ei chware'n fyw ar ddiwedd y rhaglen, a hefyd medli 'Gwŷr Harlech', un o ffefrynnau'r tenoriaid, fel eitem a gafodd ei darlledu ar raglen ola'r flwyddyn ar Nos Galan o stiwdio Tinopolis. Aeth fy ffôn yn wyllt ar ôl y perfformiad, gyda negeseuon tecst o bobman yn fy llongyfarch, a nifer o sylwadau hyfryd ar wefan Facebook. Wrth i ni adael Llanelli, ces fy nghyflwyno i wefan Twitter am y tro cynta erioed gan y ddau arall. Mae'r rheini'n giamstars ar y cyfryngau cymdeithasol ond doeddwn i ddim wedi defnyddio Twitter o'r blaen. Gan fod yr enw @AledWynDavies eisoes wedi cael ei ddefnyddio dewisais yr enw @AledPentremawr, a oedd yn fwy personol i mi. Dwi'n gwybod bod y cyfryngau yma'n ffordd dda o hysbysebu digwyddiadau ac yn y blaen, ond dwi'n dal i deimlo'n anghyfforddus braidd o ddefnyddio gormod o'r apiau cymdeithasol, ac yn teimlo eu bod yn gallu rheoli bywyd rhywun. Felly rhyw sbecian bob hyn a hyn ydw i, a hynny am nad oes amser genna i i ddechrau busnesa ym mywydau pobl eraill, a does dim angen i chi gael eich gweld byth a beunydd ar-lein chwaith.

Cawsom ein hymarfer llawn cynta yma yn y sièd ym Mhentremawr ychydig ddyddiau cyn y cyngerdd cynta, a dwi ddim yn rhy siŵr faint o ymarferion llawn den ni wedi'u cael ers hynny i ddeud y gwir! Roeddwn yn hollol ddibynnol ar recordiau o'r caneuon ar gryno-ddisgiau'r tri o'r gorffennol, a thraciau cefndir o'r caneuon. Dyna oedd y ffordd hawsa i ni fod gyda'n gilydd mewn caneuon. Dechreuodd pethe'n dda yn y cyngherddau, gan berfformio fel Tri Tenor Cymru am y tro cynta yng nghanolfan Porthmadog yn ystod dathliadau Gŵyl Ddewi a chael *standing ovation* mawr ar ddiwedd y noson. Roeddwn yn ymwybodol o'r dechrau wrth ddysgu'r holl ganeuon newydd fy mod ar linell ucha'r caneuon yn reit aml a bydde angen bod yn bwyllog wrth ganu'r nodau uchel yma drwy'r amser, neu bydde'r llais yn mynd. Dysgais yn reit sydyn sut i edrych ar ôl y llais gan gymryd mantais o'r seibiant pan nad oedd fy llinell i mor amlwg i'r gwrandawyr.

Ar ddechrau mis Mai 2015 cawsom benwythnos prysur iawn, a dyna'r prawf cynta i weld a oeddwn yn gallu ymdopi'n lleisiol mewn nosweithiau mawr. Gwahoddwyd y tri ohonom i wneud dau gyngerdd yn Theatr Felinfach, dwy noson ar ôl ei gilydd, a dim ond ni'n tri yn cynnal noson gyfan am ddwy awr. Roedd angen llawer o ganeuon a digon o hwyl hefyd i ddiddanu'r gynulleidfa. Penderfynais fynd â dau flocyn o bren efo fi gan ddod â nhw ymlaen i'r llwyfan wedi'r medli cynta a'u rhoi dan draed Aled Hall. Deudais fod y ddau denor bob ochr iddo'n dalach rŵan, felly bod angen ychydig o help ar y boi bach byr yn y canol. Gweithiodd y jôc yma'n dda ac roedd hi'n amlwg o'r dechrau bod tipyn o dynnu coes yn mynd i fod ar lwyfan.

Es i drwy'r ddwy noson heb ddim *glitch*, diolch byth, ac roeddwn wrth fy modd yn canu'r trefniannau yma. Den ni'n ffodus iawn o gael cerddor arbennig fel ein cyfeilydd swyddogol, sef Caradog Williams. Am foi hyfryd, ac am dalent! Dwi wedi bod yn lwcus o gael cyfeilyddion gwych i'm cynorthwyo ar lwyfan erioed ond roedd hwn yn *top-notch*, ac yn gallu chware

224

unrhyw beth heb ffws na ffwdan. Mae Caradog yn cyfeilio pob dim oddi ar ei iPad ac mae ganddo bedal ar lawr i droi'r tudalennau a phopeth! Mae o'n dipyn o gyfansoddwr hefyd, a fo sydd wedi trefnu lleisiau'r rhan fwya o'n caneuon ni, a chyfansoddi ambell i berl arall fel 'Gwinllan a Roddwyd i'm Gofal' ac 'Y Goleuni'.

Mae'n fraint cael rhannu llwyfan gyda Caradog, ac mae'n profi pa mor bwysig ydi cyfeilydd da i gantorion. Mae gennon ni gyfeilyddion dawnus tu hwnt yma yng Nghymru megis Eirian Owen, Jeffrey Howard, Annette Bryn Parri, Meinir Jones Parry a Menna Griffiths i enwi dim ond rhai sydd wedi cyfeilio dipyn i mi dros y blynyddoedd diwetha, yn ogystal â chyfeilyddion eraill da – ond mae 'na ambell i gyfeilydd sydd fel arall, cofiwch! Dwi'n cofio mynd i neud cyngerdd fel unawdydd yn yr Alban flynyddoedd yn ôl a chael sicrwydd bod cyfeilydd lleol da iawn yno i chware i mi. Ces gais i anfon y copïau mewn da bryd ac roedd y rheini wedi'u postio ddeufis cyn y cyngerdd dan sylw. Felly, doedd dim problem. Ond pan gyrhaeddais yr Alban i gael ymarfer yn y prynhawn, sylwais yn syth 'mod i mewn tipyn bach o drwbwl. Doedd ganddi ddim gobaith chware'r caneuon yma a bu raid tynnu ambell un allan o'r rhaglen a chanu caneuon gwerin digyfeiliant yn eu lle! Does dim peryg i hyn ddigwydd gyda Caradog, beth bynnag!

Diwrnod wedi'r cyngherddau yn Felinfach, aeth y tri ohonom i lawr i Lanelli a chael y fraint o ganu ar y cae cyn gêm ola tymor y Scarlets yn erbyn Gleision Caerdydd. Roedd hwn yn brofiad arbennig a chawsom fodd i fyw yn canu'r ffefrynnau rygbi a'r cefnogwyr yn canu efo ni. Dyna oedd hwyl. Cawsom hefyd fraint aruthrol un flwyddyn o gael canu'r anthem genedlaethol cyn y Grand National Cymreig yng Nghas-gwent a chael diwrnod i'w gofio yn gwledda a betio, gan ennill arian ar bum ras allan o chwech!

Ym mis Awst 2015 roedd Dennis Jones wedi ein bwcio i ganu yng Ngŵyl Machynlleth yn y Tabernacl. Dwi wedi bod yn ffodus iawn o gael gwahoddiad i berfformio yn yr ŵyl arbennig yma droeon – tua deg o weithiau erbyn hyn, siŵr o fod – ond roedd y noson hon fel un o Dri Tenor Cymru yn noson i'w chofio. Roeddwn *on form* a wnes i fwynhau'r noson yma'n fawr, o flaen cynulleidfa lawn o fy mhobl fy hun. Braf oedd gweld nifer o fy ffrindiau agosaf yno'n gwylio ac yn codi ar eu traed i'n llongyfarch ar y diwedd!

Wedi hyn ces gyfle i grwydro efo'r cogie dros Gymru gyfan yn diddanu a chanu gyda chorau meibion mawr yn y de fel Pendyrus, Treforys, Llanelli a Chil-y-coed (Caldicot). Cawsom gyngerdd awyr agored ar noson hafaidd ym mhlas Glyn-y-weddw ym Mhen Llŷn ac roedd hi'n mynd yn hynod o dda tan i'r gwybed bach ddod allan yn yr ail hanner a'n bwyta'n fyw! Cawsom hefyd gyfle i ganu yn Eglwys Gymraeg Canol Llundain – y tro cynta erioed i mi ganu yn Llundain.

Ddechrau 2016 cawsom wahoddiad o dramor i ganu mewn gŵyl Gymreig yng Nghanada, ac wedi tipyn o drefnu datblygodd yn daith gerddorol yn cynnwys cyngherddau yn yr Unol Daleithiau hefyd. Hedfanodd y tri ohonom a Caradog i'r ŵyl yn Ottawa a dechreuodd y penwythnos cerddorol wrth i ni gyflwyno'r eitemau mewn Noson Lawen mewn capel cyfagos, a dwi'n dal i gofio ambell i linell anfarwol ddeudodd Aled Hall y noson honno! Allwch chi ddim mynd â fo i unman! Y noson wedyn perfformiodd y pedwar ohonom mewn eglwys fawr yn y dref efo Côrdydd, y côr talentog o'r brifddinas. Roedd hon yn berl o eglwys, fel rhyw Neuadd Albert fach, ac roedd hi'n orlawn, gyda dros fil o bobl yna. Dyna un o'r cyngherddau gorau i ni ei wneud fel tenoriaid.

Wedi i ni berfformio mewn dwy Gymanfa Ganu ar y Sul, dyma ni'n dechrau ar ein taith dros y ffin i'r Unol Daleithiau. Roedd Beth Landmesser, un o hoelion wyth Cymry America, a'i gŵr Bill wedi cytuno i'n gyrru ni o Ottawa i Scranton, Pennsylvania – taith o ryw chwe awr ond roedd ein profiad wrth fynd drwy *customs* yn un digon ofnus. Roeddwn i a Rhys mewn car gyda Beth, ac Aled Hall a Caradog yn trafaelio gyda Bill. Cyrhaeddom y ffin a bu raid cyflwyno ein pasborts i'r swyddog, cyn cael ein symud i adeilad arall i'n cwestiynu. Wrth i ni gael ein cwestiynu'n drylwyr, heb fod yn hiliol tuag at neb, daeth teulu mawr o Fwslemiaid i mewn i'r adeilad. Trodd pennau pob un o'r swyddogion tuag atynt a chawsom fynd yn syth!

Roedd Beth a'i theulu'n annwyl tu hwnt ac yn byw mewn lleoliad prydferth ar lan Indian Lake, nid nepell o Scranton. Roedd hi'n dywydd digon oer ond perswadiodd y tri ohonom Aled Hall i ddeifio i mewn i'r llyn. Aeth o i mewn fel pysgodyn mawr ond fuodd o ddim yn hir cyn troi'n ôl gan fod y dŵr yn rhewi, a dod allan fel rhyw bysgodyn aur. I gynhesu ychydig, aethom ar daith i Efrog Newydd ar y bws drennydd, ac yn rhyfedd iawn dyma'r tro cynta i Aled Hall fod yno erioed. Cawsom wibdaith o gwmpas y ddinas a chael lot o hwyl.

Ar ôl ein cyngerdd yn Scranton, cludodd Beth ni i ddinas Philadelphia ac arhosom mewn tŷ crand iawn ar gyrion y ddinas fawr gyda dynes hyfryd iawn o'r enw Wynrhys Cochlan, oedd yn wreiddiol o ardal Abertawe. Gwraig weddw oedd hi ac roedd ganddi forwyn yn y tŷ a phopeth. Roedden ni'n trio dyfalu sut oedd hi'n gallu mynd i'r gegin gefn a dod allan â'r bwyd mor sydyn, ond roedd ganddi gymorth tu cefn yn doedd, a welson ni ddim y forwyn tan y diwrnod wedyn.

Y noson honno daeth pedwar o'i ffrindiau i swper, a'r rheini fel petaen nhw'n reit uchel-ael. Cyn dechrau'r swper holodd un ohonynt pwy oedd am ddeud gras, gan ategu falle dyle un o'n ffrindiau o Gymru wneud hynny. Cyn i neb gael siawns i ateb, deudodd Caradog yn syth bìn y gwnâi Rhys ddeud gras. Dyma Aled yn dechrau chwerthin gan ddeud wrtha i i nôl y camera fideo allan – ond roedd Rhys wedi mynd amdani fel trên ac wedi gorffen y weddi cyn i mi hyd yn oed fynd i 'mhoced. Bu tipyn o chwerthin a thynnu coes am hyn yn hwyrach yn y nos, gydag Aled Hall yn datgan ei fod o wedi cael siom fod neb wedi rhoi cyfle iddo fo gael deud gras, gan fod adnod efo fo'n barod – "Dib a dab dub, thank you for the grub!" O'r nefoedd – diolch i Dduw chafodd o mo'r cyfle!

227

Mae Philadelphia yn ddinas hynod, gyda chysylltiad clòs â Chymru. Os ewch i'r orsaf drên yng nghanol y ddinas cewch sioc o weld cymaint o enwau Cymreig sydd ar y gorsafoedd ar fap y ddinas – Bryn Mawr, Berwyn, Merion, Penllyn a Gwynedd Valley. Roedd hi'n anodd coelio, ond roedd nifer fawr o Gymry wedi ymfudo i America am fywyd gwell yn y ddeunawfed ganrif ac wedi sefydlu pentrefi o'r newydd dan enwau Cymraeg. Cyn gadael y ddinas roedd rhaid ymweld â'r stepiau enwog, sef lleoliad yn y ffilm enwog gyda'r actor Sylvester Stallone lle roedd Rocky yn rhedeg i fyny'r stepiau i gerddoriaeth 'Eye of the Tiger'!

Roeddem ar ddeall bod rhywun arall yn dod i'n casglu i fynd â ni i'r cyngerdd nesa, ond a ninne wedi aros mewn tŷ crand am ddeuddydd a newydd ddychwelyd o ginio o'r clwb criced crand doedd neb yn disgwyl gweld *motor-home* hen ffasiwn, rhydlyd y tu allan yn aros amdanom. Roedd David wedi dod i'n nôl – hen foi bach gyda barf fawr wen i lawr at ei fogail! Wedi'r sioc o'i weld cawsom ddigon o hwyl yn ei gwmni ac roedd yr hen fotor-hôm yn ddigon cyfforddus. Gorffennom ein taith dramor gynta yn nhref Delta, hanner ffordd rhwng Philadelphia a Washington. Roedd y trigolion wedi paratoi cacen fawr i ni gyda 'Croeso i Delta, Aled, Rhys, Aled a Caradog' arni. Cawsom gyngerdd arbennig yn y capel Cymraeg yno cyn ei throi hi'n syth am adre i Gymru fach wedi mwynhau'n eithriadol.

Ces gyfle ym mis Tachwedd 2016 i wahodd y cogie i Bentremawr unwaith eto i gynnal noson yn y sièd ar y ffarm. Roedd Bethan Anwyl a Hywel Gwynfryn wedi cael comisiwn gan Radio Cymru i lunio rhaglen radio Nadoligaidd Tri Tenor Cymru ac roedd cryn edrych ymlaen. Cliriais un o'r siediau newydd yn lân a chael gafael ar lwyfan a chadeiriau i'r gynulleidfa. Daeth criw da ynghyd, a braf oedd cael rhannu'r llwyfan y noson honno gyda Chôr Meibion Machynlleth, plant ysgol Llanbryn-mair, y gantores Elin Fflur, yr actor John Ogwen, a'r diddanwr Dilwyn Morgan. Roedd hi'n noson wych, hwyliog ac roedd hi'n braf clywed y darllediad ar y radio ar ddydd Nadolig.

Mantais fawr arall o fod yn rhan o'r Tri Tenor oedd cael gwahoddiadau i wneud cyngherddau mawr eraill megis y Deg Tenor. Doeddwn i erioed wedi cael gwahoddiad o'r blaen i'r digwyddiadau hyn, felly drwy fod yn rhan o'r tri roedd fy mhroffil wedi codi ac roedd pobl yn dod i glywed mwy amdana i. Bues i lawr yng Nghaerdydd sawl tro mewn cyngherddau o'r fath a hefyd recordio rhaglen deledu *Y Deg Tenor Cymreig* i S4C. Roedd hon yn noson wych, wedi'i recordio yn Venue Cymru, Llandudno ac roedd hi'n fraint rhannu'r llwyfan efo'r fath dalent.

Aeth tair blynedd heibio cyn ein taith dramor nesa fel Tri Tenor Cymru, a hynny wedi cyfnod tawelach i ni fel triawd. Dechreuodd gyrfa operatig Aled Hall brysuro yn 2018 gan fynd â fo dros y wlad i gyd yn perfformio. Cafodd ei *debut* yn y Tŷ Opera yn Covent Garden y flwyddyn honno ac ers hynny mae o wedi bod yn brysur tu hwnt. Er ein bod yn hynod falch o'i lwyddiant mae hynny wedi cyfyngu ychydig ar ein cyngherddau, ac oherwydd hynny wedi ein galluogi ni i feddwl am gyngherddau ychydig yn wahanol pan mae galwadau'n dod. Daeth Shân Cothi i'r adwy mewn ambell noson gan ffurfio Dau De a Chothi, neu *Two Ts and a Cothi* gyda Rhys a finne – diolch i Karina am feddwl am yr enw! Cawson dipyn o hwyl yn gwneud hyn, gan ganolbwyntio ar raglen ychydig yn wahanol.

Ffurfiwyd Tra bo Dau hefyd, fel bod Rhys a finne'n gwneud ambell i gyngerdd fel deuawd pan nad oedd Aled ar gael. Cawsom nifer o gyngherddau gan ganu clasuron Jac a Wil, Ryan a Ronnie, a thipyn o ddeuawdau enwog gan wahodd artistiaid lleol i ymuno â ni. Cawsom un cyngerdd ym Machynlleth, ac roeddwn mor falch o gael Aria ar y llwyfan i ganu efo ni! Y hi yn unawdydd, a finne a Rhys fel *backing singers* iddi!

Galluogodd y trefniant newydd i ni fynd ar daith ddechrau 2018 i Awstralia gan fod Aled yn methu dod, a chael amser arbennig yno gyda thrigolion Capel Cymraeg Melbourne.

Yn ffodus roedd Steffan Prys Roberts, neu Steff Bryngwyn, Llanuwchllyn, wedi cael gwahoddiad draw yno hefyd fel enillydd y Rhuban Glas ym Môn yr haf blaenorol, felly roedd gennon ni dri thenor yn y diwedd. Mae'r capel ei hun reit yng nghanol y ddinas, ac mae'r adeiladau mawr, uchel yma o'i amgylch. Mae'n debyg mai hwn ydi'r capel Cymreig mwya cyfoethog yn y byd oherwydd ei leoliad, ac maent wedi gwerthu tir o'i amgylch am filiynau o ddoleri.

Canodd y tri ohonom yn y capel bach ar Ddydd Gŵyl Dewi, a hefyd yn y gymanfa fawr ar y Sul o flaen torf enfawr. Cawsom gyngerdd arall mewn neuadd gerdd arbennig iawn ym Melbourne gyda Chôr Meibion Cymru Victoria a chanu'r ffefrynnau Cymreig i gyd cyn gorffen y cyngerdd gyda'r ddeuawd enwog 'Y Pysgotwyr Perl'. Daeth gwahoddiad hefyd i fynd ar fwrdd y llong *HMS Sutherland*, un o longau'r llynges Brydeinig oedd wedi cyrraedd y ddinas ac roeddynt am gynnal digwyddiad i ddathlu Gŵyl Ddewi. Cawsom wahoddiad arni i ganu ar y llong fel triawd a chael cyfle i sgwrsio gyda'r staff, a gyda llywodraethwraig talaith Victoria, Linda Dessau, a oedd ar y pryd yn llywodraethu Awstralia gyfan tra oedd y prif weinidog dramor. Gwnes lawer o ffrindiau newydd ar y daith yma, a diolch yn fawr i Christine Boomsma a'i gŵr Fred am ein tywys i bobman yr wythnos honno – yn enwedig y daith flasu gwin a siocled, a'r ymweliad â Ramsey Street!

Daeth gwahoddiad i Dri Tenor Cymru i fynd i'r Unol Daleithiau eto, ac ym mis Awst 2019 aethon ni'n pedwar y tro yma i Milwaukee, yn nhalaith Wisconsin. Cawsom unwaith eto amser gwych a chyngerdd da i gloi Gŵyl Gymreig Gogledd America. Cawsom gyfle i ymweld â ffatri'r beiciau modur Harley Davidson cyn mynd am dro ein tri ar ben sgwters trydan! Ie, y fi o bawb ar ben sgwter. Roeddech yn medru cael sgwter wrth ochr y palmant, ei ddatgloi drwy ap ar y ffôn, ac i ffwrdd â chi. Dechreuodd popeth yn iawn wrth i ni fynd ar hyd glannau'r llyn ond cymerodd un ohonom y troad anghywir a'r peth nesa roeddem ein tri ar y *dual carriageway* ac yn methu dod i ffwrdd oddi arni! Roedd y sgwteri'n mynd yn eitha cyflym, ond eto'n rhy araf i'r ffordd fawr. Y peth nesa roeddem yng nghanol tua wyth deg o feicars Harley Davidson swnllyd yn mynd drwy'r ddinas. Fues i erioed mor falch o weld y troad i adael y ffordd fawr a mynd 'nôl tuag at y gwesty!

Ar nos Wener yr ŵyl roedd cinio mawreddog i ddathlu'r penwythnos ac roedd Cymro ifanc, Ryan Vaughan Davies, yn canu'r noson honno fel canwr gwadd. Roedd Ryan a'i deulu yn eistedd ar yr un bwrdd â ni'n tri ac roedd Ryan i'w weld ychydig yn nerfus, druan. Roeddwn yn trio tynnu ei goes ychydig ac yn deud wrtho am beidio â phoeni dim am y perfformiad. Cyn iddo ganu roedd 'na seremoni pan oedd rhywun yn derbyn medal hardd am ei wasanaeth i'r Cymry yn America. Dyma'r dyn yn derbyn y fedal ac yn dechrau siarad. Roedd yn siarad yn reit araf ac roeddwn yn trio meddwl pwy oedd y dyn yma yn swnio'n debyg iddo. Dyma fi'n cofio'n sydyn a deud wrth bawb ar y bwrdd ei fod yn swnio fel Forrest Gump – y cymeriad unigryw o'r ffilm o'r nawdegau. Wel, dyma bawb yn dechrau chwerthin – a finne'n waeth na neb. A phan dwi wedi'i cholli hi fel'na, does dim byd yn gallu stopio'r chwerthin afreolus! Am gywilydd! Yn y diwedd bu raid i fi adael y stafell am ychydig. Ond mi ymlaciodd Ryan yn llwyr wedyn!

Diweddodd ein taith Americanaidd yn ninas Chicago. Dyma'r trydydd tro i mi ymweld â'r ddinas hynod hon ac ar y pnawn Sul aethom i ŵyl jazz yng nghanol y dre. Roedd o'n anferth o ddigwyddiad, gyda miloedd ar filoedd yno yn mwynhau a hynny'n ddi-dâl, ac er bod jazz erioed wedi apelio ata i o'r blaen, dow, mi fwynheais fy hun y diwrnod hwnnw. Wedi'r jazz, aethom i glwb cerddoriaeth *blues*, dan enw'r enwog Buddy Guy – un o gantorion enwoca'r Unol Daleithiau. Cawsom sioc o'i weld yno wrth y bar, ac yn yr ail hanner daeth i'r llwyfan i ganu, a fynte'n wyth deg tri. Roedd hynny'n drît arbennig.

Mae'n anodd coelio bod dros bum mlynedd wedi mynd heibio ers fy nghyngerdd cynta fel aelod o Dri Tenor Cymru erbyn hyn. Mae pethe wedi tawelu o ran y cyngherddau a hynny'n bennaf, falle, oherwydd nad oes asiant gyda ni i drefnu digwyddiadau, a den ni'n dibynnu ar geisiadau personol i gael cyngherddau. Dwi fy hun ddim wedi dewis y llwybr o gael asiant, fel y lleill. Dwi erioed wedi cael asiant cerddorol ac wedi bod yn lwcus iawn o dderbyn ceisiadau gan bobl ar draws y wlad yn fy ngwahodd i ganu, ac mae'n well genna i gymryd be ddaw na thalu asiant i drefnu pethe i mi! Gobeithio daw mwy o gyfleoedd i ni fel Tri Tenor Cymru yn y dyfodol oherwydd mae'r caneuon gyda ni, a'r rheini'n ganeuon poblogaidd tu hwnt. Gewn ni weld sut eith hi!

21

Recordio a'r cyfryngau

PAN OEDD PETHE'N prysuro yn 2006 gyda llu o gyngherddau ar y gweill, penderfynais y bydde'n syniad recordio albwm o fy hoff ganeuon roeddwn yn eu canu ar y pryd. Roedd y llais ar ei orau gan fy mod wedi cystadlu cymaint ac roedd pobl yn dechrau holi ar ddiwedd cyngherddau a oedd genna i CD. Wedi cysylltu â Recordiau Sain yn Llandwrog a phenderfynu mynd amdani aeth popeth yn ei flaen yn reit sydyn.

Dri mis yn ddiweddarach roedd fy albwm cynta, *Nodau Aur fy Nghân*, allan yn y siopau. Mae recordio'n hollol wahanol i ganu mewn cyngerdd a dwi'n ychydig o berffeithydd pan mae'n dod at bethe fel hyn ac yn casáu gwrando'n ôl arna i fy hun a thrio gwrando am feiau drwy'r amser. Ar ôl recordio pob cân unwaith, rhaid mynd i glywed sut mae pethe'n swnio ac roeddwn yn clywed pethe bach dibwys doedd neb arall yn poeni amdanyn nhw. Bu raid ymddiried ym mhrofiad y cynhyrchydd, Emyr Rees, ac Eirian Owen a oedd gyda mi'n cyfeilio. Roeddwn wedi recordio ambell i albwm yn y gorffennol gyda Chwmni Theatr Maldwyn a Chôr Gore Glas, ond roedd gwneud albwm cyfan fy hun yn reit flinedig ac roedd rhaid cadw'r llais yn ffres drwy'r sesiwn. Flynyddoedd yn ôl, un siawns oedd gennych chi ac roedd rhaid recordio'r gân gyfan mewn un *take*. Erbyn hyn gallwch recordio pob llinell yn unigol, os mynnwch chi, gan ddewis y fersiwn gorau a'i newid yn syth drwy'r dechnoleg ddigidol. Manteisiais ar y dechnoleg yma pan oeddwn yn dechrau blino ar ddiwedd

233

dydd, gan recordio hanner munud olaf y caneuon yn gynta. Drwy sicrhau bod y diweddglo mawr a'r nodyn uchel yn eu lle roedd llai o bwysau wedyn wrth ganu'r gân gyfan. Gweithiodd hyn yn dda iawn ac oherwydd hynny, roeddwn yn gallu recordio tua wyth cân mewn diwrnod!

Wnes i fwynhau'r profiad o recordio *Nodau Aur fy Nghân* yn fawr iawn ac roedd yn braf cynnwys y caneuon roeddwn wedi bod yn eu canu ar y Rhuban Glas yn ogystal â ffefrynnau Cymraeg, Eidaleg a Saesneg. Gwerthodd yr albwm yn rhyfeddol ac mae nifer o gopïau dramor wedi i deithwyr y mordeithiau eu prynu, yn ogystal â gwerthu'n dda mewn cyngherddau ac yn siopau Cymru. Mewn cyngerdd yn Chelmsford gyda Chôr Godre'r Aran roedd rhywun wedi camsillafu enw'r albwm newydd yn fy mywgraffiad yn y rhaglen, a sylwodd ambell un o'r côr yn syth! *Nadau Aur fy Nghân* oedd ar y daflen, a bu tipyn o dynnu coes fy mod yn nadu drwy'r cyngerdd!

Aeth bron i ddeng mlynedd heibio cyn mentro i'r stiwdio eto, er bod Dafydd Iwan wedi crybwyll droeon bod eisiau i mi recordio mwy. Ar ôl dod yn aelod o Dri Tenor Cymru ddechrau 2015, a'r ffaith fod y Genedlaethol yn dychwelyd i Sir Drefaldwyn yr un flwyddyn, roedd yn gyfle da i recordio, gan elwa o'r sylw a'r digwyddiadau lleol. Roeddwn yn awyddus i gynnwys ambell i beth gwahanol ar yr albwm yma trwy wahodd cantorion eraill i ganu efo fi. Cyfansoddodd Caradog Williams berl o gân i'r Tri Tenor, ar y cyd efo'r llenor Catrin Dafydd, o'r enw 'Y Goleuni'. Cân oedd hon am hanes chwyldroadol y glowyr yn ne Cymru ac roedd yn cynnwys geiriau'r englyn, 'Arwr glew erwau'r glo' o'r awdl enwog *Moliant i'r Glöwr* gan Gwilym R. Tilsli. Yn ddiarwybod i'r ddau ohonynt, roedd y Prifardd a'r cyn-archdderwydd Tilsli yn perthyn i mi ar ochr fy nhad, felly daeth yn gân bersonol i mi! Dyma'r unig gân den ni wedi'i recordio fel Tri Tenor Cymru mewn stiwdio fel hyn, ac roedd yn braf ei chynnwys ar fy albwm i.

Mae'r ddwy gân Nadoligaidd ar yr albwm yma wedi'u recordio gyda Chôr Meibion y Rhos. Ces wahoddiad rai misoedd ynghynt i ganu gyda'r côr ar eu CD Nadoligaidd, *Noe Noe*, a gwnes fargen efo nhw i gynnwys y ddwy gân ar fy albwm i hefyd. Y garol enwog 'O Holy Night' oedd un ohonynt, a'r llall oedd trefniant arbennig Gareth Glyn o 'Carol y Seren'. Cefais gyfle yn ogystal i recordio 'Y Weddi' gyda Sara Meredydd. Cafodd y perl yma ei gyfansoddi'n wreiddiol i'r tenor Andrea Bocelli a'r gantores bop Celine Dion flynyddoedd yn ôl, ac mae'n un o ganeuon *cross-over* mwya enwog y byd, mae'n siŵr. Braf iawn oedd cael perfformio hon gyda Sara achos roeddem wedi'i pherfformio hi droeon mewn cyngherddau ac roedd hi bob amser yn un o'r ffefrynnau. Mae wedi dod drosodd yn dda iawn yn y stiwdio recordio hefyd, ac yn fy nhyb i yn un o'r goreuon ar yr albwm.

Does dim amheuaeth mai'r gân fwya poblogaidd ar yr albwm yw 'Gweddi Daer', a lwc pur ei bod hi arno o gwbl! Roeddwn wedi clywed y gân hyfryd 'A Living Prayer' ar y radio, gyda'r gantores bop enwog Alison Krauss o'r Unol Daleithiau yn ei chanu. Meddyliais yn syth bod gobaith gwneud hon yn drefniant clasurol, a hynny yn y Gymraeg. Soniais am y peth gyda rhywun yn Recordiau Sain ond ces ychydig o siom o glywed bod amser wedi'n trechu, a bod sicrhau cytundeb hawlfraint o'r Unol Daleithiau yn gallu cymryd misoedd, os nad blwyddyn. Doeddwn i ddim am roi'r gorau iddi'n syth, felly soniais wrth Karina am y cyfieithu un noson wrth fwyta swper. Aeth ati ar unwaith i edrych ar y geiriau Saesneg, a phan ddeffrais y bore wedyn, ces sioc bleserus o weld y cyfieithiad Cymraeg wedi'i orffen ar y bwrdd brecwast! Roedd Karina wedi bod wrthi drwy'r nos ac roedd y geiriau'n berffaith – yn llifo ac yn llawn ystyr. Es at y cyfrifiadur a dod o hyd i e-bost asiant cerddorol y cyfansoddwr, Ron Block, o Nashville, Tennessee, sy'n trefnu llawer o ganeuon Alison Krauss. Holais yn garedig tybed a fydde fo'n fodlon anfon y neges ymlaen i'r cyfansoddwr i ystyried y peth. Cyn diwedd y dydd derbyniais e-bost hyfryd gan y dyn ei hun yn llawn diddordeb yn yr iaith Gymraeg ac roedd wedi cyffroi bod ei gân am gael ei throsi i'r Gymraeg.

Deudodd am beidio â phoeni am yr hawlfraint ac i ni ddal ati gyda'n cynlluniau.

Mae hyn yn dangos yn glir bod yn rhaid mynd amdani weithiau i gael pethe wedi'u gwneud, ac os na holwch chi, chewch chi ddim byd. Roeddwn mor falch o gael ei chanu hi, ac mae 'Gweddi Daer' erbyn hyn wedi dod yn rhyw fath o *signature tune* i mi. Mae'n cael ei chware'n gyson ar y radio ac mae cais amdani mewn cyngerdd yn aml iawn, sydd yn deimlad braf ofnadwy. Dwi wedi'i pherfformio hi dros y byd erbyn hyn, mewn eglwysi mawr a sawl cadeirlan hudolus.

Mae sawl un wedi holi dros y blynyddoedd o ble daeth yr enw *Erwau'r Daith* i'r gryno-ddisg yma. Wel, mae'r geiriau 'hyd erwau'r daith' ym mhennill cynta'r gân 'Gweddi Daer', ac fel canwr a ffarmwr dwi'n gobeithio mynd â'r gwrandawyr ar daith gerddorol i wahanol wledydd! Dwi'n reit falch o'r albwm yma, mae'n llawn amrywiaeth ac yn cynnwys emynau a ffefrynnau Cymraeg fel 'Arafa Don' a 'Galwad y Tywysog', caneuon enwog fel 'Granada', 'Musica Proibita' a 'L'alba separa', a chaneuon ysgafnach fel 'Some Enchanted Evening', a 'Haleliwia' gan Leonard Cohen.

Mi fydde'n braf iawn cael recordio albwm arall eto rhyw ddydd. Mae'n broses flinedig a rhaid dysgu'ch gwaith yn dda cyn mynd i'r stiwdio fel bod dim colli amser wrth ddysgu'r gerddoriaeth. Mae 'na nifer o ganeuon eto yr hoffwn eu rhoi ar gof a chadw cyn gorffen fy ngyrfa gerddorol, ac mae 'na gwpl o glasuron eraill bydde'n braf cael fersiwn Cymraeg ohonynt. Bydd rhaid rhoi mwy o rybudd i Karina y tro nesa!

Dwi wedi bod yn lwcus iawn o gael cyfle i ganu ar raglenni S4C droeon, a hynny ers dyddiau Cwmni Theatr Maldwyn a pherfformiadau Traed dan Bwrdd ar raglenni *Noson Lawen*. Yn fwy diweddar mae cyfleoedd wedi dod i berfformio fel unawdydd ar S4C, gan ganu ar *Noson Lawen, Prynhawn Da* a rhaglen *Heno* nifer o weithiau. Ces gyfle hefyd i ganu ar *Dechrau Canu, Dechrau Canmol* sawl tro, gan gynnwys rhaglenni'r Pasg a'r Nadolig ddwy flynedd yn olynol. Mae'n siŵr mai cael bod yn rhan o raglen deledu *Y Deg Tenor Cymreig* o Landudno ddiwedd 2015 yw un o'r uchafbwyntiau, yn ogystal â *Noson Lawen* arbennig yn 2017 i gofio am Ryan Davies. Roedd yn fraint cael canu ei ganeuon hudolus. Cawsom dipyn o hwyl yn gwneud y rhaglenni yma, fel y gallwch ddychmygu!

Dwi hefyd yn cofio'r alwad ffôn annisgwyl a gefais ym mis Medi 2001 gan Dai Jones, Llanilar yn holi a fydden i'n fodlon gwneud rhaglen *Cefn Gwlad* efo fo. Cafodd Dad fraw mawr pan soniais am y peth ond mi fu'n ffordd dda o gael trefn ar y ffarm a buom yn clirio, yn ffensio ac yn peintio am wythnosau cyn i Dai gyrraedd! Wedi iddynt fynd, deudodd un ohonom, "Biti na fydde Dai Jones a'i gamerâu yn dod yn amlach – mi fydde'r lle yn edrych dipyn twtiach!" Ces hwyl aruthrol efo Dai, gan fynd â fo o amgylch y ffarm, dangos y defaid a'r hyrddod Cymreig, dangos Charlie a'i farch, yn ogystal â gwers ganu efo Eirian Owen yn Nolgellau. Roedd yn braf hefyd cael y teulu i gyd yn rhan o'r rhaglen honno, y rhai sydd wedi fy nghefnogi dros y blynyddoedd. Mae'n rhyfedd iawn edrych yn ôl arni erbyn hyn, bron ugain mlynedd yn ddiweddarach, ond mae'n siŵr mai dyna oedd yr ysgogiad roeddwn ei angen i fynd ymlaen gyda'r canu, a gwrando ar gyngor doeth Dai i fynd amdani fel tenor clasurol.

Roedd Dad yn nabod Dai yn eitha da drwy'r cysylltiadau ffarmio ac roedd hi'n braf ei weld o'n cael cyfweliad ar sgrin am y tro cynta erioed – a'r tro ola, medde fo! Mae Dad yn mynd i banics llwyr os oes rhywun o'r cyfryngau yn dod acw i wneud cyfweliad i ryw raglen! Bydd o'n diflannu am y dydd a dim sôn amdano tan iddynt fynd. Mae hyn wedi digwydd sawl tro, mewn cyfweliadau i raglenni *Ffermio* gyda Daloni Metcalfe, cyfweliadau gydag Elin Fflur a Gerallt Pennant i raglen *Heno*, a phan ddaeth y gantores Margaret Williams i Bentremawr i wneud eitem i raglen *Prynhawn Da* ar gyn-enillwyr y Rhuban Glas. Daeth Dewi Llwyd acw hefyd yn 2015 i wneud cyfweliad radio i'w raglen fore Sul, a finne'n westai pen-blwydd iddo ar y rhaglen. Mae'r eitem honno'n dal ar wefan BBC Cymru.

Cawsom bnawn hyfryd yn recordio – ond doedd dal dim sôn am Dad!

Rai blynyddoedd yn ôl ces wahoddiad i fod yn 'ffrind y rhaglen' ar raglen hwyrol Geraint Lloyd ar BBC Radio Cymru. Dwi wedi gwneud degau o sgyrsiau ar y radio gyda Geraint erbyn hyn, ac wedi mwynhau bob tro, gan sôn am fy mhrofiadau dros y misoedd blaenorol a beth oedd genna i ar y gweill. Mae Geraint hyd yn oed wedi cysylltu â mi ar y radio pan dwi ar fy nheithiau dramor i holi sut mae pethe'n mynd dros y dŵr!

Wrth edrych yn ôl, mae wedi bod yn braf iawn cael croesawu'r bobl yma i Lanbryn-mair i ddangos y ffarm a'r cynefin ble dwi hapusa – yng nghefn gwlad canolbarth Cymru. Mewn byd lle mae bron popeth ar-lein heddiw, lle y gallwch weld pawb a phopeth mewn eiliadau, mae'n braf pan mae gan rywun ychydig o amser i allu edrych yn ôl a gwylio hen recordiadau personol o fywyd ar y ffarm pan oeddwn yn ifanc ar dapiau VHS, a gwylio a gwrando ar eisteddfodau lleol o'r gorffennol pan oeddwn yn yr ysgol gynradd. Mae'r rheini'n dod ag atgofion arbennig yn ôl ac yn profi bod cael magwraeth ar ffarm wledig mewn cymdeithas leol mor bwysig ac yn ddechrau cadarn Cymreig i rywun ifanc. Wna i byth anghofio hynny.

22

Eisteddfod Maldwyn 2015

WEDI WYTHNOS ARBENNIG o braf a llwyddiannus ym Meifod yn haf 2003 roedd cynnwrf mawr yn Sir Drefaldwyn eto yn 2013 pan gyhoeddwyd bod yr Eisteddfod Genedlaethol yn dychwelyd i gaeau hyfryd Mathrafal ym mis Awst 2015. Wrth gwrs, roedd yn amser heriol o ran codi lot fawr o arian ond roedd cynnwrf hefyd wrth drefnu digwyddiadau. Bues i ar bwyllgor codi arian Dyffryn Dyfi, a oedd yn bwyllgor canolig i ardaloedd a phlwyfi Carno, Llanbryn-mair, Glantwymyn a'r pentrefi i lawr tuag at Fachynlleth.

Codwyd y nod ariannol yn eitha hawdd yn y diwedd drwy drefnu digwyddiadau dros yr ardal gyfan, yn ogystal â nosweithiau a ffyrdd eraill o godi pres. Cawsom gyngerdd awyr agored mawr ar bnawn Sul yng Ngharno gyda nifer o artistiaid lleol, yn Gymraeg a Saesneg, a pherfformiodd Edryd, Sara a finne awr o raglen o ganeuon o'r sioeau cerdd. Cawsom gyngerdd ardderchog yng nghanolfan gymdeithasol Llanbryn-mair gyda Chôr Godre'r Aran, Siân Meinir, finne a Dilwyn Morgan yn diddanu, ac roedd hi'n braf gweld y neuadd dan ei sang a'r tocynnau wedi'u gwerthu wythnosau ymlaen llaw. Trefnwyd hefyd dwy noson o gyngherddau'r Hen Ganiadau yn y Tabernacl ym Machynlleth. Mae'r nosweithiau yma wedi bod yn hynod lwyddiannus mewn sawl ardal yng Nghymru, a chan fy mod yn nabod cymaint o unawdwyr ches i ddim trafferth cael wyth o unawdwyr arbennig i gymryd rhan. Llwyddais i ddwyn perswâd ar Tom Gwanas i ganu, a ches Dai Llanilar hefyd i arwain y noson. Cyhoeddodd Dai ar y diwedd mai hwnnw fydde ei gyngerdd ola erioed fel arweinydd. Roeddwn yn teimlo ei bod hi wedi bod yn fraint fawr ei gael o yna ar ôl clywed hyn. Roedden nhw'n nosweithiau hwyliog tu hwnt ac roedd yr ymateb gwresog gan y gynulleidfa yn dangos y cyfan.

Cefais syniad hefyd o greu CD *Doniau Dyfi* o dalentau'r ardal, yn amrywio o unawdwyr clasurol a gwerinol i bartïon a chorau sydd wedi gwneud eu marc. Cytunodd pob un i gymryd rhan ac mae'n CD da iawn. Mae hefyd yn gofnod o dalentau'r fro yn y cyfnod gogyfer â'r dyfodol.

Wedi codi'r arian roedd pawb yn edrych ymlaen yn fawr at yr Eisteddfod ac roedd bwrlwm yn y sir. Yr wythnos cyn yr Eisteddfod roeddwn i ffwrdd yn Ffrainc a Gwlad Belg yn cynnal cyngherddau gyda Chôr Meibion Treforys ond roedd fy nghalon hefyd 'nôl yn Sir Drefaldwyn oherwydd roeddwn yn colli ymarferion pwysig gyda'r corau y bydden i'n cystadlu gyda nhw.

Cyrhaeddes adre ar y nos Iau o Dreforys a bu raid mynd â'r garafán i Feifod ddydd Gwener yn barod am wythnos brysur. Ar y nos Wener roedd cynhyrchiad newydd Cwmni Theatr Maldwyn o *Gwydion* yn y pafiliwn. Yn y gynulleidfa roeddwn i'r noson honno, yn mwynhau. Roeddwn wedi gobeithio bod yn rhan o'r sioe, ond o ystyried cymaint o bethe eraill roeddwn yn rhan ohonyn nhw, yn ogystal â'r daith dramor, bu raid mwynhau'r sioe o'n sedd y tro hwn. Roedd yn noson dda iawn, yn ogystal â chyngerdd Côr yr Eisteddfod ar y nos Sadwrn. Penderfynodd yr Eisteddfod newid y drefn yn y cyngerdd yma yn 2015, gan ei gwneud yn noson ysgafnach o ganeuon corawl poblogaidd dan arweiniad Jeff Howard, yn hytrach na'r drefn arferol o ganu gwaith oratorio clasurol fel yr hyn oedd wedi bod erioed. Mi weithiodd hyn yn bendant ym Meifod gan iddynt ddenu nifer dda iawn o aelodau ifanc i'r côr ar draws y sir, ac i lawer iawn o bobl yn y gynulleidfa roedd y rhaglen gerddorol yn felysach i'r glust hefyd. Dwi'n dal i feddwl bod lle yn achlysurol i gynnwys y darnau cerddorol dwys hefyd, ond y tro yma mi weithiodd i'r dim. Roeddwn wrth fy modd yn gwrando ar y côr yn canu ac roedd yn hyfryd gweld Karina a fy mam yn rhan o'r côr hefyd.

Roeddwn yn lansio fy albwm newydd yn yr Eisteddfod ar y penwythnos cynta, a chawsom lansiad hwyliog ym mhabell Maes y Dysgwyr lle daeth nifer fawr i gefnogi. Bues i hefyd yn canu ar stondinau Recordiau Sain ac eraill i hyrwyddo'r CD newydd.

Ar y dydd Sul canais gyda Chôr Dyffryn Dyfi mewn cystadleuaeth o gorau adloniant, dan arweiniad Magwen Pughe. Mae'r côr yma'n cynnwys cyn-aelodau Aelwyd Bro Ddyfi a ches fwynhad mawr o ganu gyda nhw, a chanu caneuon ysgafn fel 'Seithennyn (Cofia gau y drws)' i enwi dim ond un. Daethom yn drydydd mewn cystadleuaeth o safon uchel iawn.

Ar y nos Fawrth roedd Noson Lawen yn y pafiliwn a hynny ar noson fy mhen-blwydd, a ches wahoddiad i wneud rhywbeth newydd, sef canu fel un o Dri Tenor Trefaldwyn! Roedd Cwmni Da, oedd yn cynhyrchu'r rhaglen i S4C, eisiau talentau lleol i ganu yn y Noson Lawen, a chawsom y syniad o gael tri o denoriaid Maldwyn i ganu gyda'i gilydd. Roedd dau denor ifanc iawn o ardal Llanfyllin yn dechrau gwneud eu marc fel cantorion, sef Rhodri Prys Jones a Robert Lewis. Roedd y ddau yn astudio yn Llundain ac wedi cael gwersi gan Mary Lloyd Davies am flynyddoedd. Roeddwn wedi dilyn gyrfa'r ddau dros y blynyddoedd ac yn cofio Rhodri'n fachgen ifanc gyda'i dad a'i fam, Iolo a Gwenan, pan es fel unawdydd gyda Chôr Meibion Llanfair Caereinion ar daith gerddorol i'r Alban dros ddeng mlynedd ynghynt. Roedd Iolo yn canu yn y côr ac roeddwn yn gallu gweld bod diddordeb canu mawr gyda Rhodri hyd yn oed yr adeg honno. Mae Rhodri erbyn heddiw wedi ennill sawl gwobr gerddorol ac wedi canu gydag Opera Cenedlaethol Cymru.

Mae Robert Lewis yn fab ffarm hefyd, a'i deulu'n ffarmio

drws nesa i deulu Rhodri, a dwi'n cofio clywed llais Rob yn Eisteddfod Powys rhyw flwyddyn ynghynt, ac mi ddeudais wrth Karina bod hwn am fynd yn bell. A dyna mae o wedi'i neud. Yn Eisteddfod Meifod 2015 yr wythnos honno enillodd yr Osborne Roberts, sef y Rhuban Glas dan 25, a hynny'r tro cynta iddo gystadlu! Yn Eisteddfod Genedlaethol y Fenni y flwyddyn wedyn, enillodd Wobr Goffa Tywyn Roberts, un o brif wobrau'r Eisteddfod, ac ysgoloriaeth o £5,000 am ei ganu arbennig. Felly, ym Meifod, roeddwn yn gwybod 'mod i mewn cwmni dau fydde'n gantorion amlwg yn y dyfodol. Gan fy mod erbyn hynny yn aelod o Dri Tenor Cymru, bu raid siarad â'r ddau arall cyn cytuno i ganu gyda dau denor gwahanol, ond chware teg, roedd y ddau yn deall y sefyllfa a chytunwyd y dylwn i ganu gyda thenoriaid Maldwyn. Yr unig beth ddeudodd Aled Hall oedd y bydden nhw'n ein gwylio ni o'r gynulleidfa ac i mi fod yn wyliadwrus o'r tomatos fydde'n cael eu taflu tuag ata i, a'r rheini'n domatos tun!

Roedd y tri ohonom *on form*, ac ar ddiwedd y gân 'Funiculli Funiculla' yn Gymraeg, cyrhaeddodd y tri ohonom yr C uchaf ar y nodyn olaf. Cawsom gymeradwyaeth enfawr ar y diwedd a phawb yn y pafiliwn wedi gwirioni! Gobeithio y cawn gyfle rhyw ddydd i gydganu eto fel Tri Tenor Trefaldwyn.

Ar ddydd Gwener yr Eisteddfod, ces y fraint o wisgo fy rigmarôl gorseddol unwaith yn rhagor gan ganu yng nghylch yr Orsedd, yn ogystal ag yn seremoni'r Cadeirio – un o uchafbwyntiau'r wythnos. Roedd yn brofiad arbennig. Profiad arbennig arall hefyd oedd cael ymuno â Sara ac Edryd ac ambell un arall o gyn-aelodau Cwmni Theatr Maldwyn i ganu ffefrynnau'r Cwmni, yn deyrnged i Derec Williams. Roedd y Babell Lên yn orlawn a braf iawn oedd cael y gynulleidfa'n ymuno â ni mewn ambell i gân.

Roedd yr Eisteddfod yn dod at ei therfyn ond roedd un peth ar ôl, sef cystadlu gyda Chôr Meibion Machynlleth ar y Sadwrn olaf. Roedd nifer o gorau'n cystadlu ac roedd troedio llwyfan eisteddfodol yn rhywbeth hollol ddiarth i'r rhan fwya o'r côr. Dim ond mewn rhyw dair eisteddfod fach leol roedden ni wedi cystadlu ers sefydlu'r côr fisoedd ynghynt, felly roedd tasg enfawr o'n blaenau. Roedd Aled Myrddin, ein harweinydd, wedi gweithio'n galed iawn i gael safon, ond roedd hyn yn brofiad newydd iddo fynte hefyd. Roedd y tywydd yn grasboeth y pnawn hwnnw ac roedd y bois yn chwysu yn eu crysau llwyd trwchus cyn troedio'r llwyfan. Mi aeth y perfformiadau'n dda, cystal â'r disgwyl, a chawsom rhyw deimlad chwerw-felys wedi'r canlyniad ein bod wedi dod yn ail. Roedden ni'n hynod falch ein bod wedi cyrraedd mor uchel â'r ail safle ac wedi curo corau oedd wedi'u hen sefydlu ers blynyddoedd lawer, ond roeddem mor agos hefyd i ddod yn fuddugol. Bois y Castell gafodd y wobr gynta, ac roedden nhw wedi canu'n arbennig o dda, mae'n rhaid deud. Ond roedd amser Côr Meibion Machynlleth eto i ddod. Bu dathlu mawr ar y Maes y noson honno a chanu a chymdeithasu hyd berfeddion y nos.

Cawsom wythnos arbennig iawn ac roedd pawb wedi blino'n lân wedi'r holl brysurdeb. Mae lot fawr o waith ynghlwm wrth drefnu a chynnal Eisteddfod Genedlaethol, ac mi weithiodd Beryl Vaughan a'i chriw yn wyrthiol i greu gŵyl arbennig iawn. Mae Eisteddfod Genedlaethol yr Urdd yn dod i Fachynlleth yn y dyfodol agos, felly mi fydd y *siarabang* o godi arian yn dechrau unwaith eto, ond mae'r gwaddol sy'n cael ei adael ar ei hôl ym mhob ardal eisteddfodol newydd yn werthfawr i'n cymunedau, a dyna pam ei bod mor bwysig bod ein gwyliau cerddorol yn symud bob blwyddyn i ardaloedd newydd. Fyddai Côr Meibion Machynlleth ddim yn bodoli heb Eisteddfod 2015, ac mae hynny'n wir am sawl côr neu barti trwy Gymru. Gobeithio y daw'r Eisteddfod yn ôl i'r Canolbarth eto ymhen amser, ond mi fydd cael gŵyl ieuenctid yr Urdd yn Nyffryn Dyfi yn rhywbeth i'n plant ei drysori am byth hefyd. Mae 'na gryn edrych ymlaen yn barod.

23

Côr Gore Glas a Chôr Meibion Machynlleth

ROEDDWN WEDI BOD yn gysylltiedig â chorau yn y Canolbarth dros y blynyddoedd, wedi canu efo corws Cwmni Theatr Maldwyn yn ogystal â chorau cymysg eraill yn yr ardal. Bues yn aelod o Gôr Gore Glas ers y cychwyn pan ddaeth nifer ohonom at ein gilydd i gydganu wedi dyddiau'r ffermwyr ifanc a'r Urdd. Ces i lot fawr o sbort gyda'r criw dan ofal ein harweinyddes amryddawn, Magwen Pughe, gan ganu mewn cyngherddau dros Gymru gyfan. Mae Magwen yn berson brwdfrydig tu hwnt ac wedi helpu llawer iawn o gantorion ifanc gyda'u gyrfaoedd. Mae Magwen yn dadansoddi'r darnau cerddorol â chrib fân ac yn gallu tynnu'r gorau allan o bobl wrth liwio caneuon.

Mewn dim o dro roeddwn wedi cael swydd fel unawdydd yn y cyngherddau gyda Chôr Gore Glas, yn ogystal â rhannau unigol mewn ambell i gân gorawl. Roedd nifer o'r eitemau roeddem yn eu canu yn cynnwys unawdydd neu ddeuawd, gyda'r côr yn canu yn y cefndir. Does dim byd gwell na chanu o flaen cynulleidfa gyda hanner cant o leisiau cyhyrog y tu cefn i chi. Roedd dylanwad Cwmni Theatr Maldwyn yn gryf iawn ar y côr yma, ac roedd caneuon Robat Arwyn hefyd yn dipyn o ffefrynnau. Gyda'r caneuon hynny yn sylfaen gadarn i gyngerdd, roeddem ar ein hennill bob tro oherwydd mae pawb wrth eu boddau gyda'r caneuon cyfoethog hyn. Fy ffefryn, heb amheuaeth, oedd y gân allan o'r sioe gerdd *Heledd*, sef 'Eryr Pengwern', ac roedd hon yn cael ymateb da ym mhob cyngerdd. Mae'n *builder*, fel 'sen nhw'n deud – yn dechrau'n gynnil ac yna'n cryfhau, gan orffen gyda'r diweddglo arbennig mae pawb wedi bod yn aros amdano. Dwi wedi canu'r gân hon gannoedd o weithiau, mae'n siŵr, dros y blynyddoedd, ac yn dal yn ei chanu ambell i dro gyda chorau cymysg eraill drwy Gymru.

Bu'r côr hefyd yn lwcus o gysylltiadau Magwen Pughe, fel modryb i'r cawr o Bant-glas, o gael gwahodd Bryn Terfel ei hun i ganu gyda ni mewn cyngherddau mawreddog yn y Canolbarth. Nid yn aml iawn y gwelwch chi Bryn yn canu mewn cyngherddau yng Nghymru y dyddiau hyn, oherwydd ei ddyddiadur llawn sy'n ei dynnu dros y byd i gyd. Doeddwn i ddim wedi deall pa mor enwog oedd o tan i fi fynd ar fy nhaith gynta i Los Angeles i ganu yn 2003, pan es am dro ar hyd y promenâd yn Long Beach a glanio mewn siop enfawr HMV yn y ddinas, a gweld poster enfawr o Bryn yn hongian o do'r adeilad. Dwi'n deud 'enfawr' oherwydd roedd y poster yma'n rhyw wyth metr o uchder a finne'n synnu o weld canwr operatig o Gymru mor amlwg mewn siop recordiau yng Nghaliffornia. Ond mae o'n artist byd-enwog ac mae pawb yn ei nabod o ym mhobman, yn dydyn?

Felly roedd hi'n bluen yn het Magwen a'r côr i'w gael atom i ganu, y tro cynta yn y Neuadd Fawr yn Aberystwyth yn 2011, ac yna ddechrau 2015 ym Machynlleth, pan oedd canolfan y Tabernacl yn dathlu pum mlynedd ar hugain ers iddi agor. Roedd y noson yn y Tabernacl yn un arbennig iawn a'r awditoriwm yn orlawn, gyda'r holl docynnau wedi'u gwerthu o fewn cwta hanner awr wedi iddynt fynd ar werth. Bu Bryn Terfel yno'r tro cynta yn 1989, ychydig fisoedd wedi iddo gystadlu yng nghystadleuaeth Canwr y Byd, ac roedd hi'n wefr ei gael o'n ôl yn y dref unwaith eto.

Penderfynodd Magwen y bydde hi'n hoffi cael y ddau gôr

roedd hi wedi'u hyfforddi dros y blynyddoedd ynghyd i'r cyngerdd, sef Côr Gore Glas ac Aelwyd Bro Ddyfi. Roedd y corau eisoes wedi dod ynghyd i recordio cryno-ddisg ac roedd sain arbennig iawn pan oedd y ddau gôr yn canu efo'i gilydd. Tua pythefnos cyn y cyngerdd dyma Magwen yn fy ffonio i, gan ddeud bod Bryn wedi bod ar y ffôn i siarad am y cyngerdd, a'i fod o eisiau canu deuawd efo fi! Roeddwn i'n methu coelio'r peth – Bryn Terfel ei hun yn cysylltu ac eisiau canu efo fi? Y boi oedd ar y posteri mawr yn Long Beach! Wel, mi dderbyniais yn syth a dechrau meddwl beth oedden ni'n mynd i'w ganu – 'Y Ddau Wladgarwr' neu rywbeth tebyg, falle? O na, roedd Magwen yn deud ei fod o eisiau canu'r 'Pysgotwyr Perl' efo fi. Waw! Doeddwn i ddim yn gwybod beth i'w ddeud! Penderfynom adael yr eitem allan o'r rhaglen fel syrpréis, a dim ond llond llaw o bobl oedd yn gwybod beth oedd am ddigwydd.

Es i ganu gyda'r côr yn yr hanner cynta a dechrau'r ail hanner, gan eistedd ar y llwyfan efo nhw. Ond ganol yr ail hanner mi lithrais allan o'r côr a'r neuadd yn sydyn, heb ddeud dim, a phawb ymhlith y tenoriaid yn dechrau poeni i ble roeddwn i wedi mynd. Daeth Bryn Terfel ymlaen i ganu eto, ac wedi iddo ganu cwpl o ganeuon, dyma fo'n dechrau siarad am ryw denor lleol oedd yn ei nabod, a 'ngwahodd ymlaen ato i ganu. Roedd pawb mewn sioc, yn enwedig aelodau'r côr. Dechreuodd Eirian Owen chware'r piano a sylweddolodd pawb pa gân roeddem am ei chanu. Aeth popeth yn wych a phan darodd y ddau ohonom y nodyn olaf dyma pawb o'r gynulleidfa ar eu traed! Roedd hi'n foment wna i ei chofio am byth bythoedd. Yr hyn oedd mor arbennig am y cyfan oedd fy mod wedi cael y cyfle i ganu deuawd mor enwog â'r 'Pysgotwyr Perl', a hynny yn Ffrangeg gyda Bryn Terfel ar stepen drws fy hun – ac o flaen fy ffrindiau sydd wedi fy nghefnogi dros y blynyddoedd. Honno oedd y wefr fwya.

Dechrau haf 2014, mewn noson chware pŵl ym Machynlleth, dyma Huw Pughe, Gwernbere, yn dod ata i i holi beth oedd fy marn am ffurfio Côr Meibion newydd yn yr ardal. Am syniad gwych oedd fy ymateb i, ond hefyd roeddwn am bwysleisio bod angen ymroddiad llwyr os bydde rhywbeth fel yna'n digwydd, a deudais wrtho hefyd am ffeindio digon o denoriaid! Mewn dim o dro roedd ganddo restr hir o enwau ac roedd o wedi sicrhau bod gennon ni arweinydd. Roedd Huw a rhai o'r criw lleol wedi bod yn trafod hyn ers tipyn ac wedi sôn wrth Aled Myrddin y bydde'n gwneud arweinydd da i'r côr. Roedd Aled yn frwdfrydig iawn o'r dechrau. Roedd yr amseru'n iawn hefyd oherwydd roedd yr Eisteddfod Genedlaethol yn dychwelyd i Faldwyn ymhen blwyddyn a bydde mynd â chôr meibion o Fro Ddyfi i Feifod yn wych.

Yn yr hydref daeth criw mawr ynghyd i'r ymarfer cynta yn festri'r capel Saesneg ym Machynlleth, ac roedd hi'n agoriad llygad i weld cymaint yn bresennol – tua deugain mae'n siŵr. Mi weithiodd pethe'n dda, ac wedi didoli tipyn ar y lleisiau i gael y balans cywir, roedd hi'n edrych yn addawol. Ar ôl dysgu ychydig o ganeuon syml, yn ogystal â'r emyn-dôn 'Llef', dyma droi at ddarn tipyn mwy heriol, sef 'Heriwn, Wynebwn y Wawr' gan Gareth Glyn. Roedd hon yn stori arall, a threuliwyd oriau ac oriau yn dysgu hon yn iawn. Ond erbyn hyn, mae'n un o ddarnau cryfa'r côr a den ni'n gallu ei chanu hi cystal â'r goreuon yng Nghymru, yn fy marn i.

Mentrodd y côr i'w heisteddfod gynta erioed yn Llanegryn ddechrau 2015, a chanu dwy gân gyferbyniol o flaen y beirniad Trystan Lewis. 'Oes Gafr Eto?' oedd y gynta, ac yna drefniant o'r emyn-dôn 'Llef' – sef 'O Iesu Mawr, rho d'anian bur'. Cawsom feirniadaeth dda iawn ganddo, ac roedd yntau hefyd yn ymwybodol mai hwn oedd perfformiad cynta cyhoeddus y côr. Roedd o'n llawn clod i ni am fentro ac yn ategu bod y côr yn meddu ar adnoddau lleisiol arbennig o dda, ond ein bod yn swnio ychydig yn amrwd weithiau mewn mannau, ond roedd hynny i'w ddisgwyl. Roeddwn yn cytuno cant y cant ag o. Roedd lot fawr o waith i'w wneud ond roeddem ar y trywydd iawn ac efo mwy o brofiad a hyder ar lwyfan, bydde pethe'n gwella.

Yr hyn sydd mor galonogol am y côr yw bod pawb sy'n mynd i'r ymarfer bob nos Lun yn mynd yno i fwynhau. Mae rhan helaeth ohonom yn ffermwyr, a'r gweddill bron i gyd â chysylltiad ag amaethyddiaeth mewn rhyw ffordd neu'i gilydd. Roedd rhai o'r côr heb ganu ers dyddiau'r Ffermwyr Ifanc, ac un neu ddau heb ganu rhyw lawer erioed. Y peth pwysicaf sydd wedi digwydd dros y pum mlynedd diwetha ydi'r ffaith bod y côr wedi dod â chriw o ffrindiau'n ôl at ei gilydd. Wedi dyddiau'r Ffermwyr Ifanc roedd llawer ohonom wedi mynd ar drywydd gwahanol mewn bywyd, gyda rhai'n priodi a chael plant, ac wedyn mae'n anodd i bawb fynd allan ar benwythnosau i gymdeithasu. Mae bob nos Lun rŵan yn noson côr – ymarfer o wyth tan hanner awr wedi naw cyn mynd ar draws y ffordd i'r Llew Gwyn am beint i ddal i fyny â newyddion yr wythnos, gyda rhai'n tynnu coes am yr hyn sydd wedi digwydd yn y byd chwaraeon ac eraill mewn sgwrs ddofn am brisiau stoc y dydd yn y Trallwng!

Den ni mor lwcus o gael Aled Myrddin fel ein harweinydd. Mae Aled yn wreiddiol o Fôn ond wedi byw am flynyddoedd ym Machynlleth pan oedd yn athro addysg gorfforol yn Ysgol Bro Ddyfi, cyn symud gyda'i deulu ifanc i Bow Street, lle y mae o'n athro rŵan yn Ysgol Penweddig, Aberystwyth. Mae ganddo'r gallu i gael y gorau allan o'r côr heb godi ei lais o gwbl. Dwi erioed wedi'i glywed o'n gweiddi ar y côr – er y gallai fod wedi gwneud llawer tro, cofiwch! Mae o'n gerddor arbennig ac yn gwybod be mae'r cogie'n gallu ei gyflawni os gwnaiff pawb roi o'u gorau.

Wedi i'r côr gystadlu mewn ambell i eisteddfod leol yn y Canolbarth, daeth y diwrnod i ganu yn yr Eisteddfod Genedlaethol ym Meifod. Roedd hi'n chwilboeth o ddiwrnod ac roedd pawb yn nerfus ac yn chwysu cyn troedio'r llwyfan mawr. Ond fel y soniais yn gynharach, aeth pethe'n dda iawn, ac er nad oedden ni'n disgwyl ennill, cawsom rhyw deimlad chwerw-felys pan ddyfarnwyd ni'n ail. Roedden ni mor agos i'r brig, ond yn hapus iawn ar yr un pryd. Bu cryn ddathlu wedi'r gystadleuaeth, a braf oedd gweld y corau i gyd wedyn yn cydganu'n hapus ar y Maes.

Wedi'r gystadleuaeth, daeth mwy o aelodau atom a gwnaethon ni'n gorau i drio anelu'n uwch gogyfer â'r dyfodol. Cawsom yr ail wobr eto yn yr Eisteddfod Genedlaethol yn y Fenni yn 2016, gan ddod yn ail i Gôr Meibion y Brythoniaid y tro hwn. Ychydig fisoedd yn ddiweddarach cawsom wahoddiad gan gwmni Rondo i gystadlu yng nghystadleuaeth Côr Cymru yn Aberystwyth, ac wedi i ni recordio clyweliad ar dâp cawsom ein derbyn i'r categori Corau Meibion. Roedd hon yn gystadleuaeth anodd ac roedd angen canu'r darnau yn yr iaith wreiddiol, a bu hynny'n dipyn o her i ambell un wrth i ni ganu yn Saesneg a Lladin, ond mi aeth yn arbennig o dda – mor dda fel y bu i ni ennill y gystadleuaeth a sicrhau ein lle yn y ffeinal ddechrau mis Ebrill. Ie, mis Ebrill – reit yng nghanol tymor yr wyna i'r rhan fwya ohonon ni! Mi sobrodd llawer wrth sylweddoli y bydde angen rhaglen arall o ganeuon mewn cwta saith wythnos, a bod rhaid ymarfer drwy gydol tymor yr wyna. Ond cawsom noson i'w chofio yn Aberystwyth y noson honno, beth bynnag, a bu dathlu am oriau. Mi weithiodd pawb yn galed iawn wrth baratoi am y ffeinal, ac er na wnaethon ni ennill y gystadleuaeth fawr, roedd yn wefr i fod yno ac yn brofiad cofiadwy i bawb.

Mentrodd y côr i'r Eisteddfod Genedlaethol yn Sir Fôn rai misoedd yn ddiweddarach i gystadlu ond roedd ychydig mwy o bwysau arnom y tro hwn fel enillwyr y categori Corau Meibion Côr Cymru – nid ni oedd yr *underdogs*. Pan ddaeth y canlyniad mai Côr Meibion Machynlleth oedd yn fuddugol aeth pawb yn wyllt. Roeddem wrth ein boddau, a neb yn fwy na finne. Dwi wedi bod yn ffodus iawn o gael ennill ar y llwyfan yna sawl tro dros y blynyddoedd fel unawdydd ond roedd cael ennill gyda chriw o ffrindiau agos yn brofiad heb ei ail. Ddaliodd y lleisiau ddim yn hir! Bu dathlu fel na welwyd erioed ar y Maes nac yn y dafarn ym Modedern y noson honno. Roedd ambell i ben mawr drannoeth, ond roedd o'n werth y boen i gyd. Yn ffodus i ni fel côr roeddem wedi derbyn gwahoddiad fisoedd ynghynt i berfformio yng Ngŵyl Machynlleth yn y Tabernacl a daeth y cyngerdd hwnnw ddeng niwrnod wedi'r fuddugoliaeth. Pan gerddodd Aled Myrddin i'r llwyfan ar ddechrau'r cyngerdd gyda'r cwpan mawr yn ei law a'i osod ar y piano, cododd y gynulleidfa ar ei thraed – roedd honno'n eiliad arbennig nad anghofiwn ni fyth.

Daeth galwadau lu i'r côr wedyn, gan gynnwys gwahoddiad i recordio rhaglen arbennig Nadoligaidd *Cefn Gwlad* gyda Dai Llanilar, a ches gwmni Dai acw yn Nantcarfan eto am sgwrs ar ddiwrnod hela'r defaid i lawr o'r mynydd. Roedd y dyn camera wedi dod â drôn efo fo, ac roedd y lluniau o'r defaid yn dod i lawr y llethrau o'r awyr yn fendigedig. Cawsom hefyd weld Dai yn llawn ofn wrth iddo fynd mewn car rali gyda'r cymeriad Dafydd Post gan weiddi, "Cymer bwyll" dros y lle! Gwelsom hefyd y côr yn canu ar y cae rygbi yng Nghaerdydd cyn gêm Cymru yn erbyn Seland Newydd – profiad arall bythgofiadwy. Mae'r côr wedi canu yng nghyngerdd Mil o Leisiau yn Neuadd Albert yn Llundain yn ddiweddar ond, yn anffodus, bu raid i mi golli'r achlysur oherwydd cyngerdd arall gyda'r Tri Tenor ar yr un noson. Mae hynny'n bechod oherwydd dydw i erioed wedi cael y cyfle i ganu yn Neuadd Albert. Gobeithio'n wir y daw cyfle arall rhyw ddiwrnod.

Roedd angen taith dramor ar y côr wedyn, ac yn lwcus i ni roedd gwahoddiad eisoes wedi ein cyrraedd gan Ŵyl Gymreig Ontario, Canada, i ni berfformio yno ddiwedd mis Ebrill 2019. Roeddem wedi derbyn y gwahoddiad ddwy flynedd ynghynt ac roedd cryn edrych ymlaen. Roedd digon o amser i bawb weithio o gwmpas yr wyna, gan sicrhau, os yn bosib, y bydde pawb wedi gorffen y gwaith cyn cychwyn am Ganada. Aeth criw da o dros ddeugain ohonom ar y daith gan ymlacio tipyn yn Toronto yn gynta, cyn symud ymlaen i London, Ontario, ar gyfer yr ŵyl. Dyma oedd yr ail dro i mi fynychu'r ŵyl, wedi i mi fod yn Ottawa dair blynedd ynghynt gyda Tri Tenor Cymru, ond roedd yn brofiad newydd i bawb arall.

Ar y nos Wener roedd y côr yn cymryd rhan mewn noson lawen anffurfiol yn y gwesty, lle roedd nifer o'r gynulleidfa yn codi i berfformio. Aled Tynywern oedd yn arwain y noson a chafodd hwyl arni, yn deud hanes aelodau'r côr ac ati, a thipyn go lew o dynnu coes! Penderfynodd y ddau ohonom atgyfodi'r hen ddeuawd allan o diwn, 'Ti a dy Ddoniau', a enillom yn yr Eisteddfod Ffermwyr Ifanc flynyddoedd yn ôl. Roedd pawb yn eu dyblau – diolch i'r côr am ddechrau chwerthin a chael pawb arall i sylweddoli beth oedd yn digwydd!

Cawsom gyngerdd arbennig y noson wedyn yn yr eglwys, un o'r troeon gorau i'r côr ganu erioed. Be sy'n bwysig iawn am y gwyliau Cymreig tramor yma yw bod aelodau'r corau'n cymysgu gyda mynychwyr yr ŵyl – rhywbeth sydd ddim yn digwydd bob tro, yn ôl y sôn. Roedd pawb wedi mwynhau cwmni'r cogie ac yn hoffi siarad am eu cysylltiadau â Chymru, sydd mor bwysig iddynt.

'Nôl i'r eglwys aeth y côr eto i ganu mewn dwy gymanfa ganu ar y dydd Sul, ac wedi pedair awr o ddiwylliant aethom allan i'r dre i fwynhau. Cawsom noson fythgofiadwy yn y ddinas, yn gwrando ar fandiau lleol mewn tafarn, cyn mynd i dafarn Wyddelig yn hwyrach. A dyna lle dechreuodd yr hwyl go iawn. Roedd hi'n noson *karaoke*, a deudodd y barman y bydde hi'n brysur nes ymlaen. Gwir oedd y gair, ac erbyn un ar ddeg o'r gloch roedd y lle'n orlawn a chiwio am awr am gyfle i fynd i ganu. Roedd ambell un wedi rhoi enwau aelodau'r côr i berfformio, gan gynnwys fy enw i! Cawsom berfformiad bythgofiadwy o 'Tequila' gan Titch o Garno, a dau berfformiad gan Aeron Pughe a Ieuan Brynsion. Daeth fy enw i allan o'r het wedyn ac i ffwrdd â fi i ganu cân enwog Tom Jones, 'Delilah'. Roedd gan y DJ fesurydd sain ar y to i recordio'r *decibels* fel bod y sain ddim yn rhy uchel. Y rhif uchaf weles i cyn i mi fynd ymlaen i ganu oedd 88 dB, ond hanner ffordd drwy 'Delilah' roedd y mesurydd yn dangos 110 dB ac roedd y DJ yn trio'i orau i droi pob botwm sŵn i lawr! A ches i *encore*! A 'nôl â fi'n syth i ganu 'Nessun Dorma', cân enwoca Pavarotti. Aeth y lle'n wyllt unwaith eto gyda'r cogie'n dod draw i brynu diodydd i fi! Roedd hi'n noson wefreiddiol a phawb wedi mwynhau fel criw o ffrindiau da. Dwi wedi bod yn ffodus o gael mynd ar lawer o deithiau tramor ond hon oedd un o'r teithiau gorau i mi ei mwynhau erioed. Gobeithio y cawn ni i gyd fynd eto'n fuan.

24

Diddordebau

MAE PAWB SYDD yn fy nabod i'n dda yn gwybod fy mod yn berson cystadleuol tu hwnt, p'un ai os dwi'n gwylio fy hoff dimau ym myd chwaraeon, yn cystadlu fy hun, neu'n ymgymryd â rhyw her newydd. Dwi'n gwybod bod pawb yn deud mai'r cymryd rhan sy'n bwysig a dwi'n cytuno, oherwydd mae angen i bawb ddysgu colli'n gwrtais – ond mae angen rhyw gythraul yn rhywun hefyd y dyddiau yma os am lwyddo yn yr hen fyd yma. Fydden i ddim wedi llwyddo heb hynny, yn sicr.

Ganol yr wythdegau daeth Siôn Corn â bwrdd snwcer chwe throedfedd i mi pan oeddwn tua naw oed, a dyna un o'r pethe mwya gwerthfawr ges i erioed – oni bai am y moto-beic y flwyddyn wedyn, falle! Mi chwaraeais am oriau ar y bwrdd yma yn fy llofft, yn herio Dad neu bwy bynnag oedd yn galw am gêm. Roedd y natur gystadleuol yno ers yn fachgen ifanc. Pan es i'r ysgol uwchradd ro'n i'n cael mynd i chware ar y byrddau snwcer mawr yn y Ganolfan yn Llanbryn-mair. Roeddwn wrth fy modd, ac roeddwn i a fy ffrind ysgol, Colin Harding, yn mynd am gêm bob nos Wener. Yn ddiweddarach daeth mwy o ffrindiau ac roedd nos Wener yn werth aros amdani. Pan oeddwn yn bedair ar ddeg roedd hawl genna i fynd i'r clwb snwcer bob nos, ac roeddwn yn mynd yn gyson iawn yr adeg honno. Bydden i yno am saith y nos, yn chware am oriau, cyn ffonio Mam o'r ciosg yn y pentref pan oeddwn wedi gorffen, gan rifyrsio'r *charges* weithiau os oedd fy arian i gyd wedi mynd i dalu am chware'r gêmau! Doedd dim sôn am ffonau symudol, wrth gwrs, a braf iawn oedd hynny hefyd. Roeddwn yn eistedd i wylio'r gêmau a sgwrsio am oriau.

Roedd yn wahanol iawn i sut mae'r byd heddiw gyda phawb â'u pennau yn eu sgrins bach yn hytrach na gwylio'r chware! Dwi'n poeni'n fawr am hyn, ac er fy mod i'n euog weithiau o wneud hyn fy hun, dwi'n trio osgoi colli amser ar y cyfryngau cymdeithasol. Dwi'n hoff o Facebook, ac yn rhoi ambell i beth arno rŵan ac yn y man, ond dwi wedi sylwi'n ddiweddar cymaint y mae rhai pobl arno – nid yn unig ar Facebook, ond ar gyfryngau eraill fel Twitter ac Instagram hefyd. Maen nhw'n gaeth iddynt, ac mae'n ddiwedd y byd os nad oes signal i ddal i fyny efo'r hyn mae pawb arall yn ei wneud. Yn ystod y blynyddoedd diwetha, dwi'n bersonol wedi cael sylwadau gan rai yn holi pam 'mod i ddim wedi hoffi eu lluniau neu eu sylwadau am bethau ar-lein – dwi'n meddwl bod hynny'n drist iawn os ydi pobl yn trio mesur eu bywydau yn ôl faint o *likes* maen nhw wedi'u derbyn ar Facebook!

Dwn i ddim sut mae pobl yn cael yr amser i weithio go iawn erbyn hyn, oherwydd dwi'n siŵr bod oriau maith yn mynd bob dydd yn trio dal i fyny gyda phawb a phopeth ar-lein. Gan fod y cyfryngau yma am ddim, yn naturiol, mae'n ffordd dda o hysbysebu digwyddiadau a chyngherddau, sy'n grêt os yw hyn yn helpu i gael mwy o bobl yno. Ond dwi'n teimlo'n reit anghyfforddus yn gwneud hyn weithiau, ac yn dychmygu bod ambell un yn meddwl fy mod i'n hysbysebu gormod o rwtsh ar-lein – a dwi ddim eisiau i hynny ddigwydd chwaith. Ar Facebook, dwi'n lwcus o gael ffrindiau ar draws y byd, ac mae ambell un o'r rheini'n oedrannus ac yn byw ar ben eu hunain, ac mae'r cyfrwng yma'n gwmni mawr iddynt – yn enwedig dros gyfnod hunanynysu'r Coronafeirws. Dwi'n meddwl am y rheini'n aml wrth bostio rhyw fideo ohono i'n canu mewn cyngerdd, neu'r plant yn gwneud rhyw weithgaredd adre ar y ffarm. Ond dwi hefyd yn ymwybodol nad ydi popeth at ddant pawb. Erbyn hyn, dwi wedi cyfyngu ar fy *screen time* dros y ddwy flynedd diwetha, diolch byth, ac yn falch o hynny!

Beth bynnag, 'nôl at y snwcer. Roeddwn wrth fy modd yn y clwb snwcer yn y pentre, ac wedi dysgu llawer drwy gymdeithasu gyda'r cymeriadau oedd yno ar y pryd. Roedd cwmnïaeth rhai o'r cymeriadau, fel Siôn Merfyn, Mel James, Arwyn Ceulan, Tom Ffriddfawr a'r criw, yn falm i'r enaid. Roedd lot fawr o dynnu coes a chwerthin, a lot fawr o fwg hefyd. Roedd hyn ddiwedd yr wythdegau a doedd dim sôn am reolau ysmygu yr adeg honno. Roedd hi'n anodd gweld y bwrdd ambell i noson, heb sôn am y peli! Mi ddois yn chwaraewr reit dda yn y diwedd, gan sgorio rhediadau o bedwar deg yn gyson, a chael brêc uchaf o 68 un noson.

Roedd Meirion Williams o Fachynlleth yn dod i fyny'n aml i chware ac roedd o'n dipyn o chwaraewr, gan sgorio rhediad o gant un tro yn Llanbryn-mair! Roeddwn yn stryglo i'w guro am flynyddoedd, ond yn cau'r bwlch rhyngom bob tro. Pan gurais Meirion am y tro cynta roeddwn i mor hapus, a dwi'n meddwl ei fod o mor falch â finne hefyd, oherwydd roedd wedi rhoi cyngor i mi a fy annog i wella drwy roi ychydig o dips i mi dros y blynyddoedd. Wedi i mi ennill y noson honno dois yn fwy hyderus gan ddod yn un o chwaraewyr gorau'r clwb am gyfnod. Erbyn hyn, mae'r hen glwb wedi mynd ar i lawr, gydag ychydig iawn yn mynychu. Collais ddiddordeb yn y snwcer a dwi ddim wedi bod i'r clwb ers ambell i flwyddyn. Dwi'n dal yn hoff o wylio'r gamp ar y teledu, cofiwch. Fy arwr mawr oedd Jimmy White, ac roeddwn yn ei wylio'n rheolaidd ar un adeg, gan gynnwys y pum tro yn olynol iddo golli yn y ffeinal ym Mhencampwriaeth y Byd yn y nawdegau. Roeddwn i'n *gutted* drosto. Dwi hefyd yn cofio aros ar fy nhraed tan un o'r gloch y bore yn blentyn deg oed yn 1985 pan gurodd Dennis Taylor y pencampwr Steve Davis ar y belen ddu olaf!

Yn mis Awst 1992 ces alwad gan Norton Owen, Penybont – ffarmwr lleol oedd yn gapten ar dîm pŵl tafarn y Wynnstay yn y pentref – yn holi i mi ymuno â'i dîm. Roedd tîm cynta'r dafarn newydd ennill dyrchafiad i Division One yng Nghynghrair Bro Ddyfi ym Machynlleth ac roedd wedi clywed fy mod wedi cyrraedd fy mhen-blwydd yn ddeunaw oed, ac yn gymwys i chware. Derbyniais y cynnig yn syth gan chware fy ngêm gynta i ffwrdd yn y Riverside ym Mhennal. Dwi'n cofio i mi ennill fy nwy gêm y noson honno, ac i ni ennill fel tîm. Chwaraeais i'r Wynnstay am flynyddoedd lawer ac roedd y pŵl yn rhan fawr o 'mywyd. Norton oedd y capten bob blwyddyn, er doedd o ddim yn chware, dim ond dewis y tîm a reffio. Roedd ei wylio yn reffio yn dipyn o hwyl ar adegau hefyd. Doedd Nort ddim yn siŵr o'r rheolau, a phawb yn tynnu ei goes gan ddeud wrtho be oedd o i fod i'w neud. Cawsom ambell i noson hwyr yn y Wynnstay, a dim ond naw gêm roedden ni'n eu chware yr adeg honno – chwe sengl, a thair dwbwl! Erbyn hyn den ni'n chware pymtheg gêm bob nos Iau, ac yn gorffen dipyn cynt! Dwi'n cofio un gêm yn erbyn y Penrhos 'nôl yn y nawdegau ac roedd hi'n bell wedi un y bore, a munudau lawer yn cael eu colli yn siarad rhwng pob ergyd!

Roedden ni bron i gyd yn y tîm yn feibion ffermydd o Lanbryn-mair, gyda Wini Goedol a Ioics Cwmllywi yn dod atom o Ddyffryn Dyfi i chware efo ni hefyd. Roedd Ioics yn un o'r chwaraewyr mwya talentog erioed i mi ei weld yn dal ciw, ond roedd Wini'n dipyn mwy pwyllog ac yn gallu ymestyn gêm cyn hired â phosib yn erbyn y goreuon, trwy eu rhwystro a'u blino, siŵr o fod! Cawsom dipyn o lwyddiant dros y blynyddoedd, yn enwedig yn y gêmau cwpan, ac roeddem yn cyrraedd rhyw ffeinal bron bob blwyddyn ar ddiwrnod y rowndiau terfynol.

Yn 2011 cawsom ddiwrnod arbennig gan ennill tri chwpan, a bu cryn ddathlu'r noson honno. Ces i ambell i fuddugoliaeth yn y gystadleuaeth ddyblau hefyd efo Wini, ac eleni, yn 2020, cyrhaeddais ffeinal y senglau am y tro cynta erioed. Dechreuodd y trefnwyr gasglu canlyniadau buddugoliaethau wythnosol y gynghrair tua 2012, a dois yn ail ym mlwyddyn gynta'r *stats*, ac yna cyrhaeddais y brig yn 2014, gan ennill y tlws am chwaraewr gorau'r flwyddyn. Tipyn o anrhydedd, oherwydd roedd nifer o'r cogie erbyn hynny wedi cynrychioli timau dros Gymru, gan gynnwys un Pencampwr Byd ddwy flynedd yn ôl! Ces wahoddiad i chware yn y tîm sirol oedd yn chware dros ogledd Cymru hefyd, ond roedd o'n dipyn o *commitment*, ac roedd y gêmau ymlaen ar bnawniau Sul, felly yn fy mhrysurdeb penderfynais wrthod y cyfle. Bydden i wedi hoffi gweld beth fydde fy hanes yn y tîm sirol hefyd.

Erbyn hyn, dwi'n chware'n wythnosol dros y gaeaf i dîm pŵl Clwb Rygbi Machynlleth ers tua pum mlynedd ac yn cael sbort mawr gyda'r criw. Criw o amaethwyr Cymraeg Dyffryn Dyfi den ni – ac mae'r cogie'n cynnwys y cyflwynydd teledu Aeron Pughe, a'i frawd Huw, Meilir Tŷ Gwyn, Dafydd Cleiriau, Iwan y Fet a Dafydd Post. Wel, fel y gallwch ddychmygu, mae pawb yn tynnu ar ei gilydd, nid yn unig am ambell i ergyd wael ar y bwrdd, ond am ffarmio, pêl-droed, rygbi a phob math o bethe eraill. Dwi erbyn hyn wedi chware yn y gynghrair pŵl am wyth mlynedd ar hugain yn ddi-dor, a dwi'n meddwl mai fi erbyn hyn sydd yn dal y record am y nifer fwya o flynyddoedd heb doriad! Mae'n noson dda, yn gyfle i ddal i fyny ar newyddion yr wythnos, ac yn doriad hefyd o'r ffarmio a'r canu. Gobeithio y byddaf yn dal i chware am flynyddoedd i ddod – os dalith y llygaid yma i botio'r peli!

Mae'r rhan fwya ohonoch yn gwybod erbyn hyn fy mod yn gefnogwr brwd iawn o dîm pêl-droed Lerpwl, ac wedi bod felly ers dechrau'r wythdegau. Dad ydi'r bai, siŵr o fod, oherwydd mae o'n dipyn o ffan hefyd, ac roedd o wedi dechrau gwylio Lerpwl flynyddoedd lawer cyn fy ngeni i. Ddim yn aml fydda i na Dad yn colli gêm ar y teledu, neu ar y radio, a dwi wedi dathlu ambell i fuddugoliaeth fawr i'r tîm dros y blynyddoedd, yn ogystal â chael ambell i siom fawr hefyd!

Dwi'n meddwl mai'r siom fwya ges i erioed oedd 'nôl yn 1989, blwyddyn y drasiedi yn Hillsborough, pan gollodd 96 o gefnogwyr y clwb eu bywydau ar y diwrnod hwnnw yn Sheffield. Dwi'n cofio gwylio'r gyflafan ar y teledu a gweld y bobl druain yn cael eu gwasgu yn erbyn y ffensys. O ganlyniad i'r diwrnod hunllefus hwnnw roedd y gêmau i gyd wedi'u gohirio am gyfnod, ac roedd gan Lerpwl nifer o gêmau i'w chware ar ddiwedd y tymor. Daeth hi lawr i'r gêm olaf yn y gynghrair, lle roedd Lerpwl ar frig y tabl yn chware yn erbyn Arsenal, a oedd yn ail, ac roedd angen i Arsenal ennill y gêm o ddwy gôl i gipio'r gynghrair. Dwi'n cofio gwylio'r gêm adre gyda Dad a Mam, ac roedd Arsenal ar y blaen o un gôl ac fel roedd pethe'n sefyll, Lerpwl fydde'n ennill y gynghrair. Ond gydag eiliadau i fynd, sgoriodd blincin Michael Thomas i Arsenal. Roeddwn i mewn dagrau ar y soffa, ac yn methu coelio'r hyn ddigwyddodd. Mae 'na ambell i siom arall wedi bod ers hynny, fel colli'r gynghrair i Manchester City ar ddiwrnod olaf y tymor o bwynt yn unig yn 2019, a cholli ambell i ffeinal fawr i Man Iw hefyd, yr hen elyn.

Yn ystod y blynyddoedd diwetha mae pethe wedi troi ben i waered ac mae Lerpwl yn ôl fel un o dimau gorau'r byd, ac mae hynny'n deimlad bendigedig i gefnogwr fel fi, ac yn gyfle i mi roi ambell i gefnogwr Man Iw yn ei le! Wna i byth anghofio'r ffeinal yna yn Istanbul yn 2005 pan oedd Lerpwl yn colli 3–0 yn erbyn AC Milan hanner amser yng Nghwpan Ewrop, a chefnogwyr Lerpwl yn canu'r gân fendigedig 'You'll Never Walk Alone' wrth i'r chwaraewyr ddychwelyd i'r ail hanner, ac yna Lerpwl yn dod yn gyfartal, 3–3, mewn ychydig funudau, gan gipio'r cwpan ar benaltis. Roedd honno'n noson i'w chofio go iawn, ac es i a Wini Goedol allan yn syth wedi'r gêm i ddathlu tan yr oriau mân.

Roedd dod yn ôl o 3–0 yn erbyn cewri Barcelona i ennill 4–3 yn wefr hefyd yn 2019, cyn mynd ymlaen i ennill Cwpan Ewrop, ac yna, rai misoedd yn ddiweddarach, i ennill Cwpan Clybiau Pêl-Droed y Byd am y tro cynta erioed! Eleni, wedi deg mlynedd ar hugain hir yn aros amdano, daeth tlws y Gynghrair yn ôl i Anfield ar ôl tymor anhygoel i'r tîm.

Yn anffodus, dwi ddim yn cael cyfle i fynd i Anfield yn aml i wylio'r Cochion, oherwydd diffyg amser yn fwy na dim, ond wna i fyth anghofio fy ymweliad cynta â'r stadiwm sanctaidd ar ddechrau'r nawdegau, pan aeth llond car ohonom yno i wylio Lerpwl yn erbyn Spurs, gyda Nigel Clough, mab yr enwog Brian, yn sgorio, cyn i ni golli'r gêm 2–1. Roedd cerdded i mewn i'r stadiwm yn rhoi gwefr i rywun, yn enwedig wrth gerdded i fyny'r stepiau a gweld y cae am y tro cynta.

Y tro diwetha i mi fod yn Anfield daeth Dad gyda fi. Dim ond dwywaith roedd o wedi bod efo fi o'r blaen, ac ar ôl y tro hwn ddeudodd o na fydde fo'n dod eto! Noson aeafol oedd hi, a'r glaw yn pistyllio, ac roeddem wedi cyrraedd yn rhy gynnar o lawer. Dyma ffeindio maes parcio ar dir yr ysgol leol, rhyw hanner milltir o Anfield. Y ni oedd y cynta yno, ac es ati i bacio'n ôl at ryw wal, mewn safle lle gallen ni fynd adre'n reit sydyn wedi'r gêm. Wrth agosáu at y wal dyma glec, a sŵn fel chwip. Roedd blincin postyn telegraff o flaen y wal ar ochr y *passenger*, a weles i mohono. Roedd tolc mawr ar ddrws ôl y tryc, ac yn waeth na hynny, roedd gwifren llinell ffôn wedi dod i lawr wrth i'r postyn ysgwyd – dyna oedd y sŵn chwip. Wel, am lanast!

"Be ddiawl ti 'di neud?" oedd ymateb Dad, a deudodd o wrtha i am fynd i rywle arall i barcio'n reit sydyn, cyn i ni gael dirwy!

Welodd neb, dwi ddim yn meddwl, achos roedd y stiward rownd y gornel, ac i ffwrdd â ni'n ddigon pell. I wneud pethe'n waeth, collodd Lerpwl y noson honno hefyd, ond o leia i dîm Abertawe yn y Cwpan – y flwyddyn yr aeth yr Elyrch ymlaen i ennill y Cwpan, gan gyrraedd ail gwpan Ewrop am y tro cynta erioed. Felly, roeddwn yn teimlo ychydig yn well oherwydd hynny.

Nid dyna ddiwedd y stori am y tolc, yn anffodus. Ryw wythnos yn ddiweddarach ces rywun i drwsio'r drws, a bu'r tryc yn mynd am rai dyddiau heb y *tailgate* ynghlwm wrtho. Ar y bore Llun canlynol aeth Dad â defaid i farchnad y Trallwng yn gynnar yn y bore. Dyma fo'n ffonio fi yn nes ymlaen i holi a oeddwn wedi gweld Roy, ei gi defaid. Na oedd fy ateb. Rhyw awr yn ddiweddarach dyma Norton Penybont o'r pentref yn fy ffonio i ddeud bod ci defaid diarth wedi bod ar hyd y lle, ac roedd yn holi ai f'un i oedd o. Roedd y ci erbyn hyn efo Emyr Lewis, yr hen giper yn y pentref. Mae'n debyg bod Roy wedi bod yno'n reit hir, a phenderfynodd Emyr ffonio'r warden cŵn, ac erbyn yr es i lawr at Emyr roedd y ci ar ei ffordd i *dog pound* ddim yn bell o'r Amwythig! Bu raid i fi fynd yr holl ffordd i'w nôl, a thalu am ei gael o'n ôl, a hynny i gyd oherwydd bod y ci wedi neidio i mewn i'r pic-yp y noson cynt pan oeddwn ym Mhentremawr ac wedi ffoi i'r pentre yn y nos gan nad oedd 'na ddrws ôl oherwydd fy ngiamocs yn Lerpwl. Mae Dad yn hapusach rŵan i wylio'i dîm annwyl adre ar y teledu ym moethusrwydd ei gadair!

Yn ogystal â chefnogi Lerpwl dwi'n hoff iawn o wylio rygbi, gan gefnogi'r Scarlets yn gyson, a'r timau cenedlaethol ym mhob camp. Dwi'n gwylio pob math o chwaraeon – o focsio a chriced i ralïo. Dwi wedi bod yn y stadiwm fawr yng Nghaerdydd lawer tro, ond i wylio rygbi'r gan amlaf yn ddiweddar.

Roeddwn yn y gêm bêl-droed ryngwladol yn yr hen Barc yr Arfau ym mis Tachwedd 1993 pan gollodd tîm Cymru y cyfle euraid yna i gyrraedd Cwpan y Byd, pan fethodd Paul Bodin gic o'r smotyn a fydde wedi bod yn ddigon i'w gwneud hi. Tor calon llwyr unwaith eto. Roeddwn mor falch pan gyrhaeddodd tîm Cymru yr Ewros yn Ffrainc rai blynyddoedd yn ôl, a gwneud mor dda yno. Roeddwn yn trefnu'r cneifio adre o gwmpas y gêmau, ac ambell i gyngerdd hefyd! Roeddwn i lawr yn Chelmsford pan chwaraeodd Cymru'r gêm gynta yn Ffrainc yn erbyn Slofacia, ac roeddwn yn rhannu ystafell yn y gwesty gyda'r canwr ifanc, a'r cefnogwr pêl-droed brwd o Fôn, Steffan Lloyd Owen. Roeddem yn gwylio'r gêm wrth baratoi at ein cyngerdd yn y gadeirlan, fel y soniais ynghynt. Bu cryn ddathlu y noson honno wedi'r cyngerdd.

Roeddwn hefyd mewn cyngerdd gyda Chôr Godre'r Aran yn Swindon yn gwylio gêm rygbi Cymru yn erbyn Lloegr yn 2005 pan giciodd Gavin Henson y gic anferthol honno i ennill y gêm. Bu tipyn o dynnu coes y Saeson yn y cyngerdd y noson honno, alla i ddeud wrthoch chi!

Yn ystod y blynyddoedd diwetha, dwi a Karina wedi bod ar ambell i daith rygbi i wylio gêmau Cymru, gan ymweld â Rhufain, Paris, Caeredin a Dulyn yn ddiweddar, a llynedd am y tro cynta aethom fel teulu o bedwar i Gaerdydd i wylio Cymru yn erbyn y Barbariaid – sef gêm gynta Cymru efo'r hyfforddwr newydd, Wayne Pivac, gyda Warren Gatland yn ffarwelio â Chymru wedi dros ddeng mlynedd wrth y llyw yn hyfforddi'r Baa-Baas! Roedd hi'n gêm gyffrous iawn gyda thipyn o geisiau, ac roedd y pedwar ohonom wedi mwynhau'n fawr. Gobeithio mai honno fydd y gêm gynta o lawer i ni fel teulu a chawn brofi'r wefr eto'n fuan.

25

Aria ac Aron

ROEDDWN I A Karina wedi bod efo'n gilydd am dros ddeng mlynedd cyn y daeth newid byd go iawn i ni. Cymro'r ci bach oedd yn byw efo ni cyn hynny, a dwi'n cofio Mam yn deud pan ddoth Cymro i fyw acw yn 2008 mai babi fydde'n well ganddi hi, nid ci bach! Dwi'n cofio nad oeddwn i'n rhy hoff o'r ci bach chwaith ar y dechrau ac i mi gloi'r drws ar Karina fel nad oedd y mwngrel bach yn cael dod i mewn i'r tŷ! Croes rhwng ci defaid a Jack Russell oedd o, pan aeth ast fach tad a mam Karina ar grwydr i'r ffarm gyfagos! Ond toddais inne wedi gweld y ci bach, a bu Cymro'n dod efo fi i'r ffarm bob dydd. Mae Cymro erbyn hyn yn ddeuddeg oed, ac yn dal yn gi ffyddlon sydd allan yn rhydd bob dydd ar y ffarm. Daeth newid byd mawr iddo yntau yn 2010 hefyd pan ddaeth y newyddion fod babi ar ei ffordd yn tŷ ni, a bu raid i Cymro druan symud i fyw i'r cut bach ym Mhentremawr yn lle moethusrwydd ein soffa!

Cyrhaeddodd Aria Wyn y byd bum niwrnod yn gynnar ar ddiwedd Hydref 2010, yn fabi saith pwys a hanner, a newidiodd ein bywydau yn llwyr! Mae Karina yn mynnu mai ein taith o'r Drenewydd y pnawn cynt oedd yn gyfrifol iddi gyrraedd yn gynnar oherwydd 'mod i wedi gyrru'n rhy gyflym dros y *speedbumps* ar y ffordd adre, ac erbyn amser gwely'r noson honno roedd hi ar y ffordd! Mae Aria yn ddeg oed erbyn hyn, ac wedi datblygu'n ferch ifanc hyderus, llawn hwyl. Mae'n ymddiddori mewn llenyddiaeth a darllen fel ei mam, ac yn mwynhau'r byd perfformio. Mae'n mynychu ysgol berfformio Rising Stars

yn y Drenewydd ac yn mwynhau canu ac actio caneuon o'r
sioeau cerdd yno. Mae Aria hefyd wedi gwneud yn dda iawn
yn yr eisteddfodau lleol, yn ogystal ag ennill ar ganu, llefaru
a cherdd dant dros y blynyddoedd diwetha yn eisteddfodau
cylch a rhanbarth yr Urdd. Ar ei blwyddyn gynta'n cystadlu
aeth drwodd i Eisteddfod Genedlaethol yr Urdd ar yr Unawd
Blwyddyn 2 ac iau gan ganu ar y teledu o'r rhagbrawf, a den
ni'n eitha siŵr mai hi yw'r unawdydd cynta o ddisgyblion Ysgol
Gynradd Llanbryn-mair i fynd ymlaen i'r Genedlaethol ers ei
thad dros dri deg mlynedd ynghynt!

Ddiwedd 2013 daeth storm o fachgen bach i'r byd atom,
ac er ei fod yn fachgen prysur llawn egni, dydi hynny'n ddim
byd o'i gymharu â'r panig ges i ar ddiwrnod ei enedigaeth.
Doedd Aron ddim i fod i gyrraedd tan yr ail o Ionawr, felly ar
y pymthegfed o Ragfyr, ddeunaw niwrnod ynghynt, doeddwn
i ddim wedi meddwl mwy am y peth. Roeddwn i wedi mynd
ag Aria Wyn i festri'r Hen Gapel i ymarfer olaf Stori'r Geni gan
blant yr Ysgol Sul, lle roedd hi am fod yn un o'r angylion. Am
ryw reswm, eisteddais ar sil y ffenest, lle roedd genna i damaid
o signal ar fy ffôn symudol. Tua hanner awr wedi un ar ddeg
dyma Karina'n ffonio i ddeud bod yn well i mi ddod adre'n reit
sydyn – roedd y babi ar y ffordd ac roedd gennon ni ein Stori'r
Geni ein hunain! O blincin hec, meddyliais, gan gofio bod dim
byd yn barod! Deudais wrth y merched yn y festri bod rhaid i
mi fynd yn syth, a bydde fy mam yn dod i nôl Aria. Es yn syth
i'r ffarm ac i'r sièd oherwydd roedd y cot babi a'r sêt car yn y
garafán yn fan'no. Es 'nôl at Karina gan feddwl bod genna i
amser i gael bath cyn mynd, a chasglu llyfr i'w ddarllen rhag
ofn y byddwn i yn yr ysbyty yn aros am oriau. Dim o'r fath
beth! Mynnodd Karina bod yn rhaid i ni fynd yn syth, a bod yr
ysbyty yn ein disgwyl ni.

Heb yn wybod i mi, roedd pethe tipyn agosach nag oeddwn
yn ei feddwl wrth yrru am Aberystwyth, ond ddeudodd Karina
ddim byd, rhag ofn i mi oryrru. Cyrhaeddes ddrws yr Uned
Famolaeth ym Mronglais a gwasgu botwm y gloch yn syth.

Ddaeth neb! Gwasgu eto a dechrau cnocio'n gryf. Dim byd eto! Roedd Karina yn dechrau panicio rŵan ac mewn poen, felly es drwy ei llyfr nodiadau i ddod o hyd i'r rhif ffôn. Dyma nhw'n ateb y ffôn a dod ar frys. Doedd y gloch ddim yn gweithio, a chan fod yr Uned ar fin symud i leoliad arall doedden nhw ddim wedi trafferthu trwsio'r gloch. Dyma ni i mewn yn y diwedd, ac er syndod i ni i gyd, bum munud yn ddiweddarach roedd Aron Wyn wedi cyrraedd y byd! Dyna oedd sioc bleserus!

Erbyn hyn mae Aron yn chwech oed, ac yn dal i fod yn fachgen egnïol dros ben – tebyg i'r hyn oedd ei dad o ddeugain mlynedd ynghynt, yn ôl y sôn! Mae Aron wrth ei fodd allan yn helpu'i dad ar y ffarm, fel mae Aria ambell dro hefyd. Mae o'n dechrau cymryd diddordeb yng ngwaith y ffarm, yn enwedig adeg yr wyna, a hynny'n fwy ers i Siôn Corn ddod â beic cwad iddo'r llynedd! Mae yn ei seithfed nef ar hwnnw ac yn mwynhau'r awyr iach a'r sbri, sy'n falm i'r galon ac yn dipyn gwell na bod yn y tŷ yn chwarae rhyw gêmau ar sgrin fach yn ddi-baid! Mae Aron hefyd wedi dechrau cystadlu ar lwyfan, ac wedi cael ambell i wobr am ganu ac adrodd. Mae o'n gallu dal tiwn yn rhyfeddol o dda am ei oedran ac yn gallu dynwared rhywun yn canu llinell o gerddoriaeth yn syth. Dydi Taid ddim cweit mor hapus o weld ei ŵyr yn canu, am ei fod yn poeni y bydd o ar grwydr o hyd yn canu, fel ei dad o'i flaen! Mae Aron hefyd fel petai'n eitha sydyn ei feddwl mewn mathemateg – rhywbeth mae ei daid a'i dad yn falch iawn ohono. Mi geith ddigon o ddefaid i'w cyfri i ymarfer, beth bynnag, gobeithio!

Does dim amheuaeth bod Aria ac Aron wedi newid ein bywydau'n llwyr, ac er mor brysur ydi'r ddau maen nhw werth y byd i gyd yn grwn. Oherwydd yr hen feirws Covid-19 yma, den ni wedi gweld tipyn mwy o'r ddau eleni, ac mae hynny wedi bod yn braf iawn. Gan fod yr ysgolion wedi bod ar gau cyhyd a phopeth wedi'i ohirio mae wedi bod yn dipyn o her i ddysgu'r gwaith ysgol adre. Ond mae Karina a finne wedi mwynhau'r cyfle i'w haddysgu am bethe ychydig yn wahanol i'r arfer hefyd, fel byd natur a'r hyn sydd o'n cwmpas. Dwi hefyd wedi bod yn lwcus o gael mwy o gymorth eleni gyda'r defaid. Gobeithio'n wir y bydd hynny'n parhau a bod dyfodol sicr iddynt ar ôl i'r byd 'ma ddod yn ôl i ryw fath o normalrwydd.

26

Y dyfodol

WRTH EDRYCH YN ôl, rhaid bod mor ddiolchgar am yr holl brofiadau dwi wedi'u cael hyd yn hyn mewn bywyd. Bydde'r hen fyd yma wedi bod tipyn mwy diflas os bydden i wedi bod adre drwy'r amser, a heb y gerddoriaeth falle dyna sut y bydde hi wedi bod arna i. Mae'n anodd gwybod am faint galla i ddal ati fel canwr yn y dyfodol. Tra bydd y llais yn gweithio'n iawn bydda i'n ymfalchïo o gael teithio dros y wlad am flynyddoedd lawer eto, gobeithio, yn perfformio i gynulleidfaoedd Cymru a thu hwnt. Does dim profiad tebyg i droedio ar lwyfan mewn neuadd gyngerdd orlawn a phawb, gobeithio, yn mwynhau'r hyn maen nhw'n ei glywed. Tra bydd pobl yn dal i holi mi fydda i'n dal i fynd! Gobeithio yn y dyfodol gall y plant ddod efo fi i ganu hefyd a braf iawn fydde hynny a chael cydberfformio efo Aria ac Aron. Ond falle fyddan nhw ddim eisiau canu efo Dad! Mae Aria Wyn wedi canu efo fi ar lwyfannau'n barod, ac er mai dim ond saith oed oedd hi ar y pryd, roedd hi'n hawlio'r llwyfan ac yn cael tipyn mwy o gymeradwyaeth na'i thad! Dwi hefyd yn gobeithio bydd y diddordeb perfformio yng ngwythiennau Aron Wyn, ac y bydd yntau eisiau perfformio am flynyddoedd i ddod.

Does dim amheuaeth mai yn Llanbryn-mair fydda i am byth, yn mwynhau byw a ffarmio yn un o'r cadarnleoedd amaethyddol Cymreig. Dwi'n poeni am ddyfodol ffermydd ucheldir Cymru, a bydd y blynyddoedd nesa 'ma'n dyngedfennol i'r diwydiant.

Dwi hefyd yn poeni'n fawr am ddyfodol yr iaith Gymraeg

yn ein pentrefi a'n hardaloedd gwledig. Roedd Llanbryn-mair yn llawn o Gymraeg pan oeddwn i'n tyfu i fyny. Roedd bron pawb yn yr ardal yn siarad Cymraeg pan oeddwn yn mynychu'r ysgol leol, ac er bod gennon ni o hyd ysgol arbennig o dda yn y pentref, gyda phob un o'r disgyblion yn rhugl yn y Gymraeg pan fyddant yn gadael, mae nifer yr aelwydydd sy'n siarad Cymraeg yn y pentref yn bendant wedi dirywio. Wrth nôl y plant o'r ysgol, ychydig iawn o'r rhieni eraill wrth giât yr ysgol sy'n siarad yr iaith, a dim ond y rheini sydd wedi'u magu ar y ffermydd cyfagos fel arfer neith siarad â chi yn Gymraeg. Does gan y gweddill ddim diddordeb o gwbl, gan wneud eu gorau i beidio â siarad yr iaith hyd yn oed. Mae hyn yn fy nghythruddo, yn enwedig wrth glywed ambell i riant sydd wedi siarad Cymraeg â mi ers yn blentyn yn mynnu siarad â'u plant yn Saesneg. Pa fath o ddyfodol sydd i ni fel hyn? Dwi hefyd wedi clywed plant yn eu harddegau sy'n gallu'r Gymraeg yn iawn yn mynnu cyfathrebu yn yr iaith fain, oherwydd ei fod o'n fwy cŵl! Am rwtsh! Be wnewch chi? Llanbryn-mair yw'r plwy' mwya o ran tirwedd yng Nghymru, ac mae ganddo lawer iawn o hanes a rhinweddau iddo. Ond heb iaith, heb galon.

Dwi wedi trio rhoi tipyn yn ôl i'r gymdeithas dros y blynyddoedd diwetha, gan godi canu'n gyson mewn angladdau yn yr Hen Gapel, lle ces i'r dechreuad gore posib pan oeddwn yn ifanc. Dwi hefyd yn arweinydd yn yr eisteddfod leol yn flynyddol ac yn mwynhau gweld talentau newydd yn dod drwodd ar lwyfan. Mae'r dalent yn dal yno, yn sicr, ond heb gystadleuwyr Cymraeg sydd wedi'u trwytho i gadw'r pethe gorau i fynd, fydd dim dyfodol i'r eisteddfod leol na'r gymdeithas glòs yna dwi'n ei chofio. Os collwn ni'r eisteddfodau lleol, yn anffodus bydde hynny'n andwyol i'r Eisteddfodau Cenedlaethol. Gobeithio'n wir y byddant yn dal ati, neu mewn ychydig flynyddoedd byddwn yn byw mewn rhyw gymdeithas Little England! Mi fydde hynny'n adeg drist iawn i ni i gyd.

Mae'r flwyddyn ddiwetha yma wedi fy nysgu bod angen gwerthfawrogi'r hyn sydd gennon ni mewn bywyd, ac i beidio â chymryd popeth yn ganiataol. Er y tristwch o glywed am yr holl farwolaethau dros y byd o ganlyniad i'r Coronafeirws ofnadwy yma, dwi'n meddwl bod y cyfnod yma wedi dod â phobl yn y gymdeithas yn agosach at ei gilydd, ac mae wedi dangos bod cyfeillgarwch a charedigrwydd yn ein pentrefi mor bwysig i ddyfodol ein cymunedau, yn ogystal â'n hiaith a'n plant. Gobeithio'n wir y bydd y pethe hyn yn parhau.

Hefyd o'r Lolfa:

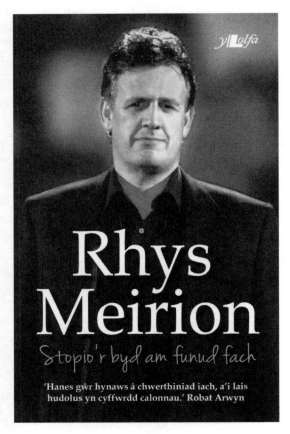

£9.95

£9.99

Holwch am bris argraffu!
www.ylolfa.com